JEDNO ŻYCZENIE

NICHOLAS SPARKS

JEDNO ŻYCZENIE

Z angielskiego przełożyła
ANNA DOBRZAŃSKA

ALBATROS

Tytuł oryginału:
THE WISH

Polish edition copyright © Wydawnictwo Albatros Sp. z o.o. 2022

Polish translation copyright © Anna Dobrzańska 2022

Redakcja: Anna Walenko

Zdjęcia na okładce: © Ashraful Arefin/Arcangel Images (*lampion*),
Benjamin Behre/Unsplash.com (*tło*)

Projekt graficzny okładki: Agnieszka Drabek/Wydawnictwo Albatros Sp. z o.o.

Skład: Laguna

ISBN 978-83-8215-812-0

Książka dostępna także jako e-book i audiobook
(czytają Laura Breszka i Marcin Stec)

Wyłączny dystrybutor
Dressler Dublin sp. z o.o.
Poznańska 91, 05-850 Ożarów Mazowiecki
tel. (+ 48 22) 733 50 31/32
e-mail: dystrybucja@dressler.com.pl
dressler.com.pl

Wydawca
Wydawnictwo Albatros Sp. z o.o.
Hlonda 2A/25, 02-972 Warszawa
wydawnictwoalbatros.com
Facebook.com/WydawnictwoAlbatros | Instagram.com/wydawnictwoalbatros

ALBATROS

2022. Wydanie I
Druk: Abedik SA, Poznań

Książkę wydrukowano na papierze Ecco Book Cream 70 g, vol. 2.0
z oferty Antalis Poland

antalis™
Just ask Antalis

Dla Pam Pope i Oscary Stevick

PODZIĘKOWANIA

W tym roku przypada dwudziestopięciolecie mojego pisarstwa. To kamień milowy, o którym z pewnością nie mogłem marzyć, kiedy pierwszy raz wziąłem do rąk egzemplarz *Pamiętnika*. W tamtym czasie naprawdę nie miałem pojęcia, czy kiedykolwiek jeszcze wymyślę dobrą historię, a tym bardziej czy będę w stanie utrzymać siebie i rodzinę z pisania.

To, że od ćwierć wieku mogę zajmować się tym, co kocham, zawdzięczam grupie cudownych oddanych ludzi, którzy wspierają mnie, pocieszają, doradzają mi, świętują razem ze mną, zrzędzą, planują i działają w moim imieniu dwadzieścia cztery godziny na dobę przez siedem dni w tygodniu. Wielu z nich trwa przy mnie od dziesięcioleci. Na przykład Theresa Park: poznaliśmy się, mając po dwadzieścia kilka lat; jako trzydziesto-, czterdziestolatkowie pracowaliśmy jak szaleni, założyliśmy rodziny, robiliśmy razem filmy, a teraz, w wieku pięćdziesięciu kilku lat, staramy się żyć mądrze i produktywnie. Jesteśmy przyjaciółmi, partnerami, wspólnie podróżujemy przez życie, a nasza relacja przetrwała szczęśliwie liczne wzloty i upadki w karierach, w których nigdy, przenigdy nie było miejsca na nudę.

Znam cały zespół Park & Fine od tak dawna, że nie wyobrażam sobie wydania książki czy nakręcenia filmu bez ich udziału. Są bez wątpienia najlepiej znającą się na rzeczy, najbardziej obytą w świecie i nieustraszoną grupą przedstawicieli wydawniczych w tej branży – Abigail Koons, Emily Sweet, Alexandra Greene, Andrea Mai, Pete Knapp, Ema Barnes i Fiona Furnari znają się na beletrystyce jak nikt inny. Ich koledzy, zajmujący się literaturą faktu, są równie doskonali. Celeste, byłem zachwycony, że mogę cię poznać, kiedy połączyłaś siły z Theresą. Od razu wiedziałem, dlaczego tak idealnie do siebie pasujecie!

Przez wszystkie te lata Grand Central Publishing było moim domem. I chociaż zmieniały się twarze, to etos uczciwości, uprzejmości i partnerskich relacji z autorami pozostał bez zmian. Michael Pietsch dowodził firmą podczas niezliczonych zmian i rozmaitych wyzwań z prawością i zdolnością przewidywania godną najlepszych strategów. Wydawca Ben Sevier był cudownym menedżerem i architektem rozwijającej się firmy, a redaktor naczelna Karen Kosztolnyik okazała się subtelną i dodającą otuchy orędowniczką mojej pracy, surową, a zarazem pełną szacunku. Brianie McLendon, twoje niesłabnące wysiłki, by wymyślić na nowo wygląd i przekaz moich książek, rok po roku, zasługują na nagrodę – mój zespół uwielbia twój niespożyty entuzjazm, który wspólnie z niezmordowanymi działaniami Amandy Pritzker sprawia, że czytelnicy wciąż chcą sięgać po moje książki i odkrywać pisane przeze mnie historie. Beth de Guzman, jesteś w nielicznej grupie ludzi, którzy pracują w wydawnictwie, odkąd wydałem swoją pierwszą książkę, i twoje nieustające starania o to, by moje wcześniejsze powieści wciąż były dostępne na rynku, są jednym z sekretów mojego sukcesu. Matthew Ballast jest mistrzem zen w promocji autorów, wygadanym i nieustępliwym, a jego koleżanka, Staci Burt, to zmyślna, otwarta specjalistka od reklamy, której niestraszny ani COVID, ani nieprzewidywalne harmonogramy, ani nawet zrzędliwi pisarze. Jeśli chodzi o Alberta Tanga i Flaga, który od dawna projektuje okładki moich książek – jesteście geniuszami i rok w rok zaskakują mnie wasze przepiękne okładki.

Catherine Olim zasługuje na medal za wszystkie kryzysy, które zażegnała, i za rozgłos, jaki nadała mojej pracy – to szczera, nieustraszona instruktorka i wojowniczka, która nie boi się udzielać mi rad na temat występów w telewizji i broni mnie przed niesprawiedliwą krytyką. LaQuishe „Q" Wright jest absolutną gwiazdą świata mediów społecznościowych. Ma instynkt, liczne znajomości i głowę do strategii koniecznych w tym bezustannie zmieniającym się świecie. Kocha swoją pracę, a armia jej klientów czerpie korzyści z jej pasji. Mollie Smith, czy istnieje bardziej wytrawna projektantka i ekspertka od kontaktów z fanami i publicznością? Jesteś najlepsza i razem z Q zawsze dbacie o to, by moje książki trafiały do jak najszerszego grona odbiorców.

Mój długoletni hollywoodzki przedstawiciel, Howie Sanders z Anonymous Content, od lat jest moim mądrym doradcą i lojalnym przyjacielem. Cenię sobie jego zdanie i podziwiam jego uczciwość. Po tym wszystkim, co przeszliśmy razem, ufam mu bezgranicznie. Scott Schwimer to od dwudziestu pięciu lat mój niezmordowany (a przy tym czarujący) adwokat i negocjator, który z pewnością widział już wszystko – zna mnie i historię mojej kariery i jest nieocenionym członkiem otaczającej mnie grupy ekspertów.

W życiu osobistym zostałem pobłogosławiony kręgiem przyjaciół i rodziną, na których miłość i wsparcie mogę zawsze liczyć, i chcę im tu podziękować. Wymieniam ich w przypadkowej kolejności; są to: Pat i Bill Millsowie; klan Thoene'ów, w tym Mike, Parnell, Matt, Christie, Dan, Kira, Amanda i Nick; klan Sparksów – Dianne, Chuck, Monte, Gail, Sandy, Todd, Elizabeth, Sean, Adam, Nathan i Josh; a także Bob, Debbie, Cody i Cole Lewisowie. Wyrazy wdzięczności niech zechcą też przyjąć moi przyjaciele, którzy tak wiele dla mnie znaczą: Victoria Vodar, Jonathan i Stephanie Arnoldowie; Todd i Gretchen Lanmanowie; Kim i Eric Belcherowie; Lee, Sandy i Max Minshullowie; Adriana Lima; David i Morgan Shara; David Geffen; Jeannie i Pat Armentroutowie; Tia i Brandon Shaverowie; Christie Bonacci; Drew i Brittany Breesowie; Buddy i Wendy Stallingsowie; John i Stephanie Zannisowie; Jeanine Kaspar; Joy Lenz; Dwight Carlbom; David Wang; Missy Blackerby; Ken Gray; John Hawkins i Michael Smith; rodzina Van Wie (Jeff, Torri, Ana, Audrey i Ava); Jim Tyler; Chris Matteo; Rick Muench; Paul du Vair; Bob Jacob, Eric Collins. Na końcu pragnę podziękować moim cudownym dzieciom, które są dla mnie całym światem. Miles, Ryan, Landon, Lexie i Savannah – kocham was wszystkich.

TO JEST CZAS

Manhattan
Grudzień 2019

Z nadejściem grudnia Manhattan zmieniał się w miasto, które Maggie nie zawsze rozpoznawała. Tłumy turystów ciągnęły na broadwayowskie sztuki i kłębiły się na chodnikach przed domami towarowymi w Midtown, tworząc płynącą leniwym nurtem rzekę pieszych. Butiki i restauracje pełne były ludzi obładowanych torbami, z ukrytych głośników płynęła bożonarodzeniowa muzyka, a hotelowe hole skrzyły się od świątecznych dekoracji. Choinkę przed Rockefeller Center rozświetlały wielobarwne światełka i błyski tysięcy iPhone'ów, a ulice, na których ruch nigdy nie jest specjalnie płynny, korkowały się do tego stopnia, że szybciej można było dotrzeć gdzieś pieszo, niż złapać taksówkę. Ale chodzenie również miało swoje minusy: żeby uchronić się przed lodowatym wiatrem, który hulał często między budynkami, należało mieć na sobie bieliznę termoaktywną, ciepły polar i kurtkę zapiętą pod szyję.

Maggie Dawes, która uważała się za wolnego ducha, trawionego żądzą podróżowania, uwielbiała obraz nowojorskich świąt, jaki zwykle widuje się na pocztówkach. W rzeczywistości, podobnie jak większość nowojorczyków, robiła, co mogła, żeby w tym okresie unikać Midtown. Dlatego albo siedziała w swoim mieszkaniu w dzielnicy Chelsea, albo – znacznie częściej – uciekała do cieplejszych krajów. Będąc fotografką podróżniczą, często myślała o sobie nie jak o nowojorczance, ale jak o nomadce, która tylko przypadkiem miała swój stały adres w tym mieście. W notatniku, który trzymała w szufladzie szafki nocnej, zgromadziła listę ponad setki miejsc, gdzie wciąż chciała pojechać. Niektóre z nich były tak ukryte lub odległe, że samo dotarcie do nich stanowiłoby niemałe wyzwanie.

Odkąd dwadzieścia lat temu ukończyła college, sukcesywnie skreślała z listy kolejne miejsca i dopisywała inne, które z tego czy innego powodu rozpalały jej wyobraźnię. Z aparatem zawieszonym na ramieniu odwiedziła każdy kontynent, przeszło osiemdziesiąt dwa kraje i czterdzieści trzy z pięćdziesięciu stanów. Zrobiła dziesiątki tysięcy zdjęć, od fauny i flory delty Okawango w Botswanie po zdjęcia zorzy polarnej w Laponii. Miała fotografie z podróży Szlakiem Inków, z Wybrzeża Szkieletowego w Namibii i ruin Timbuktu. Dwanaście lat temu nauczyła się nurkować z akwalungiem i przez dziesięć dni dokumentowała podwodne życie w Raja Ampat. Cztery lata temu odwiedziła Paro Taktsang, czyli Tygrysie Gniazdo, buddyjską świątynię wybudowaną na klifie w Bhutanie, z panoramicznymi widokami na Himalaje.

Inni często zachwycali się jej przygodami, ona odkryła jednak, że „przygoda" to słowo o wielu konotacjach i że nie wszystkie z nich są pozytywne. Dobrym przykładem była jej obecna przygoda – czasami tak właśnie opisywała ją swoim followersom na Instagramie i subskrybentom na YouTubie – przez którą zamiast jeździć po świecie, siedziała w swojej galerii albo w swym niezbyt dużym trzypokojowym mieszkaniu przy Zachodniej Dziewiętnastej Ulicy. Ta sama przygoda, przez którą od czasu do czasu nachodziły ją myśli samobójcze.

Oczywiście nigdy by czegoś takiego nie zrobiła. Przerażała ją ta myśl, do czego przyznała się w jednym z licznych filmików, które zamieściła na YouTubie. Przez prawie dziesięć lat jej nagrania nie różniły się niczym od nagrań innych fotografów: mówiła o tym, co zdecydowało, że zrobiła takie, a nie inne zdjęcie, pokazywała, jak używać Photoshopa, testowała i oceniała nowe aparaty i akcesoria i zwykle wrzucała dwa, trzy posty miesięcznie. Filmiki na YouTubie, posty na Instagramie i Facebooku, a także prowadzony przez nią blog cieszyły się sporym zainteresowaniem miłośników fotografii i umacniały jej pozycję profesjonalistki.

Tymczasem trzy i pół roku temu, ni stąd, ni zowąd, zamieściła na swoim kanale na YouTubie wideo dotyczące ostatniej diagnozy, która nie miała nic wspólnego z fotografią. Nagranie – rozwlekły opis strachu i niepewności, jakie poczuła, dowiedziawszy się, że ma czerniaka czwartego stopnia – prawdopodobnie w ogóle nie powinno było trafić do sieci. Lecz coś, co – jak sądziła – będzie samotnym głosem, który odbity echem wróci do niej z pustych czeluści internetu, przyciągnęło uwagę innych. Nie wiedziała, jak ani dlaczego, ale nagranie to – spośród wszystkich zamieszczonych przez nią w sieci – doczekało się strużki, strumienia, a w końcu prawdziwej rzeki opinii, komentarzy, pytań i lajków od ludzi, którzy nigdy w życiu nie słyszeli ani o niej, ani o tym, czym się zajmuje. Czując, że powinna odpowiedzieć tym, których poruszyła jej trudna sytuacja, zamieściła kolejne wideo – i zyskało ono jeszcze większą popularność. Od tej pory, mniej więcej raz w miesiącu, wrzucała do sieci nagrania w podobnym tonie, głównie dlatego, że czuła, że nie ma wyboru. W ciągu ostatnich trzech lat opisywała rozmaite terapie i to, jak się po nich czuje, a czasami pokazywała nawet blizny po operacji. Mówiła o oparzeniach po radioterapii, o nudnościach i wypadaniu włosów, a także otwarcie zastanawiała się nad sensem życia. Opowiadała o strachu przed śmiercią i spekulowała na temat życia po śmierci. Były to poważne problemy, lecz chcąc odsunąć od siebie czarne myśli, starała się nadać swoim nagraniom jak najlżejszy ton. Podejrzewała, że po części właśnie dlatego były tak popularne. Chociaż kto to mógł wiedzieć? Pewne było tylko to, że jakimś sposobem, niemal wbrew sobie, stała się gwiazdą własnego internetowego reality show, które – mimo początkowej nadziei – powoli skupiało się na rzeczy ostatecznej i nieuchronnej.

I – czego można chyba było się spodziewać – w miarę jak zbliżał się wielki finał, przyciągało coraz większą widownię.

*

Na pierwszym „Rakowym wideo" – nazywała je tak w odróżnieniu od „Prawdziwych nagrań" – patrzyła w kamerę

14

z cierpkim uśmiechem i mówiła: „Nienawidziłam go, za to ja najwyraźniej podobałam mu się coraz bardziej".

Wiedziała, że to kiepski dowcip, ale cała ta sytuacja wydawała się jej absurdalna. Dlaczego ona? Miała wtedy trzydzieści sześć lat, regularnie ćwiczyła i w miarę zdrowo się odżywiała. W jej rodzinie nie było przypadków raka. Dorastała w pochmurnym Seattle, potem mieszkała na Manhattanie, a więc nie miała jak i gdzie się opalać. Nigdy nie odwiedziła solarium. Wszystko to było bezsensowne, ale przecież taki właśnie jest rak, prawda? Rak nie wybiera; po prostu przytrafia się pechowcom. W końcu uznała, że właściwe pytanie powinno brzmieć: Dlaczego NIE ona? Nie była przecież nikim wyjątkowym. Bywało, że uważała się za ciekawą, inteligentną, a nawet atrakcyjną, ale słowo „wyjątkowa" nigdy nie przyszło jej do głowy.

W dniu, w którym usłyszała diagnozę, mogłaby przysiąc, że jest zdrowa jak ryba. Miesiąc wcześniej odwiedziła wyspę Vaadhoo na Malediwach, gdzie zrobiła sesję fotograficzną dla wydawnictwa Condé Nast. Poleciała tam z nadzieją, że uda jej się uchwycić bioluminescencję, która sprawia, że wody oceanu lśnią jak rozgwieżdżone niebo, jakby coś rozświetlało je od środka. Za to zjawisko odpowiada fitoplankton i Maggie poświęciła dodatkowy czas, żeby zrobić zdjęcia, które mogłaby sprzedać w swojej galerii.

Wczesnym popołudniem szła po niemal wyludnionej plaży niedaleko hotelu, z aparatem w dłoni, próbując wyobrazić sobie zdjęcia, które zamierzała zrobić z nadejściem nocy. Chciała uchwycić linię brzegową – może z jakimś głazem na pierwszym planie – niebo i oczywiście fale. Już ponad godzinę robiła zdjęcia pod różnymi kątami i z różnych miejsc na plaży, gdy minęła ją jakaś para trzymająca się za ręce. Maggie, pochłonięta pracą, ledwie ich zauważyła.

W pewnej chwili, kiedy oglądała przez wizjer miejsce, w którym fale rozbijały się o brzeg, usłyszała za sobą kobiecy głos. Kobieta mówiła po angielsku z silnym niemieckim akcentem.

– Przepraszam – odezwała się. – Widzę, że jest pani zajęta, i proszę wybaczyć, że przeszkadzam.

Maggie opuściła aparat.

– Tak?

– Nie chcę się wtrącać, ale czy badała pani ten ciemny pieprzyk na łopatce?

Maggie ściągnęła brwi i obróciła głowę, bezskutecznie próbując dostrzec między ramiączkami kostiumu kąpielowego znamię, o którym mówiła kobieta.

– Nie wiedziałam, że mam tam jakiś pieprzyk… – Zmrużyła oczy i z zakłopotaniem spojrzała na tamtą. – Dlaczego to panią ciekawi?

Kobieta pokiwała głową. Z siwymi krótkimi włosami wyglądała na jakieś pięćdziesiąt lat.

– No tak, powinnam się przedstawić. Nazywam się Sabine Kessel. Jestem dermatologiem z Monachium. Ten pieprzyk nie wygląda dobrze.

Maggie zamrugała gwałtownie.

– Ma pani na myśli raka?

– Nie wiem – odparła Sabine Kessel. Minę miała poważną. – Ale na pani miejscu zbadałabym go jak najszybciej. Oczywiście może się okazać, że to nic wielkiego.

Nie musiała dodawać, że może być wręcz przeciwnie.

Choć zrobienie idealnego zdjęcia zabrało jej pięć wieczorów, Maggie była zadowolona. Później podda je obróbce cyfrowej – to głównie na niej opiera się dzisiejsza fotografia – ale już wiedziała, że efekty będą spektakularne. Jednocześnie, choć starała się tym nie przejmować, umówiła się na wizytę u doktora Snehala Khatriego, dermatologa na Upper East Side, zaledwie cztery dni po powrocie do miasta.

Na początku lipca 2016 roku pobrano jej próbkę tkanki i wysłano do badania. Później, w tym samym miesiącu, w szpitalu Memorial Sloan Kettering wykonano jej rezonans magnetyczny, MRI, i pozytonową tomografię emisyjną, PET. Gdy przyszły wyniki, doktor Khatri zaprosił Maggie do gabinetu, gdzie spokojnym, poważnym głosem poinformował ją, że ma czerniaka czwartego stopnia. Tego samego dnia poznała onkolożkę, doktor Leslie Brodigan, która miała nadzorować leczenie. W następstwie tych spotkań Maggie postanowiła na własną rękę poszukać informacji w internecie. Mimo zapewnień doktor Brodigan, że jeśli chodzi o indywidualne przypadki, ogólne statystyki są bez znaczenia, Maggie nie mogła nie zwrócić uwagi na liczby. Wśród pacjentów, u których zdiagnozowano czerniaka czwartego stopnia, wskaźnik przeżywalności po pięciu latach wynosił niecałe piętnaście procent.

Następnego dnia Maggie, wciąż jeszcze oszołomiona, nagrała pierwsze „Rakowe wideo".

*

Podczas ich drugiego spotkania doktor Brodigan – pełna energii niebieskooka blondynka, wyglądająca jak okaz zdrowia – jeszcze raz wyjaśniła wszystko Maggie, która przy pierwszej wizycie była tak przybita, że pamiętała ją jak przez mgłę. Krótko mówiąc: czwarty stopień czerniaka oznaczał, że rak objął nie tylko węzły chłonne, ale też inne narządy; w przypadku Maggie wątrobę i żołądek. Badania MRI i PET wykazały, że komórki rakowe atakują zdrowsze części jej ciała niczym armia mrówek pożerająca jedzenie leżące na stole piknikowym.

Kolejne trzy i pół roku upłynęło pod znakiem leczenia, powrotu do zdrowia i – od czasu do czasu – przebłysków nadziei rozświetlających mroczne tunele pełne lęków i obaw. Przeszła operację usunięcia zaatakowanych węzłów chłonnych i przerzutów w wątrobie i żołądku. Po operacji nastąpiła koszmarna radioterapia, od której skóra Maggie miejscami zrobiła się czarna, a na jej ciele pozostały paskudne blizny, pasujące do tych, które miała już po operacji. Dowiedziała się również, że istnieją różne rodzaje czerniaka, nawet czwartego stopnia, i wymagają różnych metod leczenia. W jej przypadku oznaczało to immunoterapię, która przez kilka lat zdawała się działać, aż w końcu przestała. W kwietniu zaczęła się chemioterapia, trwająca miesiącami. Maggie nienawidziła jej i tego, jak się po niej czuła, ale żyła w przekonaniu, że musi być ona skuteczna. Jak mogła nie być, skoro najwyraźniej zabija wszystko inne w jej ciele? – zastanawiała się. Ostatnio ledwie rozpoznawała się w lustrze. Jedzenie niemal ciągle wydawało jej się zbyt gorzkie albo zbyt słone, przez co nie miała apetytu i straciła na wadze prawie dziesięć kilogramów. Jej owalne brązowe oczy zapadły się i były teraz jakby za duże nad wystającymi kośćmi policzkowymi, a twarz przypominała czaszkę obciągniętą skórą. Było jej wiecznie zimno i chodziła w grubych swetrach, nawet w przegrzanym mieszkaniu. Straciła swoje ciemnobrązowe włosy, a nowe odrastały kępkami, nieco jaśniejsze i cienkie jak u niemowlaka; prawie zawsze nosiła na głowie chustkę albo czapkę. Szyję miała tak chudą, że owijała ją szalikiem, żeby nie widzieć jej w lustrze.

Nieco ponad miesiąc temu, na początku listopada, kolejny raz wykonano jej tomografię komputerową i PET, a w grudniu spotkała się z doktor Brodigan. Tym razem onkolożka była nieco bardziej przygaszona, a jej oczy wyrażały bezbrzeżne współczucie. Poinformowała Maggie, że choć trwająca ponad trzy lata terapia czasami spowalniała postęp choroby, tak naprawdę nigdy jej nie zatrzymała. Na pytanie Maggie, czy można to jeszcze jakoś inaczej leczyć, lekarka delikatnie dała jej do zrozumienia, że powinna cieszyć się czasem, który jej pozostał.

W ten oto sposób poinformowała ją, że niedługo umrze.

*

Maggie otworzyła galerię przeszło dziewięć lat temu, wraz z artystą o pseudonimie Trinity, który wykorzystywał większą część przestrzeni na swoje ogromne eklektyczne rzeźby. Trinity naprawdę nazywał się Fred Marshburn. Poznali się na otwarciu wystawy innego artysty, na które Maggie akurat poszła, choć rzadko brała udział w takich wydarzeniach. Trinity był już wówczas szalenie popularny i od dawna zastanawiał się nad otwarciem własnej galerii, ale nie miał ochoty nią zarządzać ani nie zamierzał w niej przesiadywać. Ponieważ się polubili, a ich prace w żaden sposób nie wchodziły sobie w drogę, w końcu się dogadali. Za zarządzanie galerią Maggie otrzymywała skromną pensję i mogła również wystawiać swoje fotografie. W tamtym czasie chodziło bardziej o prestiż – mogła mówić ludziom, że ma własną galerię! – a nie o pieniądze, które płacił jej Trinity. W ciągu pierwszych dwóch lat sprzedała tylko kilka swoich prac.

Ponieważ wciąż dużo podróżowała – zwykle spędzała na walizkach ponad sto dni w roku – zarządzanie galerią spadło tak naprawdę na Luanne Sommers. Kiedy Maggie ją zatrudniła, Luanne była zamożną rozwódką z dorosłymi dziećmi. Jej doświadczenia zawodowe ograniczały się do amatorskiego kolekcjonerstwa i wyszukiwania okazji w sklepach Neiman Marcus. Do jej niewątpliwych atutów należało to, że dobrze się ubierała, była odpowiedzialna, sumienna, chętna do nauki i nie przeszkadzało jej, że zarabia nieco poniżej średniej krajowej. Jak to ujęła, alimenty, które płacił jej były mąż, wystarczyłyby, żeby do końca życia pławiła się w luksusach, ale jak długo można chodzić na lunche i nie ześwirować?

Luanne okazała się urodzoną sprzedawczynią. Na początku Maggie zapoznała ją z technicznymi elementami wszystkich swoich prac i opowiedziała pokrótce historię każdej z nich, co często interesowało kupców w równym stopniu jak samo zdjęcie. Rzeźby Trinity'ego, wykonane z rozmaitych materiałów – płótna, metalu, plastiku, kleju i farby, a także przedmiotów znalezionych na złomowiskach, jelenich rogów, słoików i puszek – były wystarczająco oryginalne, by wzbudzać ożywione dyskusje. Trinity był ulubieńcem krytyków, a jego prace sprzedawały się regularnie, mimo niebotycznych cen. Galeria rzadko reklamowała i wystawiała dzieła innych artystów, więc praca tutaj była raczej spokojna. Zdarzały się dni, gdy klientów można było zliczyć na palcach jednej ręki, a na trzy ostatnie tygodnie roku galerię zamykano. Dla Maggie, Trinity'ego i Luanne taki układ sprawdzał się przez długi czas.

Wydarzyły się jednak dwie rzeczy, które wszystko zmieniły. Po pierwsze, „Rakowe wideo" Maggie przyciągnęło do galerii nowych ludzi. Nie zapalonych miłośników sztuki współczesnej czy fotografii, lecz turystów z takich miejsc jak Tennessee czy Ohio, ludzi, którzy śledzili Maggie na Instagramie i YouTubie, ponieważ czuli się z nią związani. Niektórzy zostali fanami jej fotografii, lecz większość chciała ją poznać i kupić na pamiątkę jej pracę, z autografem. Rozdzwoniły się telefony z zamówieniami z całego kraju, a kolejne spływały przez stronę internetową. Maggie i Luanne nie nadążały z ich realizacją i w zeszłym roku postanowiły nie zamykać galerii przed świętami. Potem Maggie dowiedziała się, że niebawem rozpocznie chemioterapię, a to znaczyło, że przez kilka miesięcy nie będzie mogła pomagać w galerii. Było oczywiste, że muszą zatrudnić dodatkowego pracownika. Gdy poruszyła ten temat w rozmowie z Trinitym, natychmiast się zgodził. Los sprawił, że następnego dnia młody mężczyzna, niejaki Mark Price, wszedł do galerii i poprosił o rozmowę z Maggie. Wtedy wydawało jej się to zbyt piękne, żeby było prawdziwe.

*

Mark Price był świeżo upieczonym absolwentem college'u, ale wyglądał jak licealista. Początkowo Maggie sądziła, że jest kolejnym z jej „fanów", była to jednak tylko część prawdy. Mark przyznał, że usłyszał o niej dzięki internetowym nagraniom – najbardziej lubił nagrania wideo, które wrzucała do sieci – lecz przyniósł też swój życiorys. Wyjaśnił, że szuka pracy, a świat sztuki wydaje mu się szczególnie pociągający. „Sztuka i fotografia – dodał – pozwalają wyrażać poglądy w taki sposób, w jaki słowa nie są w stanie tego zrobić".

Mimo wątpliwości co do zatrudniania kogoś ze swych fanów Maggie jeszcze tego samego dnia porozmawiała z nim i stwierdziła, że Mark Price dobrze przygotował się do tego spotkania. Wiedział sporo o Trinitym i jego pracach; wspomniał nawet o instalacji, którą prezentowano w Muzeum Sztuki Nowoczesnej, i drugiej, wystawionej na uniwersytecie New School; z miną człowieka znającego się na rzeczy przyrównał je do późniejszych prac Roberta Rauschenberga. Nie była zaskoczona, gdy okazało się, że jego wiedza na temat jej prac jest równie dogłębna i imponująca. A jednak, choć zadowalająco odpowiedział na wszystkie jej pytania, wciąż miała pewne wątpliwości. Zastanawiała się, czy rzeczywiście zależy mu na pracy w galerii, czy też jest kolejną osobą, która chce z bliska przyglądać się jej tragedii.

Gdy spotkanie dobiegło końca, poinformowała go, że aktualnie nie szukają pracowników – formalnie rzecz biorąc, była to prawda, choć pozostawało to tylko kwestią czasu – na co zapytał uprzejmie, czy mimo wszystko zechce przyjąć jego podanie. Myśląc o tym później, uznała, że oczarowało ją, w jaki sposób to sformułował. „Czy mimo wszystko zechce pani przyjąć moje podanie?". Zabrzmiało to staroświecko i tak uprzejmie, że uśmiechnęła się i wyciągnęła rękę po dokument.

W tym samym tygodniu zamieściła ofertę pracy na stronach związanych ze sztuką i wykonała kilka telefonów do innych galerii, informując, że poszukuje pracownika. Na skrzynkę zaczęły spływać podania o pracę i Luanne spotkała się z sześciorgiem kandydatów, podczas gdy Maggie, wstrząsana torsjami, dochodziła do siebie w domu po pierwszym zastrzyku. Tylko jedna kandydatka przeszła pierwszy etap rozmowy kwalifikacyjnej, ale gdy nie pojawiła się na drugim, została skreślona z listy. Sfrustrowana Luanne odwiedziła Maggie, która od kilku dni nie wychodziła z mieszkania. Leżąc na kanapie, sączyła koktajl lodowo-owocowy, który przyniosła jej Luanne – była to jedna z niewielu rzeczy, które mogła jeszcze przełknąć.

– Aż trudno uwierzyć, że nie możemy znaleźć nikogo odpowiedniego do pracy w galerii. – Maggie pokręciła głową.

– Brakuje im doświadczenia albo kompletnie nie znają się na sztuce – powiedziała Luanne.

23

Z tobą było podobnie, mogła jej przypomnieć Maggie, ale ugryzła się w język. Luanne okazała się skarbem – jako przyjaciółka i pracownica – prawdziwym darem niebios. Ciepła i opanowana, już dawno przestała być tylko koleżanką z pracy.

– Ufam ci, Luanne. Zaczniemy od początku.

– Jesteś pewna, że nie było nikogo, z kim warto by się spotkać? – spytała Luanne żałosnym głosem.

Z jakiegoś powodu Maggie przyszedł do głowy Mark Price, który tak uprzejmie zapytał, czy mimo wszystko zechce przyjąć jego podanie.

– Uśmiechasz się – zauważyła Luanne.

– Wcale nie.

– Potrafię rozpoznać, kiedy ktoś się uśmiecha. O czym pomyślałaś?

Maggie upiła kolejny łyk koktajlu i chwilę zwlekała, ale w końcu postanowiła powiedzieć Luanne o Marku.

– Zanim zamieściłyśmy ogłoszenie, do galerii przyszedł młody człowiek – zaczęła i opisała przebieg spotkania. – Wciąż mam co do niego pewne wątpliwości, ale jego podanie leży pewnie gdzieś na moim biurku. – Wzruszyła ramionami. – Nie wiem nawet, czy wciąż jest zainteresowany.

Kiedy Luanne dowiedziała się, co sprawiło, że Mark zainteresował się pracą w galerii, zmarszczyła brwi. Lepiej niż ktokolwiek inny wiedziała, z jakiego powodu ludzie nagle zaczęli przychodzić do galerii, a ci, którzy widzieli nagrania Maggie, często postrzegali ją jako swoją powierniczkę, kogoś, kto okaże im zrozumienie i współczucie. Pragnęli podzielić się z nią swoimi historiami, swoim cierpieniem, i opowiedzieć jej o stracie, jakiej doświadczyli. I chociaż Maggie chciała ich pocieszyć i wesprzeć, często okazywało się to ponad jej siły, zwłaszcza że sama ledwie się trzymała. Luanne robiła, co mogła, żeby uchronić ją przed tymi najbardziej namolnymi.

– Przejrzę jego podanie i porozmawiam z nim – odparła. – Potem zdecydujemy, co dalej.

W następnym tygodniu Luanne skontaktowała się z Markiem. Ich pierwsza rozmowa doprowadziła do dwóch kolejnych, z których jedna odbyła się w obecności Trinity'ego. Opowiadając o nich potem Maggie, Luanne rozpływała się w zachwytach nad chłopakiem, ale Maggie uparła się, że sama chce jeszcze z nim porozmawiać. Dopiero cztery dni później poczuła się na siłach, żeby pojechać do galerii. Mark Price zjawił się punktualnie. Miał na sobie garnitur, w ręce ściskał segregator. Walcząc z mdłościami, przejrzała jego życiorys. Zauważyła, że pochodzi z Elkhart w Indianie, a kiedy zobaczyła, w którym roku ukończył Uniwersytet Northwestern, dokonała w głowie szybkich obliczeń.

– Masz dwadzieścia dwa lata?

– Tak.

Uczesany z przedziałkiem, z niebieskimi oczami i twarzą dziecka wyglądał na zadbanego nastolatka gotowego pójść na studniówkę.

– I ukończyłeś teologię?

– Tak.

– Dlaczego teologia?

– Mój ojciec jest pastorem – wyjaśnił. – Chcę zrobić dyplom z teologii i pójść w jego ślady.

Gdy to powiedział, uświadomiła sobie, że wcale nie jest tym zaskoczona.

– Skąd więc zainteresowanie sztuką, skoro zamierzasz zostać pastorem?

Złączył czubki palców, jakby zastanawiał się nad doborem słów.

– Zawsze uważałem, że sztuka i wiara mają ze sobą wiele wspólnego. Obie pozwalają ludziom zgłębiać własne emocje i znajdować odpowiedzi na pytanie: czym jest dla mnie sztuka. Prace pani i Trinity'ego zawsze zmuszają mnie do myślenia i co ważniejsze, towarzyszy temu zdziwienie. Tak samo jest z wiarą.

Była to dobra odpowiedź, lecz Maggie wciąż podejrzewała, że Mark nie mówi jej całej prawdy. Starając się o tym nie myśleć, kontynuowała rozmowę, zadając kolejne standardowe pytania o doświadczenia zawodowe, znajomość fotografii i współczesnego rzeźbiarstwa. W końcu odchyliła się na krześle.

– Dlaczego sądzisz, że nadajesz się do tej pracy?

Nie sprawiał wrażenia zdenerwowanego jej pytaniami.

– Przede wszystkim, kiedy tylko poznałem panią Sommers, poczułem, że dobrze by nam się razem pracowało. Po naszej rozmowie spędziłem, za jej zgodą, trochę czasu w galerii, zgromadziłem materiały i zapisałem kilka spostrzeżeń na temat obecnie wystawianych prac. – Pochylił się i podał jej segregator. – Pani Sommers również dostała egzemplarz.

Maggie przekartkowała zawartość segregatora. Zatrzymała wzrok na przypadkowej stronie i przeczytała fragment dotyczący zdjęcia, które zrobiła w Dżibuti w 2011 roku, kiedy ten kraj dotknęła susza, jedna z najgorszych od dziesiątków lat. Na pierwszym planie leżał szkielet wielbłąda, a za nim widać było trzy rodziny w cudownie barwnych strojach. Uśmiechnięci ludzie szli wyschniętym korytem rzeki, a nad ich głowami, na niebie, które zachodzące słońce zmieniło w pomarańczowo-czerwony dywan, gromadziły się burzowe chmury. Zbielałe kości szkieletu i spękana ziemia świadczyły o długotrwałej suszy.

Komentarze Marka były napisane z zaskakującą finezją i wyrażały dojrzałe zrozumienie dla jej artystycznych intencji; próbowała pokazać nieprawdopodobną wręcz radość pośród ogromu rozpaczy i uświadomić odbiorcom, jak niewiele znaczymy w starciu z kapryśną potęgą przyrody. Mark doskonale ubrał to w słowa.

Zamknęła segregator, wiedząc, że nie ma potrzeby przeglądać dalej.

– Widzę, że odrobiłeś pracę domową, a biorąc pod uwagę twój wiek, wydajesz się zdumiewająco kompetentny. Ale jest coś jeszcze. Ciekawi mnie prawdziwy powód, dla którego chcesz tu pracować.

Uniósł brwi.

– Uważam, że pani fotografie są nadzwyczajne. Podobnie jak rzeźby Trinity'ego.

– To wszystko?

– Nie bardzo rozumiem, o co pani chodzi.

– Będę szczera. – Odetchnęła głęboko. Była zbyt zmęczona, zbyt schorowana i zostało jej zbyt mało czasu, żeby owijać w bawełnę. – Przyniosłeś życiorys, zanim zamieściliśmy ogłoszenie, że szukamy pracowników, a do tego przyznałeś, że lubisz moje nagrania. Niepokoi mnie to, bo ludziom, którzy oglądali moje wideo, wydaje się czasem, że łączy mnie z nimi jakaś więź. Nie mogę pozwolić, by ktoś taki pracował w galerii. – Uniosła brwi. – Może myślisz, że zostaniemy przyjaciółmi i będziemy odbywać długie poważne rozmowy? To raczej wykluczone. Wątpię, żebym często tu bywała.

– Rozumiem – odrzekł spokojnie. – Na pani miejscu pewnie czułbym to samo. Mogę jedynie zapewnić, że zamierzam wyłącznie być doskonałym pracownikiem.

Nie podjęła decyzji od razu. Przespała się z nią, a nazajutrz naradziła się z Luanne i Trinitym. Mimo jej wątpliwości postanowili dać mu szansę i z początkiem maja Mark rozpoczął pracę w galerii.

Na szczęście od tej pory nie dał Maggie ani jednego powodu, by żałowała swojej decyzji. Przez całe lato przechodziła chemioterapię i spędzała w galerii zaledwie kilka godzin w tygodniu. W tych rzadkich chwilach Mark zachowywał się na wskroś profesjonalnie. Witał ją radośnie, uśmiechał się serdecznie i zawsze zwracał się do niej „pani Dawes". Nigdy nie spóźnił się do pracy, nigdy nie zadzwonił, że jest chory, i pukał do drzwi jej gabinetu tylko wtedy, gdy jakiś kolekcjoner albo inny klient chciał z nią porozmawiać, a on uznał, że jest to na tyle ważne, żeby zawracać jej głowę. Być może mając w pamięci ich rozmowę, nigdy nie wspominał o jej ostatnich nagraniach ani nie zadawał żadnych osobistych pytań. Od czasu do czasu wyrażał nadzieję, że Maggie czuje się lepiej, ale nie przeszkadzało jej to, bo nigdy nie ciągnął jej za język, tylko czekał, aż sama zdecyduje, czy chce powiedzieć coś więcej.

Przede wszystkim jednak był doskonałym pracownikiem. Zawsze uprzejmy i miły wobec klientów, dyskretnie odprowadzał do wyjścia fanów Maggie i miał znakomite wyniki w sprzedaży, prawdopodobnie dlatego, że nie był ani trochę nachalny. Odbierał telefon zwykle po drugim, trzecim dzwonku i zanim wysłał zamówione przez internet reprodukcje, bardzo starannie je pakował. Zazwyczaj zostawał w galerii godzinę dłużej, żeby zrobić wszystko, co w danym dniu miał zaplanowane. Luanne była nim tak zachwycona, że w grudniu ze spokojnym sumieniem wyjechała na miesiąc z córką i wnukami na Maui. Była to wycieczka, którą odbywała niemal co roku, odkąd zaczęła pracować w galerii.

Maggie uświadomiła sobie, że wcale jej to nie zdziwiło. Zdumiało ją natomiast, że w ciągu kilku miesięcy jej wątpliwości co do Marka powoli ustąpiły miejsca rosnącemu zaufaniu.

*

Maggie nie potrafiła wskazać, kiedy dokładnie się to stało. Niczym sąsiedzi z mieszkania obok, regularnie korzystający z tej samej windy, oboje zaczęli czuć się swobodnie w swoim towarzystwie, a ich serdeczne relacje przerodziły się w zażyłość. We wrześniu, zaraz po tym, jak doszła do siebie po ostatnim zastrzyku, zaczęła spędzać w galerii więcej czasu. Zwyczajne powitania przeszły niepostrzeżenie w pogawędki, które stawały się coraz bardziej osobiste. Czasami te rozmowy odbywały się w małym pokoju socjalnym obok gabinetu Maggie, innym razem w galerii, kiedy akurat nie było tam nikogo. Zwykle dochodziło do nich, gdy po zamknięciu wszyscy troje pakowali reprodukcje zamówione przez telefon albo przez stronę galerii. Luanne lubiła opowiadać o kiepskich wyborach randkowych byłego męża, o dzieciach i wnukach. Maggie i Mark z chęcią słuchali jej opowieści, zwłaszcza że Luanne była zabawna. Od czasu do czasu któreś z nich przewracało oczami na coś, co powiedziała („Mam nadzieję, że mój były płaci za wszystkie operacje plastyczne tej tandetnej naciągaczki"), na co drugie uśmiechało się dyskretnie – drobne oznaki porozumienia, czytelne tylko dla nich dwojga.

Zdarzało się jednak, że Luanne musiała opuścić galerię zaraz po zamknięciu. Mark i Maggie pracowali wtedy razem i stopniowo dowiadywała się o nim coraz więcej, choć on wciąż powstrzymywał się przed zadawaniem jej osobistych pytań. Opowiedział jej o rodzicach i dzieciństwie, które kojarzyło się jej z ilustracjami Normana Rockwella, o bajkach na dobranoc, hokeju i baseballu, o mamie i tacie, którzy oglądali każde szkolne przedstawienie, w jakim brał udział. Często mówił również o swojej dziewczynie, Abigail, która studiowała ekonomię na Uniwersytecie Chicagowskim. Podobnie jak on, dorastała w małym miasteczku – w jej przypadku było to Waterloo w stanie Iowa – i Mark miał w telefonie mnóstwo ich wspólnych zdjęć. Abigail była uroczym rudzielcem ze Środkowego Zacho-du; Mark wspomniał, że oświadczy się jej, gdy tylko ona obroni tytuł magistra. Słysząc to, Maggie roześmiała się.

– Po co brać ślub, kiedy oboje jesteście jeszcze tacy mło-dzi? – spytała. – Dlaczego nie zaczekacie kilka lat?

– Bo to ta jedyna, kobieta, z którą chcę spędzić resztę ży-cia – odparł z powagą.

– Skąd wiesz?

– Czasami człowiek po prostu wie.

Im więcej Maggie się o nim dowiadywała, tym bardziej utwierdzała się w przekonaniu, że jego rodzice są szczęściarza-mi, mając takiego syna, a on jest szczęściarzem, mając takich rodziców. Był wyjątkowym młodzieńcem, odpowiedzialnym i miłym. Swoim zachowaniem przeczył stereotypowi leniwego roszczeniowego milenialsa. Ta rosnąca sympatia, którą do nie-go czuła, zdumiewała ją, zwłaszcza że tak niewiele ich łączyło. Jej młodość była... niezwykła, przynajmniej przez jakiś czas, a w jej relacjach z rodzicami wiele było napięć. A ona w niczym nie przypominała Marka. Podczas gdy on był pracowity i ukoń-czył z wyróżnieniem jedną z najbardziej prestiżowych uczelni, jej nauka przychodziła z trudem; ledwie zdołała ukończyć trzy semestry w dwuletnim college'u przygotowującym do studiów wyższych. Gdy była w jego wieku, żyła chwilą i podejmowała spontaniczne decyzje, a w jego życiu wszystko wydawało się prze-myślane i zaplanowane. Gdyby poznała go, kiedy była młodsza, pewnie nawet by na niego nie spojrzała. Mając dwadzieścia kil-ka lat, notorycznie wiązała się z niewłaściwymi mężczyznami.

Mimo to czasami przypominał jej kogoś, kogo znała dawno, dawno temu i kto kiedyś był dla niej całym światem.

*

Jeszcze przed Świętem Dziękczynienia Maggie uznała Marka za członka galeriowej rodziny. Nie była z nim tak blisko jak z Luanne czy Trinitym – ich znała w końcu od lat – ale stał się dla niej kimś w rodzaju przyjaciela i dwa dni po święcie wszyscy czworo zostali w galerii po jej zamknięciu. Był sobotni wieczór, a ponieważ nazajutrz rano Luanne wylatywała na Maui, a Trinity na Karaiby, otworzyli butelkę wina pasującego do serów i owoców zamówionych przez Luanne. Maggie wzięła kieliszek, chociaż nie wyobrażała sobie, żeby mogła cokolwiek przełknąć.

Wznieśli toast za galerię – mieli za sobą wyjątkowo dobry rok – i przez kolejną godzinę swobodnie gawędzili. Pod koniec Luanne wręczyła Maggie kopertę.

– W środku jest prezent – powiedziała. – Otwórz to po moim wyjeździe.

– Ale ja nie mam nic dla ciebie.

– Nie szkodzi – odparła Luanne. – To, że przez ostatnie miesiące czułaś się lepiej, jest dla mnie najlepszym prezentem. Tylko otwórz to przed Bożym Narodzeniem.

Zapewniona przez Maggie, że tak zrobi, Luanne podeszła do patery z owocami i sięgnęła po truskawki. Tuż obok Trinity rozmawiał z Markiem. Ponieważ bywał w galerii znacznie rzadziej niż Maggie, zadawał Markowi te same osobiste pytania, które ona zadawała chłopakowi przez ostatnich kilka miesięcy.

– Nie wiedziałem, że grałeś w hokeja – powiedział Trinity. – Jestem wielkim fanem Islandersów, chociaż od wieków nie zdobyli Pucharu Stanleya.

– To świetny sport. Grałem do czasu, aż zacząłem studia na Northwestern.

– Nie mają tam drużyny?

– Nie byłem dość dobry, żeby grać w drużynie uniwersyteckiej – wyznał Mark. – Moi rodzice na pewno się tym nie zmartwili. Chyba żadne z nich nie tęskniło za meczami.

– Przyjadą do ciebie na święta?

– Nie. Tata i kilkudziesięciu wiernych z jego kościoła lecą w tym czasie do Ziemi Świętej. Nazaret, Betlejem i tak dalej.

– A ty nie chciałeś z nimi lecieć?

– To ich marzenie, nie moje. Poza tym jestem potrzebny tutaj.

Maggie zauważyła, że Trinity zerknął w jej stronę i zaraz przeniósł wzrok z powrotem na Marka. Nachylił się ku niemu i szepnął coś. Chociaż nie słyszała jego słów, wiedziała dokładnie, co powiedział, bo chwilę wcześniej wyraził swoje obawy.

„Miej oko na Maggie pod naszą nieobecność. Trochę się o nią martwimy".

W odpowiedzi Mark tylko pokiwał głową.

*

Trinity był bardziej przewidujący, niż miał tego świadomość, choć oboje z Luanne wiedzieli, że dziesiątego grudnia Maggie ma wyznaczoną kolejną wizytę u doktor Brodigan. To właśnie podczas tej wizyty doktor Brodigan dała Maggie do zrozumienia, że powinna się skupić na jakości swojego życia. Teraz był osiemnasty grudnia. Od tamtego koszmarnego dnia minął przeszło tydzień, a Maggie nadal czuła się otępiała. Nie powiedziała nikomu o rokowaniach. Jej rodzice żyli w przekonaniu, że jeśli będą się modlić wystarczająco gorliwie, Bóg uleczy ich córkę. Nie miała siły mówić im prawdy. Podobnie było z siostrą – jej również Maggie nie była w stanie wyznać prawdy. Mark wysłał jej kilka wiadomości, ale informowanie go w SMS-ie o tym, jak wygląda sytuacja, wydawało się jej absurdalne, a nie była gotowa na szczerą rozmowę twarzą w twarz. Jeśli chodzi o Luanne i Trinity'ego, mogła do nich zadzwonić. Tylko po co? Luanne zasługiwała na to, by cieszyć się wakacjami w gronie najbliższych, bez zamartwiania się o Maggie, a Trinity też miał swoje życie. Poza tym żadne z nich i tak nic nie mogłoby zrobić.

Dlatego, oszołomiona swoją nową rzeczywistością, ostatnie osiem dni spędziła, siedząc w mieszkaniu albo spacerując niespiesznie po okolicy. Czasami po prostu patrzyła przez okno, w zamyśleniu bawiąc się wisiorkiem, który zawsze nosiła na szyi, a czasami przyglądała się ludziom. Gdy przeprowadziła się do Nowego Jorku, była zauroczona nieustającym ruchem, jaki tu panował, tłumami ludzi spieszących do metra. O północy spoglądała na wielkie biurowce, ze świadomością, że gdzieś tam ludzie wciąż siedzą przy biurkach. Obserwując pieszych, którzy przechodzili w pośpiechu pod jej oknem, przypomniała sobie, jak pierwszy raz przyjechała do tego miasta i jaką była wtedy zdrową młodą kobietą. Miała wrażenie, że to się działo wieki temu, że lata minęły w mgnieniu oka, przeciekły jej przez palce, i ta myśl wpędziła ją w jeszcze bardziej refleksyjny nastrój. Czas, pomyślała, zawsze będzie czymś ulotnym.

Nie spodziewała się cudu – w głębi duszy od samego początku wiedziała, że nie ma leku, który by ją uzdrowił – ale czy nie byłoby cudownie dowiedzieć się, że chemioterapia spowolniła rozwój choroby, dzięki czemu ona zyskuje dodatkowy rok albo dwa lata? Albo że jest dostępna jakaś terapia eksperymentalna? Czy prosiła o zbyt wiele? O jeszcze jeden antrakt, zanim ostatni akt rozpocznie się na dobre?

Na tym polegała walka z rakiem. Na czekaniu. Tak wiele czasu w ciągu ostatnich kilku lat poświęciła właśnie na czekanie. Czekała na wizytę u lekarza i na leczenie; czekała, aż dojdzie do siebie po terapii; czekała, żeby zobaczyć, czy leczenie przyniesie jakiekolwiek efekty, i czekała, aż poczuje się na tyle dobrze, by mogła spróbować czegoś nowego. Do dnia, gdy usłyszała diagnozę, nie znosiła czekać na cokolwiek, tymczasem czekanie stało się wyznacznikiem jej rzeczywistości.

Nawet teraz, pomyślała nagle. Siedzę tu i czekam na śmierć.

Na chodniku za szybą widziała opatulonych ciepło ludzi. Oddech ulatywał z ich ust białymi obłoczkami, gdy spieszyli w sobie tylko znanych kierunkach. Rozświetlone czerwienią sznury samochodów wlokły się wąskimi uliczkami, pośród uroczych kamienic z czerwonej cegły. Gdziekolwiek spojrzała, życie toczyło się nadal jak gdyby nigdy nic, zwyczajnie. A przecież nic już nie było zwyczajne i Maggie szczerze wątpiła, czy jeszcze kiedyś takie będzie.

Zazdrościła im, tym obcym ludziom, których nigdy nie pozna. Żyli swoim życiem, nie licząc dni, które im pozostały, w przeciwieństwie do niej. Jak zawsze ludzi było pełno. Przyzwyczaiła się do tego, że w mieście panuje wieczny tłok, bez względu na godzinę czy porę roku, co utrudniało załatwienie nawet najprostszych rzeczy. Jeśli potrzebowała ibuprofenu z apteki Duane Reade, mogła być pewna, że przy kasie będzie kolejka; jeśli miała ochotę iść do kina, należało liczyć się z tym, że będzie musiała odstać swoje przy kasie. Gdy przechodziła przez ulicę, niezmiennie otaczali ją spieszący dokądś ludzie, którzy potrącali ją na chodniku.

I po co ten pośpiech? – zastanawiała się nad tym teraz, tak jak zastanawiała się nad wieloma innymi sprawami. Jak każdy, ona również żałowała pewnych rzeczy, a obecnie, gdy kończył jej się czas, nie potrafiła przestać o nich myśleć. Były takie, które zrobiła i które chciałaby móc odkręcić, okazje, których nie wykorzystała, a teraz nie miała już na to czasu. W jednym ze swoich nagrań wideo opowiadała szczerze o tym, czego żałuje; przyznawała, że nie może się z tym pogodzić i że wcale nie czuje się bliżej znalezienia odpowiedzi niż w dniu, kiedy usłyszała diagnozę.

Od ostatniego spotkania z doktor Brodigan nie uroniła ani jednej łzy. Kiedy nie patrzyła w okno i nie spacerowała, skupiała się na zwykłych, prozaicznych czynnościach. Dużo spała – przesypiała czternaście godzin na dobę – i zamawiała przez internet prezenty świąteczne. Wciąż nagrywała, ale od ostatniej wizyty u doktor Brodigan nie wrzuciła do sieci żadnego wideo.

Siedząc w salonie, próbowała pić koktajle, które dostarczano jej do domu. Kilka dni wcześniej poszła na lunch do Union Square Cafe. Było to jedno z jej ulubionych miejsc, gdzie zawsze mogła zjeść coś pysznego przy barze. Tym razem wizyta okazała się klapą, bo nic nie smakowało tak jak powinno. Rak wykradł jej z życia kolejną radość.

Do świąt został tydzień, popołudniowe słońce powoli gasło i Maggie poczuła nieodpartą chęć, aby wyjść z domu. Ubrała się na cebulkę, zakładając, że przez jakiś czas będzie chodziła bez celu po ulicach, ale z chwilą, gdy wyszła na zewnątrz, ochota na spacer minęła jej równie nagle, jak się pojawiła. Maggie ruszyła więc w stronę galerii. Nie zamierzała pracować, chciała po prostu wiedzieć, że wszystko jest jak należy.

Galeria znajdowała się kilka przecznic dalej i Maggie szła powoli, starając się schodzić z drogi każdemu, kto mógłby na nią wpaść. Wiał lodowaty wiatr i zanim weszła do galerii, pół godziny przed jej zamknięciem, była przemarznięta do szpiku kości. W środku panował niebywały tłok. Spodziewała się, że przed świętami klientów będzie mniej, ale najwyraźniej się pomyliła. Na szczęście Mark panował nad sytuacją.

Kiedy weszła, wszystkie głowy odwróciły się w jej stronę i zauważyła, że niektórzy ją rozpoznali. Wybaczcie, nie dziś, pomyślała nagle, w roztargnieniu pomachała ręką na powitanie i pospieszyła do swojego gabinetu. Zamknęła drzwi i rozejrzała się po pokoju. Stało tu biurko i przy nim fotel, a jedną ścianę zajmowały wbudowane półki, pełne albumów i pamiątek z dalekich podróży. Naprzeciw biurka była szara dwuosobowa kanapa, niewielka, ale na tyle duża, by w razie potrzeby Maggie mogła się na niej położyć. W kącie stał bogato rzeźbiony fotel bujany z kwiecistymi poduszkami, które Luanne przywiozła z domu na wsi i które wnosiły do tego współczesnego wnętrza odrobinę ciepła.

Rzuciwszy na biurko kurtkę i rękawiczki, Maggie poprawiła chustkę i opadła na fotel. Włączyła komputer i odruchowo sprawdziła wyniki sprzedaży z ostatniego tygodnia. Były znacznie wyższe, niż się spodziewała, ale uświadomiła sobie, że nie ma ochoty zagłębiać się w szczegóły. Otworzyła inny folder i zaczęła przeglądać swoje ulubione zdjęcia. W końcu zatrzymała się na serii zdjęć zrobionych w styczniu, w Ułan Bator w Mongolii. Wtedy nie wiedziała jeszcze, że będzie to jej ostatnia zagraniczna podróż. Przez cały czas jej pobytu w Mongolii temperatura nie przekraczała zera, a lodowaty wiatr mógł w niespełna minutę spowodować odmrożenia na odsłoniętej skórze. W tak niskich temperaturach sprzęt zaczynał płatać figle, przez co praca stanowiła jeszcze większe wyzwanie. Maggie pamiętała, że co rusz chowała aparat pod kurtkę, żeby trochę go ogrzać, ale fotografowanie było dla niej tak ważne, że przez prawie dwie godziny walczyła z żywiołami.

Chciała znaleźć jakiś sposób, żeby udokumentować poziom skażenia powietrza i jego oddziaływanie na mieszkańców stolicy Mongolii. W mieście, gdzie żyło półtora miliona ludzi, niemal każdy budynek był przez całą zimę opalany węglem, dlatego nawet w najbardziej słoneczny dzień niebo wydawało się tu ciemne. Doprowadzało to zarówno do kryzysu zdrowotnego, jak i klimatycznego, i Maggie pragnęła, żeby jej fotografie pobudziły ludzi do działania. Zrobiła mnóstwo zdjęć dzieci oblepionych czarną warstwą brudu po tym, jak bawiły się na ulicy. Jedno z czarno-białych ujęć przedstawiało brudną tkaninę zawieszoną w otwartym oknie, obrazującą, co dzieje się z płucami skądinąd zdrowych ludzi. Obserwowała panoramę miasta i w końcu udało jej się uchwycić dokładnie to, co chciała: cudownie niebieskie niebo, które nagle, dosłownie w jednej chwili, zasnuło się bladą, niemal żółtą mgłą, jak gdyby sam Bóg narysował na nim prostą linię dzielącą je na pół. Efekt był porażający, zwłaszcza po kilkugodzinnej obróbce.

Teraz, patrząc na to zdjęcie w zaciszu swojego gabinetu, uświadomiła sobie, że nigdy więcej nie zrobi czegoś takiego. Prawdopodobnie nigdy więcej już nie wyjedzie, by fotografować, może nawet nigdy nie opuści Manhattanu, chyba że ulegnie namowom rodziców i wróci do Seattle. Sytuacja w Mongolii się nie zmieniła. Oprócz fotoreportażu, który ukazał się w „New Yorkerze", niektóre media – w tym pisma „Scientific American" i „Atlantic" – próbowały naświetlić problem niebezpiecznego poziomu zanieczyszczenia powietrza w Ułan Bator, lecz w ciągu ostatnich jedenastu miesięcy sytuacja w stolicy Mongolii stała się jeszcze bardziej dramatyczna. Zupełnie jakby Maggie poniosła kolejną porażkę, tak jak w walce z rakiem.

Wiedziała, że jedno nie ma z drugim nic wspólnego, ale w tej właśnie chwili połączyła te dwie rzeczy i poczuła, że łzy napływają jej do oczu. Umierała, naprawdę umierała, i nagle dotarło do niej, że nadchodzące święta będą jej ostatnimi.

Jak miała przeżyć te ostatnie cenne tygodnie? Czym jest „jakość życia" dla człowieka, który żyje dosłownie z dnia na dzień? Spała więcej niż zwykle, ale czy „jakość" oznaczała więcej snu, żeby poczuć się lepiej, czy też mniej snu, żeby dni wydawały się dłuższe? I co ze zwykłymi sprawami? Czy powinna umawiać się na wybielanie zębów? Czy ma spłacić karty kredytowe, czy może raczej zaszaleć na zakupach? Bo jakie to miało znaczenie? Co w ogóle miało teraz znaczenie?

Setki przypadkowych myśli i pytań kłębiły jej się w głowie. Przytłoczona nimi, poczuła, że coś ściska ją w gardle, i chwilę później rozpłakała się na dobre. Nie wiedziała, jak długo to trwało; czas umykał niepostrzeżenie. W końcu, zmęczona płaczem, wstała od biurka i otarła oczy. Spojrzała przez okno weneckie nad biurkiem i zobaczyła, że galeria opustoszała, a drzwi frontowe są zamknięte. O dziwo, nigdzie nie widziała Marka, chociaż światła wciąż się paliły. Zastanawiała się, gdzie chłopak jest, kiedy usłyszała pukanie do drzwi. Nawet to robił delikatnie.

Przez chwilę chciała wymyślić jakiś pretekst, żeby mieć czas na ochłonięcie. Tylko po co? Już dawno przestała przejmować się swoim wyglądem; wiedziała, że nawet w najlepsze dni wygląda koszmarnie.

– Proszę – powiedziała.

Z pudełka na biurku wyciągnęła chusteczkę i wydmuchała nos.

– Dobry wieczór – odezwał się cicho.

– Dobry wieczór.

– Przyszedłem nie w porę?

– To nic.

– Pomyślałem, że się pani skusi. – Wyciągnął ku niej plasti-
kowy kubek. – Koktajl bananowo-truskawkowy z lodami wani-
liowymi. Może poprawi pani nastrój.

Rozpoznała etykietkę na kubku – restauracja mieściła się
dwa budynki dalej – i zastanawiała się, skąd wiedział, jak ona
się czuje. Może wyczuł coś, kiedy weszła do galerii, a może pamiętał, co powiedział mu Trinity.

– Dziękuję. – Wzięła kubek.

– Wszystko w porządku?

– Bywało lepiej. – Upiła łyk, zadowolona, że koktajl jest na
tyle słodki, że może poczuć jego smak. – Jak było dzisiaj?

– Duży ruch, ale nie taki jak w zeszły piątek. Sprzedaliśmy
osiem reprodukcji, w tym trzecie *Godziny szczytu*.

Każda fotografia miała dwadzieścia pięć numerowanych
reprodukcji, przy czym niższy numer oznaczał wyższą cenę.
Zdjęcie, o którym mówił Mark, zostało zrobione w tokijskim
metrze w godzinach szczytu i przedstawiało peron, na którym
tłoczyły się tysiące mężczyzn w pozornie identycznych czarnych garniturach.

– A jakieś rzeźby Trinity'ego?

– Dziś nie, ale myślę, że w niedalekiej przyszłości są na to
spore szanse. Jackie Bernstein była tu dziś ze swoim doradcą.

Maggie pokiwała głową. Jackie kupiła już dwie jego rzeźby
i Trinity z pewnością się ucieszy, widząc, że interesuje się kolejną.

– A co z zamówieniami złożonymi przez stronę internetową i telefonicznie?

– Sześć potwierdzonych, dwie osoby prosiły o więcej informacji. Wszystko będzie niedługo gotowe do wysłania. Zajmę się tym, jeśli chce pani iść do domu.

Gdy tylko to powiedział, w głowie Maggie zaroiło się od pytań. Czy naprawdę chcę iść do domu? Do pustego mieszkania? Rozczulać się nad sobą w samotności?

– Nie, zostanę – odparła. – Chociaż na chwilę.

Wyczuwała jego ciekawość, ale wiedziała, że nie będzie próbował ciągnąć jej za język. Wciąż jeszcze miał w pamięci rozmowę kwalifikacyjną.

– Na pewno śledzisz na bieżąco moje posty i wideo – zaczęła – więc pewnie domyślasz się, jak wygląda sytuacja.

– Niezupełnie. Odkąd zacząłem tu pracować, nie oglądałem żadnego z pani filmów.

Tego się nie spodziewała. Nawet Luanne oglądała jej nagrania.

– Dlaczego?

– Pomyślałem, że wolałaby pani, abym tego nie robił. Przypomniałem sobie pani obiekcje co do zatrudnienia mnie w galerii i uznałem, że tak będzie lepiej.

– Ale wiedziałeś, że miałam chemioterapię?

– Luanne wspominała o tym, ale nie znam szczegółów. No i kiedy pojawiała się pani w galerii, wyglądała pani…

– Jak śmierć? – dokończyła za niego.

– Chciałem powiedzieć, że wyglądała pani na zmęczoną.

Jasne. Jakby utrata wagi, ziemista cera i wypadanie włosów były oznakami braku snu. Wiedziała jednak, że próbuje być delikatny.

– Masz chwilę, zanim zaczniesz przygotowywać wysyłki?

– Jasne. Nie planowałem nic na dzisiaj.

Pod wpływem impulsu podeszła do fotela na biegunach i ruchem ręki wskazała Markowi, żeby usiadł na kanapie.

– Nie wychodzisz z przyjaciółmi?

– To droga przyjemność – odparł. – Poza tym wychodzenie z nimi kończy się zwykle pijaństwem, a ja nie piję.

– W ogóle?

– W ogóle.

– No, no – rzuciła. – Chyba nigdy w życiu nie spotkałam niepijącego dwudziestodwulatka.

– Właściwie mam już dwadzieścia trzy lata.

– Miałeś urodziny?

– To nic takiego.

Pewnie nie, pomyślała.

– Luanne wiedziała o tym? Nic mi nie wspomniała.

– Nie mówiłem jej.

Wychyliła się do przodu i uniosła kubek.

– W takim razie spóźnione najlepsze życzenia.

– Dziękuję.

– Zrobiłeś coś fajnego? Z okazji urodzin?

– Abigail przyleciała na weekend i poszliśmy na *Hamiltona*. Widziała pani ten musical?

– Jakiś czas temu.

Ale nigdy więcej go nie zobaczę, dodała w myślach. Był to jeszcze jeden powód, dla którego nie chciała być sama. Żeby myśli takie jak ta nie doprowadziły jej do kolejnego załamania. W towarzystwie Marka łatwiej było wziąć się w garść.

– Nigdy wcześniej nie widziałem musicalu na Broadwayu – ciągnął Mark. – Muzyka była fantastyczna. Podobał mi się element historyczny i taniec, i... w ogóle wszystko. Abigail była zachwycona. Przysięgała, że nigdy jeszcze nie przeżyła czegoś podobnego.

– Co u niej?

– Wszystko w porządku. Właśnie zaczęła przerwę świąteczną, więc pewnie pojedzie do Waterloo zobaczyć się z rodziną.

– Nie chciała przyjechać do ciebie?

– Chodzi o jakiś mały zjazd rodzinny. W przeciwieństwie do mnie, ma liczną rodzinę. Pięcioro starszych braci i sióstr, którzy są rozproszeni po całym kraju. Boże Narodzenie to jedyny czas w roku, kiedy mogą się wszyscy spotkać.

– A ty nie chciałeś tam jechać?

– Pracuję. Ona to rozumie. Zresztą przyjedzie do mnie dwudziestego ósmego. Spędzimy trochę czasu razem. Zobaczymy, jak opada noworoczna kula i takie tam.

– Poznasz mnie z nią?

– Jeśli pani zechce.

– Daj znać, gdybyś potrzebował wolnego. Na pewno poradzę sobie sama przez kilka dni.

Wcale nie była tego taka pewna, ale czuła, że powinna mu to zaproponować.

– Dziękuję, w razie czego dam znać.

Maggie upiła kolejny łyk koktajlu.

– Nie wiem, czy już to mówiłam, ale świetnie sobie radzisz.

– Lubię tę pracę – wyznał.

Czekał, a ona wiedziała, że znów postanowił nie zadawać jej osobistych pytań. Znaczyło to, że albo sama zacznie mówić, albo zachowa wszystko dla siebie.

– W zeszłym tygodniu widziałam się ze swoją onkoloźką. – Miała nadzieję, że głos jej nie drży. – Uważa, że kolejna chemioterapia wyrządzi więcej złego niż dobrego.

Twarz mu złagodniała.

– Mogę zapytać, co to znaczy?

– To znaczy, że nie będą mnie już leczyć, a zegar tyka.

Zbladł, gdy dotarło do niego to, co kryło się za jej słowami.

– Och… pani Dawes. To straszne. Tak mi przykro. Nie wiem, co powiedzieć. Mogę coś dla pani zrobić?

– Nie sądzę, żeby ktokolwiek mógł coś zrobić. I proszę, mów mi po imieniu. Myślę, że pracujesz tu wystarczająco długo, żebyśmy przeszli na ty.

– Lekarka jest pewna?

– Wyniki były złe – odparła. – Jest mnóstwo przerzutów, wszędzie. Do żołądka, trzustki, nerek, płuc. Wiem, że o to nie zapytasz, ale zostało mi niecałe pół roku. Prawdopodobnie jakieś trzy, cztery miesiące, może nawet mniej.

Zaskoczyło ją, gdy zobaczyła, że łzy napłynęły mu do oczu.
– O... Boże... – jęknął. Twarz mu nagle złagodniała. – Mogę się za ciebie pomodlić? Nie teraz. Kiedy wrócę do domu. Uśmiechnęła się. Oczywiście, to jasne, że jako przyszły pastor będzie chciał się za nią pomodlić. Podejrzewała, że nigdy w życiu nie przeklął. Był słodkim dzieciakiem. Właściwie młodym mężczyzną, ale...

– Dziękuję.

Przez chwilę oboje milczeli. W końcu lekko pokręcił głową i zacisnął usta w wąską kreskę.

– To niesprawiedliwe – powiedział.

– A czy życie w ogóle bywa sprawiedliwe?

– Mogę zapytać, jak sobie radzisz? Mam nadzieję, że mi wybaczysz, jeśli trochę się zagalopowałem...

– W porządku – uspokoiła go. – Odkąd się dowiedziałam, jestem trochę oszołomiona.

– To musi być nie do zniesienia.

– Czasami. A czasami nie. Najdziwniejsze jest to, że fizycznie czuję się lepiej niż wcześniej, podczas chemioterapii. Wtedy bywały dni, że wolałam umrzeć. Ale teraz...

Przez chwilę wodziła wzrokiem po półkach i stojących na nich pamiątkach – każda wiązała się z jakimś wspomnieniem z miejsca, z którego ją przywiozła. Grecja i Egipt, Rwanda, Nowa Szkocja, Patagonia i Wyspa Wielkanocna, Wietnam i Wybrzeże Kości Słoniowej. Tak wiele miejsc, tak wiele przygód.

– Dziwnie jest wiedzieć, że zbliża się koniec – wyznała. – Człowiekowi przychodzi do głowy całe mnóstwo pytań.

Zaczyna się zastanawiać, o co w tym wszystkim chodzi. Czasami wydaje mi się, że żyłam jak w bajce, a zaraz potem zaczynam zadręczać się rzeczami, których nie zrobiłam.

– Na przykład?

– Na przykład tym, że nie wyszłam za mąż. Wiesz, że nigdy nie miałam męża, prawda? – Skinął głową, a ona mówiła dalej: – Dorastając, nie wyobrażałam sobie, że w tym wieku mogłabym być singielką. Nie tak mnie wychowano. Moi rodzice byli bardzo konserwatywni i zakładałam, że ja też taka będę. – Wróciła myślami do przeszłości i wspomnień, które wynurzały się na powierzchnię, jedno po drugim. – Oczywiście nie ułatwiałam im życia. W każdym razie nie tak jak ty swoim rodzicom.

– Nie byłem idealnym dzieckiem – odparł. – Pakowałem się w kłopoty.

– Z jakiego powodu? Coś poważnego? Nie posprzątałeś pokoju czy wróciłeś do domu minutę po wyznaczonej godzinie? Chwileczkę. Zawsze wracałeś do domu przed wyznaczoną godziną, tak?

Otworzył usta, ale kiedy nie wydobył się z nich żaden dźwięk, wiedziała już, że miała rację. Musiał być nastolatkiem, który utrudniał życie swoim rówieśnikom po prostu dlatego, że był taki grzeczny.

– Chodzi o to, że zastanawiam się, jak wyglądałoby moje życie, gdybym wybrała inną ścieżkę. I nie tylko w kwestii małżeństwa. Co by było, gdybym bardziej przykładała się do nauki, ukończyła college, pracowała w biurze albo zamieszkała w Miami czy Los Angeles? Coś w tym stylu.

– Nie potrzebowałaś żadnego college'u. Zrobiłaś fantastyczną karierę jako fotografka, a twoje wideo i posty na temat choroby zainspirowały wielu ludzi.

– To bardzo miłe, ale ci ludzie tak naprawdę mnie nie znają. A koniec końców, czy nie to właśnie jest najważniejsze? Żeby w pełni cię poznał i pokochał ktoś, kogo sam wybierzesz?

– Może – przyznał Mark. – Ale to nie zmienia faktu, że tak wiele dałaś ludziom, opowiadając o swoich doświadczeniach. To naprawdę wspaniałe i być może odmieniłaś nawet czyjeś życie.

Możliwe, że sprawiła to jego szczerość lub jego staroświeckie maniery, ale po raz kolejny uderzyło ją to, jak bardzo przypomina jej kogoś, kogo znała dawno temu. Od lat nie myślała o Brysie; przynajmniej nie świadomie. Przez większość dorosłego życia starała się zepchnąć wspomnienia o nim na dno umysłu.

Teraz nie musiała już tego robić.

– Mogę zadać ci osobiste pytanie? – spytała, naśladując jego uprzejmy ton.

– Oczywiście.

– Kiedy uświadomiłeś sobie, że kochasz Abigail?

Gdy wypowiedziała to imię, na twarzy Marka odmalowała się czułość.

– W zeszłym roku. – Odchylił się na oparcie kanapy. – Niedługo po tym, jak skończyłem studia. Spotkaliśmy się cztery, pięć razy i chciała, żebym poznał jej rodziców. No i pojechaliśmy do Waterloo, we dwoje. Zatrzymaliśmy się, żeby coś zjeść, po czym stwierdziła, że ma ochotę na lody w rożku. Dzień był upalny, a klimatyzacja w samochodzie nie działała za dobrze, więc lody zaraz zaczęły się topić i ściekać jej po rękach. Większość ludzi wpadłaby w złość, ale ona chichotała, jakby to była najzabawniejsza rzecz pod słońcem, i próbowała je zjeść, zanim całkiem się roztopią. Miała je wszędzie, na nosie, na palcach, na kolanach, nawet we włosach, i pamiętam, że pomyślałem wtedy, że chciałbym spędzić z kimś takim resztę życia. Z kimś, kto potrafi śmiać się z drobnych kłopotów i we wszystkim znajduje powód do radości. Wtedy właśnie uświadomiłem sobie, że to jest ta jedyna.

– Powiedziałeś jej o tym?

– Nie. Bałem się. Dopiero jesienią zebrałem się na odwagę.

– Ona też powiedziała ci, że cię kocha?

– Tak. Boże... ależ mi wtedy ulżyło.

– Wydaje się wspaniałą dziewczyną.

– Bo jest wspaniała. Szczęściarz ze mnie.

Uśmiechał się, ale widziała, że coś go gryzie.

– Chciałbym móc coś dla ciebie zrobić – powiedział łagodnie.

– Wystarczy, że tu pracujesz. I że siedzisz do tak późna.

– Lubię tu być. Ale zastanawiam się...

– Mów śmiało – zachęciła go. – Możesz zapytać mnie, o co tylko chcesz. Nie mam już nic do ukrycia.

– Dlaczego nie wyszłaś za mąż? Skoro, jak sądzę, chciałaś tego?

– Było mnóstwo powodów. Na początku kariery pragnęłam skupić się tylko na niej, dopóki nie znajdę punktu zaczepienia. Później zaczęłam dużo podróżować, otworzyłam galerię i... chyba byłam zbyt zajęta.

– I nigdy nie spotkałaś człowieka, dla którego zdecydowałabyś się to wszystko zmienić?

W ciszy, która nastała, Maggie odruchowo sięgnęła dłonią do małego wisiorka w kształcie muszli, jakby się upewniała, że wciąż tam jest.

– Chyba spotkałam. Wiem, że go kochałam, ale to nie był dobry czas.

– Z powodu pracy?

– Nie – odparła. – To wydarzyło się dużo wcześniej. Ale jestem pewna, że nie byłabym dla niego wystarczająco dobra. Przynajmniej nie wtedy.

– Nie wierzę.

– Nie wiesz, jaka byłam kiedyś. – Odstawiła kubek, splotła ręce i złożyła je na kolanach. – Chcesz usłyszeć tę historię?

– Będę zaszczycony.

– Jest dość długa.

– Takie historie są najlepsze.

Maggie spuściła głowę; czuła, że gdzieś na skraju jej umysłu kolejne obrazy wynurzają się na powierzchnię. Wiedziała, że wraz z nimi pojawią się też słowa.

– W roku tysiąc dziewięćset dziewięćdziesiątym piątym zaczęłam prowadzić sekretne życie – zaczęła.

PORZUCONA NA WYSPIE

Ocracoke
1995

Właściwie jeśli mam być szczera, moje sekretne życie zaczęło się, gdy miałam piętnaście lat i mama znalazła mnie na podłodze w łazience, bladą jak ściana, obejmującą rękami sedes. Od półtora tygodnia wymiotowałam co rano, więc mama, która znała się na tych sprawach lepiej niż ja, pobiegła do apteki, a gdy wróciła do domu, kazała mi nasikać na plastikową płytkę. Kiedy w okienku pojawił się niebieski plus, przez długą chwilę w milczeniu wpatrywała się w test, po czym zniknęła w kuchni, gdzie przepłakała resztę dnia.

Był początek października, a ja byłam w ciąży nieco od ponad dziewięciu tygodni. Pewnie tamtego dnia płakałam tak samo jak ona. Siedziałam w pokoju, tuląc swojego ukochanego misia – nie wiem nawet, czy zauważyła, że nie poszłam do szkoły – i oczami spuchniętymi od płaczu patrzyłam na strumienie deszczu, które lały się na zamglone ulice. Była to typowa dla Seattle pogoda i nawet teraz wątpię, czy istnieje na świecie bardziej przygnębiające miejsce, zwłaszcza jeśli jesteś ciężarną piętnastolatką i czujesz, że twoje życie dobiegło końca, zanim w ogóle się zaczęło.

Nie muszę chyba mówić, że nie miałam pojęcia, co zrobić. To pamiętam najlepiej. No bo cóż mogłam wiedzieć o byciu matką? Albo o byciu dorosłą? Pewnie, że często czułam się starsza, niż byłam w rzeczywistości – jak wtedy, gdy Zeke Watkins, gwiazda drużyny koszykówki, zagadnął mnie na szkolnym parkingu – ale część mnie nadal pozostawała dzieckiem. Uwielbiałam filmy Disneya i świętowałam urodziny we wrotkarni, opychając się truskawkowym tortem lodowym; wciąż spałam z misiem i nie umiałam prowadzić samochodu. Prawdę mówiąc, moje doświadczenia z płcią przeciwną też były raczej marne. W całym moim życiu całowałam się tylko z czterema chłopcami, ale raz nie skończyło się na całowaniu i nieco ponad trzy tygodnie po tamtym strasznym dniu, pełnym rzygania i łez, rodzice wysłali mnie do Ocracoke na wyspach Outer Banks w Karolinie Północnej, w miejsce, o którego istnieniu nie miałam nawet pojęcia. Było to podobno malownicze nadmorskie miasteczko, uwielbiane przez turystów. Miałam tam zamieszkać z moją ciotką, Lindą Dawes, siostrą ojca, znacznie starszą od niego, którą widziałam tylko raz w życiu. Załatwili też wszystko z nauczycielami, tak bym nie narobiła sobie zaległości. Rodzice odbyli długą rozmowę z dyrektorem szkoły, który z kolei porozmawiał z ciotką i zgodził się, by nadzorowała moje egzaminy. Miała pilnować, żebym nie ściągała i oddawała w terminie wszystkie prace. I nagle, tak po prostu, stałam się rodzinnym sekretem.

Rodzice nie pojechali ze mną do Karoliny Północnej, przez co było mi jeszcze trudniej. Pożegnaliśmy się na lotnisku w zimny listopadowy poranek, kilka dni po Halloween. Właśnie skończyłam szesnaście lat, byłam w trzynastym tygodniu ciąży, kompletnie przerażona, ale – dzięki Bogu – nie płakałam w samolocie. Nie płakałam też, kiedy ciotka odebrała mnie z małego, przedpotopowego lotniska na odludziu ani gdy zameldowałyśmy się w obskurnym motelu przy plaży, bo najbliższy prom do Ocracoke wypływał dopiero następnego dnia rano. Do tego czasu niemal przekonałam samą siebie, że w ogóle nie będę płakać.

Rany, ależ się pomyliłam.

Kiedy opuściłyśmy prom, ciotka najpierw, zanim udałyśmy się do domu, szybko obwiozła mnie po mieścinie, która – ku memu przerażeniu – w niczym nie przypominała Ocracoke z moich wyobrażeń. Liczyłam na pastelowe domki wśród wydm, tropikalne widoki na ocean ciągnący się aż po horyzont, promenadę, a przy niej budki z hamburgerami, lodziarnie, tłumy młodzieży, może nawet diabelskie koło albo karuzelę. Ale Ocracoke było zupełnie inne. Minąwszy kutry rybackie zacumowane na maleńkiej przystani, do której dobił prom, człowiek trafiał do królestwa… szpetoty. Domy były stare i podniszczone; nie było tu plaży, promenady ani żadnej palmy, a wioska – tak właśnie nazywała ją ciotka, „wioska" – wydawała się całkowicie opuszczona. Ciotka wspominała, że Ocracoke to w gruncie rzeczy wioska rybacka licząca niespełna ośmiuset mieszkańców, ale ja zastanawiałam się, jak to możliwe, że ktoś w ogóle chce tu mieszkać.

Dom ciotki Lindy stał na wodzie, wciśnięty między inne zniszczone domy. Wzniesiono go na palach. Był zwrócony w stronę zatoki Pamlico, miał małą werandę od frontu i drugą z tyłu, nieco większą, na którą wychodziło się z salonu, z widokiem na wodę. Był niewielki – salon z kominkiem i oknem obok drzwi frontowych, jadalnia i kuchnia, dwie sypialnie i łazienka. Nigdzie nie widziałam telewizora, tak że zaczęłam panikować, choć ciotka chyba niczego nie zauważyła. Oprowadziła mnie po domu i w końcu pokazała mi, gdzie będę spać – w pokoju naprzeciwko jej sypialni, który do tej pory służył jej jako pokój do czytania. W pierwszej chwili pomyślałam, że w niczym nie przypomina mojego pokoju. Nie był nawet w połowie tak duży. Oprócz stojącego pod oknem pojedynczego łóżka był tu wyściełany fotel bujany, lampa do czytania i półka z książkami Betty Friedan, Sylvii Plath, Ursuli K. Le Guin i Elizabeth Berg, a obok książki o katolicyzmie, świętym Tomaszu z Akwinu i Matce Teresie. Tutaj też nie było telewizora, ale dostrzegłam radio – chociaż wyglądało, jakby miało ze sto lat – i staromodny zegar. Szafa, jeśli coś takiego można było w ogóle nazwać szafą, miała głębokość zaledwie trzydziestu centymetrów, więc stwierdziłam, że będę musiała swoje ubrania poskładać i ułożyć w równych stosikach na podłodze. W pokoju nie było szafki nocnej ani komody, przez co nagle poczułam się, jakbym miała spędzić tu jedną noc, a nie sześć miesięcy.

– Uwielbiam ten pokój – powiedziała ciotka, stawiając na podłodze moją walizkę. – Jest taki wygodny.

– Jest ładny – mruknęłam.

Kiedy zostawiła mnie samą, żebym się rozpakowała, klapnę-
łam na łóżko. Nadal nie mogłam uwierzyć, że tu jestem. W tym
domu, w tym miejscu, z tą kobietą. Wyjrzałam przez okno na
rdzawoczerwone deski sąsiedniego domu i zatęskniłam za widokiem na cieśninę Puget, za ośnieżonymi szczytami Gór Kaskado-
wych i za skalistym, poszarpanym wybrzeżem, które oglądałam
przez całe życie. Pomyślałam o daglezjach zielonych, o czerwonych cedrach, a nawet o deszczu i mgle. O mojej rodzinie i przyjaciołach, którzy równie dobrze mogliby mieszkać w tej chwili
na innej planecie, i poczułam gulę w gardle. Byłam sama, w ciąży,
utknęłam w tym strasznym miejscu i jedyne, czego chciałam, to
cofnąć czas i odkręcić to wszystko, co się wydarzyło. Wszystko:
zaskoczenie, wymioty, niechodzenie do szkoły i podróż tutaj.
Chciałam być znowu normalną nastolatką – do diabła, zgodziła-
bym się być znowu dzieckiem – ale nagle przypomniałam sobie
niebieski plusik na teście ciążowym i poczułam, że zbiera mi się
na płacz. Może trzymałam się jakoś w czasie podróży, może aż
do teraz byłam silna, ale kiedy przytuliłam do piersi swojego misia i poczułam znajomy zapach, coś we mnie pękło. Nie był to
ładny płacz, jaki pokazują w filmach; to był szloch, który wstrzą-
sał całym moim ciałem, połączony z pociąganiem nosem, zawo-
dzeniem i drżeniem ramion. I nie miał końca.

*

Jeśli chodzi o mojego misia: nie był ani ładny, ani drogi,
ale spałam z nim, odkąd sięgałam pamięcią. Futerko w kolorze kawy wytarło się miejscami, a jedna łapka została przyszyta

szwami jak u Frankensteina po operacji. Kiedy wypadło mu oko, poprosiłam mamę, żeby w jego miejsce przyszyła guzik. Ta utrata oka sprawiła, że kochałam go jeszcze bardziej, bo czasami sama czułam się uszkodzona. W trzeciej klasie markerem zapisałam mu na łapce swoje imię, tak że stał się mój już na zawsze. Kiedy byłam młodsza, wszędzie go ze sobą zabierałam, był moją przytulanką, moją gwarancją bezpieczeństwa. Raz, przypadkiem, po przyjęciu urodzinowym koleżanki zostawiłam go w pizzerii Chuck E. Cheese i kiedy wróciłam do domu, płakałam tak bardzo, że aż zwymiotowałam. Tata musiał pojechać po niego na drugi koniec miasta i jestem prawie pewna, że przez kolejny tydzień nie wypuszczałam go z objęć.

W ciągu tych wszystkich lat miś niejeden raz lądował w błocie, był ochlapany sosem do spaghetti i ośliniony przeze mnie, gdy spałam. Za każdym razem, kiedy mama uznawała, że najwyższy czas go uprać, wrzucała go do pralki razem z moimi ubraniami. Siedziałam na podłodze przed pralką i suszarką, wyobrażając sobie, jak obraca się w bębnie razem z dżinsami i ręcznikami, i miałam nadzieję, że nic mu się nie stanie. Ale Mag – skrót od mojego imienia – zawsze wracał do mnie czysty, ciepły i pachnący. Gdy mama wręczała mi go, natychmiast czułam się kompletna i wszystko na świecie znowu było dobrze.

Wyjeżdżając do Ocracoke, wiedziałam, że Mag to jedyna rzecz, której nie mogę zostawić.

*

Ciotka Linda zaglądała do mnie, gdy tak szlochałam, ale najwyraźniej nie wiedziała, co mogłaby zrobić albo powiedzieć. W końcu uznała, że najlepiej będzie, jeśli zostawi mnie samą. Byłam jej za to wdzięczna, ale też zrobiło mi się smutno, bo poczułam się jeszcze bardziej samotna.

Jakimś cudem przetrwałam pierwszy dzień. I następny. Ciotka pokazała mi rower, który kupiła na wyprzedaży garażowej. Był chyba starszy niż ja, miał wygodne siodełko, odpowiednie dla kogoś dwa razy większego ode mnie, i zawieszony na masywnej kierownicy kosz. Od lat nie jeździłam na rowerze.

– Poprosiłam młodego człowieka w miasteczku, żeby go naprawił, więc wszystko powinno działać.

– Super. – Tylko na tyle było mnie stać.

Trzeciego dnia ciotka wróciła do pracy i wyszła z domu na długo przed tym, zanim w końcu się obudziłam. Na stole zostawiła teczkę z pracą domową dla mnie i uświadomiłam sobie, że już mam zaległości. Nawet w najlepszych czasach nie byłam dobrą uczennicą – plasowałam się gdzieś pośrodku i nienawidziłam, gdy rodzice dostawali wykazy ocen – i jeśli wcześniej nieszczególnie zależało mi na poprawieniu wyników, teraz zależało mi jeszcze mniej. Ciotka zostawiła mi liścik, w którym przypominała, że następnego dnia mam dwa sprawdziany. Chociaż próbowałam się uczyć, nie mogłam się skupić. Wiedziałam, że je zawalę, i tak też się stało.

Ciotce chyba zrobiło się mnie szkoda – albo uznała, że wyjście z domu dobrze mi zrobi – bo zabrała mnie do swojego sklepu. Były tam również mała restauracyjka i bar kawowy, oferujące znacznie więcej niż tylko jedzenie. Specjalnością były bułeczki wypiekane świeżo każdego ranka i podawane z sosem kiełbaskowym albo jako kanapki lub deser. Oprócz śniadań w sklepie można było kupić używane książki i wypożyczyć kasety wideo, nadać przesyłki UPS, wynająć skrytkę pocztową, przesłać coś faksem, zeskanować lub skserować, a także wysłać pieniądze przez Western Union. Ciotka prowadziła sklep razem ze swoją przyjaciółką, Gwen. Otwierały o piątej rano, żeby rybacy mogli wrzucić coś na ząb, zanim wypłyną, a to znaczyło, że zwykle zaczynała pracę przed czwartą. Przedstawiła mnie Gwen, która miała fartuch założony na dżinsy i flanelową koszulę, a siwiejące jasne włosy zebrała w niechlujny kucyk. Wydawała się miła i chociaż spędziłam w sklepie niecałą godzinę, odniosłam wrażenie, że obie z ciotką traktują się jak stare dobre małżeństwo. Komunikowały się samym spojrzeniem, potrafiły przewidzieć, o co poprosi ta druga, a za ladą krążyły wokół siebie jak tancerki.

W lokalu panował ruch, choć niezbyt duży, i większość czasu spędziłam, przeglądając używane książki. Były wśród nich kryminały Agathy Christie i westerny Louisa L'Amoura, a także spory wybór książek bestsellerowych autorów. Stało tu również pudełko na datki i widziałam, jak kobieta, która przyszła na kawę i ciastko, zostawiła w nim kilka książek, prawie same romanse. Przerzucając je, pomyślałam, że gdyby nie mój sierpniowy romans, nie tkwiłabym teraz po szyję w gównie.

W tygodniu ciotka i Gwen pracowały do piętnastej i kiedy zamknęły sklep, ciotka zabrała mnie na nieco dłuższą i bardziej szczegółową wycieczkę po okolicy. Trwała ona całe piętnaście minut, podczas których ani trochę nie zmieniłam zdania o tym miejscu. Potem wróciłyśmy do domu, gdzie na resztę dnia zamknęłam się w swoim pokoju. Chociaż wciąż czułam się w nim dziwnie, był jedynym miejscem, w którym miałam odrobinę prywatności, gdy ciotka Linda była w domu. Odrabiając lekcje, mogłam słuchać muzyki, rozmyślać i trwonić czas na rozważania o śmierci, coraz bardziej przekonana, że świat – a zwłaszcza moja rodzina – byłby szczęśliwszy beze mnie.

Nie wiedziałam też, co myśleć o ciotce. Miała krótkie siwe włosy i ciepłe orzechowe oczy, osadzone głęboko w pomarszczonej twarzy. Chodziła szybko, jakby wiecznie się gdzieś spieszyła. Nigdy nie wyszła za mąż, nie miała dzieci i czasami próbowała mną dyrygować. Kiedyś była zakonnicą i chociaż odeszła od Sióstr Miłosierdzia prawie dziesięć lat temu, nadal wierzyła, że „czystość jest jedną z największych cnót". Musiałam codziennie porządkować pokój, sama prać swoje rzeczy i sprzątać kuchnię przed powrotem ciotki do domu, a potem drugi raz po kolacji. Uważałam, że to słuszne, bo przecież mieszkałam tutaj – ale niezależnie od tego, jak bardzo się starałam, coś zawsze było nie tak. Nasze rozmowy na ten temat zwykle były krótkie – stwierdzenie ciotki i moje przeprosiny. Coś w tym stylu:

„Filiżanki były jeszcze mokre, gdy włożyłaś je do szafki".

„Przepraszam".

„Na stole nadal są okruchy".

„Przepraszam".

„Nie użyłaś płynu Czterysta Dziewięć do czyszczenia kuchenki".

„Przepraszam".

„Musisz poprawić narzutę na łóżku".

„Przepraszam".

Przez pierwszy tydzień przepraszałam chyba ze sto razy, a drugi był jeszcze gorszy. Zawaliłam następny test i siedząc na werandzie, miałam już dość widoku, który się z niej rozpościerał. W końcu doszłam do wniosku, że prędzej czy później człowiek znudzi się każdym widokiem, nawet najpiękniejszej wyspy tropikalnej. Odnosiłam wrażenie, że ocean w ogóle się nie zmienia. Za każdym razem, gdy na niego patrzyłam, woda po prostu tam była. Pewnie, że w górze przepływały chmury, a o zmierzchu niebo mieniło się kolorami – żółtym, pomarańczowym i czerwonym – ale co to za przyjemność samotnie oglądać baśniowy zachód słońca? Ciotka nie należała do ludzi, którzy docenialiby takie rzeczy.

A do tego... ta cholerna ciąża. Wciąż miałam poranne mdłości i czasami nie zdążyłam dobiec do łazienki. Wyczytałam gdzieś, że niektóre kobiety w ogóle nie wymiotują. Cóż, ja z całą pewnością nie byłam jedną z nich. Wymiotowałam czterdzieści dziewięć ranków z rzędu i zdawało mi się, że moje ciało postanowiło pobić jakiś rekord.

Jedynym plusem porannych mdłości było to, że praktycznie nie przytyłam i do połowy listopada przybrałam na wadze co najwyżej kilogram. Szczerze mówiąc, nie chciałam być gruba, ale mama kupiła mi książkę zatytułowaną *Czego oczekiwać, gdy jesteś przy nadziei* i kiedy kartkowałam ją pewnego wieczoru, dowiedziałam się, że wiele kobiet w pierwszym trymestrze przybiera na wadze tylko kilogram albo dwa, a to znaczyło, że wcale nie jestem wyjątkowa. Później tyło się średnio pół kilograma na tydzień – i tak aż do porodu. Dokonawszy obliczeń – według których moje drobne ciało miało zyskać dodatkowych dwanaście kilogramów – uświadomiłam sobie, że już niedługo zamiast sześciopaku będę miała antałek. Nie żebym w ogóle miała jakikolwiek sześciopak.

Jeszcze gorsza od wymiotów była burza hormonów, która w moim przypadku oznaczała trądzik. Bez względu na to, jak często myłam twarz, pryszcze wyskakiwały mi na policzkach i czole jak konstelacje gwiazd na nocnym niebie. Morgan, moja idealna starsza siostra, nigdy w życiu nie miała pryszcza, więc kiedy patrzyłam w lustro, myślałam sobie, że mogłabym podarować jej tuzin swoich, a i tak wyglądałabym gorzej od niej. Nawet z pryszczami nadal byłaby piękna, mądra i lubiana. W domu dogadywałyśmy się całkiem nieźle – w dzieciństwie byłyśmy sobie bliższe – ale w szkole trzymała się ode mnie z daleka i wolała towarzystwo swoich przyjaciółek. Dostawała najlepsze oceny, grała na skrzypcach i pojawiła się nie w jednej, ale w dwóch reklamach miejscowego domu towarowego. Jeśli myślisz, że łatwo żyć w cieniu kogoś takiego, to zastanów się dobrze. Gdyby dorzucić do tego moją ciążę, wiadomo już, dlaczego to Morgan była ukochaną córeczką naszych rodziców. Na ich miejscu też wolałabym ją.

Przed Świętem Dziękczynienia zdiagnozowano u mnie depresję. Tak przy okazji, dotyka ona około siedmiu procent ciężarnych. A więc nudności, pryszcze i depresja. Zaliczyłam potrójne zwycięstwo. Prawdziwa ze mnie szczęściara, co? W szkole miałam coraz większe zaległości, a muzyka w moim walkmanie stała się zdecydowanie bardziej posępna. Nawet Gwen próbowała mnie rozweselać. Bez skutku. Od naszego pierwszego spotkania poznałam ją nieco lepiej, bo dwa razy w tygodniu przychodziła do nas na kolację. Zapytała, czy chcę obejrzeć paradę Macy's z okazji Święta Dziękczynienia. Przyniosła mały telewizor i postawiła go w kuchni, ale chociaż praktycznie zdążyłam już zapomnieć, jak wygląda telewizor, nie skusiłam się, żeby wyjść z pokoju. Siedziałam sama i próbowałam opanować łzy, które napłynęły mi do oczu, gdy wyobraziłam sobie mamę i Morgan, jak robią nadzienie do indyka albo pieką tarty, i tatę, jak siedząc w fotelu, ogląda futbol. Mimo że ciotka i Gwen przygotowały potrawy podobne do tych, które jadało się u mnie w domu, to nie było to samo i praktycznie nic nie zjadłam.

Myślałam też dużo o moich najlepszych przyjaciółkach: Madison i Jodie. Nie mogłam wyjaśnić im, dlaczego muszę wyjechać, a rodzice powiedzieli ludziom – w tym rodzicom Madison i Jodie – że zamieszkałam z ciotką, która ma problemy zdrowotne, w odległym miejscu „z ograniczonym dostępem do telefonu". W ich ustach brzmiało to tak, jakbym była niezwykle odpowiedzialną osobą, która lubi uszczęśliwiać innych i sama zaoferowała się pomóc ciotce Lindzie. Żeby kłamstwo się nie wydało, zabroniono mi dzwonić do przyjaciółek. Nie miałam telefonu komórkowego – w tamtych czasach tylko nieliczne dzieciaki miały komórki – a ciotka, wychodząc do pracy, zabierała ze sobą kabel telefoniczny, przez co historyjka o „ograniczonym dostępie do telefonu" stawała się równie prawdziwa jak ta o „problemach zdrowotnych". Uświadomiłam sobie, że moi rodzice potrafią być tak samo przebiegli jak ja, co było nie lada odkryciem.

Chyba mniej więcej wtedy ciotka zaczęła się o mnie martwić, choć usilnie starała się bagatelizować swoje obawy. Jadłyśmy resztki ze Święta Dziękczynienia, kiedy niby mimochodem napomknęła, że ostatnio jestem jakaś przygaszona. Użyła właśnie tego słowa: przygaszona. Odpuściła mi też trochę w kwestii sprzątania, choć może to ja zaczęłam się bardziej przykładać. Tak czy inaczej, ostatnio rzadziej się skarżyła. Widziałam też, że próbuje zająć mnie rozmową.

– Bierzesz witaminy prenatalne?

– Tak – odrzekłam. – Są pyszne.

– Za dwa tygodnie zbada cię ginekolog w Morehead City. Dziś rano umówiłam cię na wizytę.

– Super – bąknęłam.

Przesuwałam jedzenie po talerzu z nadzieją, że nie zauważy, że praktycznie nic nie zjadłam.

– Musisz włożyć jedzenie do ust – powiedziała. – Pogryźć je i połknąć.

Myślę, że próbowała być zabawna, ale nie byłam w nastroju do żartów, więc tylko wzruszyłam ramionami.

– Przygotować ci coś innego?

– Nie jestem głodna.

Zacisnęła usta i rozejrzała się po pokoju, jak gdyby szukała słów, dzięki którym na powrót stanę się bardziej radosna.

– Aha, zapomniałam spytać. Dzwoniłaś do rodziców?

– Nie. Chciałam zadzwonić wcześniej, ale zabrałaś kabel.

– Możesz zadzwonić po kolacji.

– No tak.

Odkroiła kawałek indyka.

– Jak ci idzie nauka? – spytała. – Masz zaległe prace domowe i ostatnio zawaliłaś kilka testów.

– Staram się – odparłam, choć tak naprawdę wcale się nie starałam.

– A matematyka? Pamiętaj, że przed przerwą świąteczną masz kilka naprawdę dużych sprawdzianów.

– Nienawidzę matmy, a geometria jest głupia. Jakie to ma znaczenie, czy potrafię obliczyć pole trapezu? I tak nigdy w życiu mi się to nie przyda.

Westchnęła i znowu rozejrzała się po pokoju.

– Napisałaś pracę z historii? Masz ją oddać w przyszłym tygodniu.

– Prawie skończyłam – skłamałam.

Miałam napisać pracę o sędzim Thurgoodzie Marshallu, ale nawet nie zaczęłam.

Czułam na sobie jej wzrok – zastanawiała się, czy może wierzyć mi na słowo.

*

Wieczorem tego samego dnia znowu spróbowała.

Po kolacji poszłam do pokoju i leżałam w łóżku z Magiem, kiedy ubrana w piżamę stanęła w drzwiach.

– Myślałaś o tym, żeby zaczerpnąć trochę świeżego powietrza? – spytała. – Może zanim zaczniesz jutro odrabiać lekcje, poszłabyś na spacer albo przejechała się na rowerze?

– Tu nie ma dokąd iść. Zimą prawie wszystko jest pozamykane.

– A plaża? O tej porze roku jest tam spokojnie.

– Jest za zimno, żeby iść na plażę.

– Skąd wiesz? Nie byłaś na dworze od kilku dni.

– Bo mam za dużo lekcji i obowiązków.

– Myślałaś o tym, żeby poznać kogoś w swoim wieku? Zaprzyjaźnić się z kimś?

Z początku nie byłam pewna, czy dobrze usłyszałam.

– Zaprzyjaźnić się?

– Czemu nie?

– Bo tutaj nie ma żadnych ludzi w moim wieku.

– Oczywiście, że są. Pokazywałam ci szkołę.

We wsi była jedna jedyna szkoła, dla dzieci od przedszkola do liceum. Przejeżdżałyśmy obok niej, kiedy ciotka obwoziła mnie po wyspie. Nie była to jednoizbowa szkoła, jaką widziałam w powtórkach *Domku na prerii*, ale niewiele od niej większa.

– Mogłabym pójść na promenadę albo do klubu. Och, chwila, zapomniałam, że w Ocracoke nie ma ani jednego, ani drugiego.

– Chodzi mi o to, że może przydałoby się, gdybyś porozmawiała z kimś innym niż ja i Gwen. Niedobrze jest stronić od ludzi.

Bez wątpienia miała rację. Co nie zmieniało faktu, że odkąd przyjechałam do Ocracoke, nie widziałam na oczy żadnego nastolatka, a do tego byłam w ciąży, co miało pozostać tajemnicą, więc i tak traciłoby to sens.

– Siedzenie tutaj też nie jest dla mnie dobre, ale jakoś nikt się tym nie przejmuje.

Poprawiła piżamę, jakby szukała w materiale odpowiednich słów, i w końcu postanowiła zmienić temat.

– Pomyślałam, że może dobrze by było załatwić ci korepetytora – oznajmiła. – Nie tylko z geometrii, ale też z innych przedmiotów. Na przykład, żeby sprawdzał twoje wypracowania.

– Korepetytora?

– Chyba znam kogoś odpowiedniego.

Nagle wyobraziłam sobie, że siedzę obok jakiegoś starucha cuchnącego Old Spice'em i kulkami na mole i rozprawiającego o „starych, dobrych czasach".

– Nie chcę korepetytora.

– W styczniu masz egzaminy końcowe, a przez najbliższe trzy tygodnie dużo testów, w tym kilka naprawdę poważnych. Obiecałam twoim rodzicom, że zrobię wszystko, żebyś nie musiała powtarzać drugiej klasy.

Nienawidziłam, kiedy dorośli uderzali w ten logiczno-skruszony ton, więc bąknęłam tylko:

– Jak sobie chcesz.

Ciotka uniosła brwi, bez słowa.

– Nie zapomnij – odezwała się po chwili – że w niedzielę idziemy do kościoła.

Jak mogłabym zapomnieć?

– Pamiętam – mruknęłam.

– Może po mszy pójdziemy wybrać choinkę?

– Świetnie – rzuciłam, ale tak naprawdę marzyłam tylko o tym, by naciągnąć kołdrę na głowę, dając jej do zrozumienia, żeby sobie poszła.

To jednak nie było konieczne, bo ciotka Linda już się odwróciła. Chwilę później usłyszałam szczęk zamykanych drzwi i wiedziałam, że resztę wieczoru spędzę sam na sam ze swoimi czarnymi myślami.

*

Chociaż cały tydzień w Ocracoke był do niczego, niedziele zawsze były najgorsze. W Seattle nie miałam nic przeciwko chodzeniu do kościoła, bo na msze przychodziła rodzina Taylorów – rodzice i czterech synów, starszych ode mnie od roku do kilku lat. Ze swoimi białymi zębami i wymodelowanymi włosami wyglądali jak z boysbandu. Podobnie jak my, siedzieli w pierwszej ławce – oni po lewej stronie, a my po prawej – i zamiast się modlić, zerkałam w ich stronę. Nie mogłam się powstrzymać. Odkąd sięgałam pamięcią, podkochiwałam się w którymś z nich, chociaż nigdy nie zamieniłam z żadnym ani słowa. Morgan miała więcej szczęścia: Danny Taylor, jeden ze środkowych braci, który w tamtym czasie całkiem dobrze grał w piłkę, pewnej niedzieli po kościele zaprosił ją na lody. Byłam wtedy w ósmej klasie i cholernie jej zazdrościłam, że wybrał ją, a nie mnie. Pamiętam, że siedziałam w pokoju i gapiłam się na zegar, patrząc na upływające minuty. Kiedy Morgan wróciła w końcu do domu, błagałam ją, żeby powiedziała mi, jaki właściwie jest Danny. Morgan, jak to Morgan, wzruszyła ramionami i odparła, że nie jest w jej typie. Miałam ochotę ją udusić. Chłopcy ślinili się na jej widok, wystarczyło, że szła po chodniku albo popijała dietetyczną colę w strefie gastronomicznej miejscowej galerii.

Chodziło o to, że u nas w kościele miałam na co popatrzeć – a ściślej, na cztery niezwykle interesujące obiekty – dzięki czemu godzina mijała bardzo szybko. Tutaj niedzielna msza była nie tylko obowiązkiem, ale też wydarzeniem, które trwało cały dzień. W Ocracoke nie było kościoła katolickiego; najbliższy – pod wezwaniem Świętego Egberta – znajdował się w Morehead City, a to znaczyło, że musiałyśmy zdążyć na prom o siódmej rano. Podróż promem na wyspę Cedar trwała zwykle dwie i pół godziny, a stamtąd do kościoła jechało się jeszcze czterdzieści pięć minut. Msza zaczynała się o jedenastej – więc gdy docierałyśmy na miejsce, czekałyśmy godzinę – i trwała do południa. Jakby tego było mało, prom powrotny do Ocracoke wypływał o szesnastej, co oznaczało kolejne cztery godziny czekania.

Aha, jadłyśmy jeszcze lunch z Gwen, która zawsze jechała z nami. Podobnie jak moja ciotka, ona również była kiedyś zakonnicą i uważała niedzielną mszę za główną atrakcję tygodnia. Była miła i w ogóle, ale zapytaj pierwszego lepszego nastolatka, co myśli na temat lunchu w towarzystwie dwóch pięćdziesięcioletnich byłych zakonnic, a zrozumiesz, co to za frajda. Po lunchu szłyśmy na zakupy, tyle że nie były to fajne zakupy, jak w domu towarowym czy na promenadzie w Seattle.

Ciotka i Gwen wlokły mnie ze sobą do Walmartu po „zapasy", czytaj: mąkę, tłuszcz do pieczenia, jajka, bekon, kiełbasę, ser, maślankę, kawy smakowe i mnóstwo innych rzeczy. Później odwiedzałyśmy wyprzedaże garażowe, gdzie szukały niedrogich książek bestsellerowych autorów i kaset wideo, które mogłyby wypożyczać mieszkańcom Ocracoke. Jeśli dodać do tego podróż powrotną, nietrudno obliczyć, że byłyśmy w domu przed dziewiętnastą, długo po zachodzie słońca.

Dwanaście godzin. Dwanaście długich godzin. Tylko po to, żebyśmy mogły pójść do kościoła.

Nawiasem mówiąc, jest milion lepszych sposobów na spędzenie niedzieli, ale oto nadszedł niedzielny poranek, a ja stałam na przystani, w kurtce zapiętej pod samą szyję, i przytupywałam, podczas gdy lodowate powietrze zmieniało mój oddech w obłoczki dymu jak z niewidzialnego papierosa. Ciotka i Gwen szeptały coś do siebie i śmiały się. Wyglądały na szczęśliwe, pewnie dlatego, że nie musiały wstać przed świtem, żeby sprzedawać bułeczki i kawę. Kiedy nadszedł czas, ciotka wjechała samochodem na prom i zaparkowała obok kilkunastu innych samochodów.

Chciałabym móc powiedzieć, że podróż przebiegała miło albo interesująco, ale wcale nie, zwłaszcza zimą. Poza szarym niebem i jeszcze bardziej szarą wodą nie było czego oglądać, a jeśli na przystani panował ziąb, to na promie był on pięćdziesiąt razy gorszy. Czułam się, jakby wiatr przewiewał mnie na wylot, i niespełna pięć minut później ciekło mi z nosa, a uszy miałam czerwone i lodowate. Dzięki Bogu na promie była duża wspólna kabina, gdzie pasażerowie mogli się schronić. Stały tu automaty z przekąskami i ławki. To właśnie tam siedziały ciotka Linda i Gwen. Ja wróciłam do samochodu i leżąc na tylnym siedzeniu, żałowałam, że nie jestem gdzieś indziej, i rozmyślałam o kłopotach, w które się wpakowałam.

Mama dzień po tym, jak kazała mi zrobić test, zaprowadziła mnie do doktor Bobbi – pierwszego lekarza niepediatry, jakiego odwiedziłam. Doktor Bobbi, jakieś dziesięć lat starsza od mamy, naprawdę miała na imię Roberta i była ginekolożką położniczką. Opiekowała się mamą przy narodzinach mojej siostry i moich, więc znały się od dawna. Jestem pewna, że mama czuła się zażenowana powodem naszej wizyty. Doktor Bobbi potwierdziła, że jestem w ciąży, po czym zrobiła mi USG, by upewnić się, że dziecko jest zdrowe. Podciągnęłam koszulę, jedna z pielęgniarek wycisnęła mi na brzuch jakieś paskudztwo i chwilę później usłyszałam bicie serca. Było to fajne, a zarazem przerażające, ale najbardziej zapadło mi w pamięć to, że wszystko zdawało się takie surrealistyczne i chciałam, żeby okazało się tylko złym snem.

Tyle że to nie był sen. Ponieważ byłam katoliczką, nie było mowy o aborcji, i gdy tylko okazało się, że z dzieckiem wszystko jest w porządku, doktor Bobbi zrobiła nam wykład. Zapewniła nas, że fizycznie jestem wystarczająco dorosła, żeby donosić ciążę, ale emocje to zupełnie inna bajka. Powiedziała, że będę potrzebowała wsparcia, po części dlatego, że to nieplanowana ciąża, ale głównie dlatego, że wciąż jestem nastolatką. Mogę czuć się przygnębiona, a także zła i rozczarowana. Doktor

Bobbi uprzedziła nas też, że prawdopodobnie poczuję się wyobcowana, co jeszcze bardziej utrudni sprawę. Gdybym teraz się z nią spotkała, powiedziałabym jej, że odhaczyłam wszystkie punkty na jej liście.

Mając w pamięci jej słowa, mama zabrała mnie na spotkanie grupy wsparcia dla ciężarnych nastolatek, do Portlandu w stanie Oregon. Jestem pewna, że podobne grupy wsparcia były również w Seattle, ale ani ja, ani moi rodzice nie chcieliśmy, żeby ktoś przypadkiem odkrył prawdę. I tak po niemal trzech godzinach jazdy samochodem znalazłam się w pokoju na zapleczu YMCA, Związku Młodzieży Chrześcijańskiej, gdzie usiadłam na jednym z rozkładanych krzeseł. Oprócz mnie było tam dziewięć dziewczyn. Niektóre wyglądały, jakby próbowały przemycić arbuzy pod koszulami. Prowadząca spotkanie pani Walker była pracownicą opieki społecznej. Po tym, jak po kolei się przedstawiłyśmy, miałyśmy mówić o naszych „uczuciach" i „doświadczeniach". Tak naprawdę to inne dziewczyny opowiadały o swoich uczuciach i doświadczeniach, a ja tylko słuchałam.

Chyba nigdy w życiu nie przeżyłam czegoś równie dołującego. Jedna z dziewczyn, chyba jeszcze młodsza ode mnie, opowiadała o problemach z hemoroidami, a druga ględziła o tym, jak bardzo bolą ją sutki, aż w końcu podniosła koszulkę, żeby pokazać nam rozstępy. Większość, choć nie wszystkie, nadal chodziła do szkoły. Mówiły o tym, jak bardzo się wstydzą, gdy muszą pytać nauczycieli, czy mogą wyjść do łazienki, czasami dwa, trzy razy w ciągu jednej lekcji. Wszystkie skarżyły się na problemy z cerą. Dwie przerwały naukę i chociaż zarzekały się, że chcą wrócić do szkoły, nie wiem, czy ktokolwiek im uwierzył. Wszystkie straciły przyjaciółki, a jedną rodzice wyrzucili z domu, więc mieszkała u dziadków. Tylko jedna z nich – śliczna Meksykanka o imieniu Sereta – wciąż spotykała się z ojcem dziecka i tylko ona mówiła o wyjściu za mąż. Oprócz mnie wszystkie zamierzały wychować dziecko z pomocą rodziców.

Kiedy spotkanie dobiegło końca i szłyśmy do samochodu, powiedziałam mamie, że nigdy więcej nie chcę brać udziału w czymś takim. Coś, co miało mi pomóc i sprawić, że nie będę się czuła taka samotna, odniosło wręcz odwrotny skutek. Chciałam tylko przetrwać to wszystko, żebym mogła wrócić do dawnego życia, i chyba tego samego chcieli moi rodzice. Właśnie dlatego postanowili wysłać mnie tutaj i chociaż zapewniali, że to dla mojego – nie ich – dobra, chyba nie do końca im wierzyłam.

*

Po kościele i obowiązkowym lunchu, uzupełnianiu „zapasów" i wyprzedażach garażowych w końcu poszłyśmy na wysypany żwirem parking przy sklepie z artykułami żelaznymi, gdzie stało tyle choinek na sprzedaż, że wyglądał jak miniaturowy las. Ciotka Linda i Gwen próbowały mnie zagadywać i pytały o zdanie, na co tylko wzruszałam ramionami, a wreszcie powiedziałam, żeby same wybrały drzewko, skoro i tak nikogo nie obchodzi, co myślę, zwłaszcza w kwestii ważnych decyzji dotyczących mojego życia.

Gdzieś przy szóstym czy siódmym drzewku ciotka Linda odpuściła sobie i w końcu same wybrały choinkę. Ciotka zapłaciła za nią, a ja patrzyłam, jak dwóch gości w ogrodniczkach przywiązuje ją do dachu samochodu.

Nie wiedzieć czemu, droga powrotna na prom przypominała mi podróż na lotnisko tamtego ostatniego ranka w Seattle. Towarzyszyli mi oboje, i mama, i tata, co było nie lada zaskoczeniem, bo ojciec nie mógł na mnie patrzeć, odkąd dowiedział się, że jestem w ciąży. Odprowadzili mnie do bramki i czekali, dopóki nie weszłam na pokład. Oboje byli milczący, zresztą ja też niewiele mówiłam. Pamiętam, że przed odlotem powiedziałam mamie, że się boję. Tak naprawdę byłam przerażona do tego stopnia, że drżały mi ręce.

Wokół nas było mnóstwo ludzi i mama musiała zauważyć, że się trzęsę, bo wzięła mnie za ręce i ścisnęła. Potem zaprowadziła mnie do nieco mniej zatłoczonej bramki, gdzie mogłyśmy mieć odrobinę prywatności.

– Ja też się boję.

– Dlaczego? – spytałam.

– Bo jesteś moją córką. Zawsze się o ciebie martwię. A to, co się stało, jest… niefortunne.

Niefortunne. Ostatnio często używała tego słowa. Byłam pewna, że zaraz przypomni mi, że ten wyjazd jest dla mojego dobra.

– Nie chcę jechać – powiedziałam.

– Rozmawiałyśmy o tym – przypomniała mi. – Wiesz, że to dla twojego dobra.

Bingo.

– Nie chcę zostawiać przyjaciół. – Gardło miałam tak ściśnięte, że z trudem mówiłam. – A jeśli ciotka Linda mnie nie polubi? Jeśli zachoruję i będę musiała jechać do szpitala? Tam nie ma nawet szpitala.

– Twoi przyjaciele wciąż tu będą, kiedy wrócisz – zapewniła mnie. – Wiem, że to wydaje się długo, ale zanim się obejrzysz, będzie już maj. Co do ciotki Lindy, to kiedy była w klasztorze, pomagała już dziewczynom w ciąży. Opowiadałam ci, pamiętasz? Zajmie się tobą. Obiecuję.

– Nawet jej nie znam.

– Ma dobre serce – powiedziała mama. – Gdyby było inaczej, nie wysyłalibyśmy cię do niej. Jeśli chodzi o szpital, ciotka będzie wiedziała, co robić. Poza tym jej przyjaciółka, Gwen, jest wykwalifikowaną położną. Odebrała mnóstwo porodów.

Nie byłam pewna, czy choć trochę mnie to uspokoiło.

– A jeśli mi się tam nie spodoba?

– Jak mogłoby ci się nie spodobać w takim miejscu? To dom na plaży. Poza tym pamiętasz naszą rozmowę? Na krótszą metę może byłoby lepiej, gdybyś została, ale na dłuższą byłoby ci znacznie trudniej.

Miała na myśli plotki, nie tylko o mnie, ale też o całej naszej rodzinie. Co prawda nie żyliśmy w latach pięćdziesiątych, ale ciężarne nastolatki wciąż były piętnowane i nawet ja musiałam przyznać, że szesnaście lat to za młody wiek, żeby zostać matką. Gdyby wieści się rozeszły, dla sąsiadów, dla uczniów w szkole i ludzi w kościele już zawsze byłabym „tą dziewczyną". Dziewczyną, która zaliczyła wpadkę po pierwszej klasie liceum. Musiałabym znosić ich krytyczne spojrzenia i protekcjonalność, udawać, że nie słyszę, jak szepczą za moimi plecami. Zaczęłyby się domysły, kto adoptował dziecko i czy kiedykolwiek będę chciała je jeszcze zobaczyć. Chociaż nie powiedzieliby mi tego w twarz, zastanawialiby się, dlaczego nie brałam pigułek albo nie uparłam się, żeby chłopak, z którym się przespałam, założył prezerwatywę. Wiedziałam, że wielu rodziców – w tym znajomi mojej rodziny – będzie podawać mnie za przykład swoim dzieciom, jako dziewczynę, która dokonała złych wyborów. A do tego musiałabym człapać jak kaczka po szkolnych korytarzach i co dziesięć minut wychodzić z lekcji do toalety.

O tak, rodzice niejednokrotnie rozmawiali ze mną o tym wszystkim. Widząc, że nie chcę znów do tego wracać, mama zmieniła temat. Robiła tak często, żeby uniknąć kłótni, zwłaszcza kiedy byłyśmy w miejscu publicznym.

– Podobały ci się twoje urodziny?

– Było w porządku.

– Tylko w porządku?

– Cały ranek wymiotowałam. Trochę trudno było mi się czymkolwiek cieszyć.

Mama splotła dłonie.

– Cieszę się, że miałaś okazję spotkać się z przyjaciółmi.

Bo teraz długo ich nie zobaczysz – nie musiała tego dodawać.

– Nie mogę uwierzyć, że nie będzie mnie w domu na Boże Narodzenie.

– Jestem pewna, że święta u ciotki Lindy będą wyjątkowe.

– To i tak nie będzie to samo – jęknęłam.

– Wiem – przyznała. – Pewnie masz rację. Ale odwiedzimy cię w styczniu.

– Tata też przyjedzie?

Z trudem przełknęła ślinę.

– Może – bąknęła.

Może tak, a może nie, pomyślałam. Słyszałam, jak o tym rozmawiali, ale tata do niczego się nie zobowiązał. Skoro już teraz nie mógł na mnie patrzeć, to co poczuje, kiedy będę przypominała żeńską wersję Buddy?

– Wolałabym zostać.

– Ja też wolałabym, żebyś została – odrzekła. – Chcesz, żeby tata przyjechał?

Nie powinnaś zapytać jego, czy chce do mnie przyjechać? – pomyślałam. Nic jednak nie powiedziałam. Bo i po co?

– W porządku – rzuciłam. – Ja tylko…

Kiedy urwałam, popatrzyła na mnie ze współczuciem i chociaż ona i tata wysyłali mnie do ciotki, miałam wrażenie, że mama źle się z tym czuje.

– Wiem, że to wszystko nie jest łatwe – szepnęła.

Zaskoczyła mnie, gdy sięgnęła do torby i wyciągnęła z niej kopertę. Były w niej pieniądze i zastanawiałam się, czy tata o nich wie. Moja rodzina nie należała do specjalnie zamożnych, ale mama nie próbowała mi nic tłumaczyć. Przez kilka minut siedziałyśmy w milczeniu, aż z głośników popłynęła informacja o wejściu na pokład. Kiedy przyszła moja kolej, rodzice objęli mnie, lecz nawet wtedy tata patrzył gdzieś w bok.

To było zaledwie miesiąc temu, ale ja miałam wrażenie, że to wszystko wydarzyło się w zupełnie innym życiu.

*

Kiedy wracałyśmy, na promie nie było tak zimno jak rankiem, a zaciągnięte chmurami niebo przetarło się i zrobiło prawie niebieskie. Postanowiłam zostać w samochodzie, chociaż zapasy praktycznie uniemożliwiały wyciągnięcie się na tylnym siedzeniu. Zamierzałam zgrywać męczennicę, skoro ani ciotka Linda, ani Gwen nie rozumiały, że mimo zakupu choinki niedziele i tak są najgorsze.

– Jak sobie chcesz – rzuciła ciotka i wzruszyła ramionami, kiedy odmówiłam pójścia z nimi do ogólnej kabiny.

Obie wysiadły z samochodu, weszły po schodkach i chwilę później straciłam je z oczu. Chociaż było mi niewygodnie, zasnęłam i obudziłam się godzinę później. Włączyłam walkmana i przez kolejną godzinę słuchałam muzyki, aż padły mi baterie, a niebo zrobiło się czarne. W końcu zaczęłam się nudzić i chwycił mnie skurcz w nodze. Za oknem, w świetle świateł zapalonych na promie, zobaczyłam kilku mężczyzn, którzy wysiedli z samochodów i zebrali się w grupę. Wyglądali jak rybacy i pewnie nimi byli. Podobnie jak ciotka Linda i Gwen udali się do kabiny.

Zaczęłam się wiercić, chciało mi się sikać. Znowu. Szósty albo siódmy raz w ciągu tego dnia, chociaż praktycznie nic nie piłam. Nie wspomniałam jeszcze, że mój pęcherz zmienił się z czegoś, o czym praktycznie nie myślałam, w nadwrażliwy, wyjątkowo kłopotliwy narząd, przez który znalezienie toalety stawało się rzeczą najważniejszą. Komórki w moim pęcherzu zaczynały nagle, bez ostrzeżenia, wibrować, przypominając mi: musisz mnie natychmiast opróżnić, bo inaczej... Przekonałam się już, że nie mam w tej kwestii wyjścia. Bo inaczej... Gdyby Szekspir próbował opisać powagę tej sytuacji, napisałby: „Sikać albo nie sikać... to ŻADNE pytanie".

Wygramoliłam się z samochodu i wbiegłam po schodach do kabiny, gdzie kątem oka dostrzegłam ciotkę i Gwen, rozmawiające z kimś w jednym z boksów. Szybko znalazłam toaletę, która, dzięki Bogu, nie była zajęta. Gdy wracałam, ciotka przywołała mnie skinieniem ręki. Zamiast podejść do niej, schyliłam głowę i wyszłam z kabiny. Ostatnie, na co miałam ochotę, to kolejna rozmowa z dorosłymi. W pierwszej chwili zamierzałam wrócić do samochodu – tylko po co, skoro moje męczeństwo nie robiło na nikim wrażenia i nie mogłam nawet posłuchać muzyki? Postanowiłam więc dla zabicia czasu poszwendać się po promie. Wiedziałam, że do przystani dotrzemy za jakieś pół godziny – w oddali zobaczyłam już światła Ocracoke – ale zwiedzanie promu okazało się równie fascynujące jak zatoka Pamlico. Na środku znajdowała się wspomniana wcześniej kabina, a na pokładzie poniżej stały zaparkowane samochody. W pomieszczeniu nad kabiną, do którego pasażerowie nie mieli wstępu, była, jak sądziłam, sterownia. To pewnie tam siedział kapitan. Na dziobie promu dostrzegłam kilka pustych ławek, a ponieważ nie miałam nic lepszego do roboty, ruszyłam w tamtą stronę.

Wkrótce odkryłam, dlaczego nikt tam nie siedział. Powietrze było lodowate, a przenikliwy wiatr kłuł moją skórę dziesiątkami drobnych igiełek. Chociaż wsunęłam ręce do kieszeni kurtki, czułam, że drętwieją mi palce. Na ciemnych wodach oceanu widziałam po obu stronach niskie fale. Przypominały drobne rozbłyski światła, ale ich widok sprawił, że pomyślałam o nim, wbrew sobie.

J. Chłopak, który wpakował mnie w te kłopoty.

Cóż mogę ci o nim powiedzieć? Był zabójczo przystojnym siedemnastoletnim surferem z południowej Kalifornii, który spędzał wakacje w Seattle u kuzyna, kumpla jednego z moich przyjaciół. Pierwszy raz zobaczyłam go na niewielkiej imprezie pod koniec czerwca. Nie myśl sobie, że była to jedna z tych imprez, które dzieciaki organizują pod nieobecność rodziców, gdzie alkohol leje się strumieniami, a spod zamkniętych drzwi sypialni ulatuje dym o zapachu marihuany. Rodzice by mnie zabili. Impreza odbywała się nawet nie w domu, tylko nad jeziorem Sammamish. Moja przyjaciółka, Jodie, kumplowała się z gościem, który przyprowadził J. To ona przekonała mnie, żebym poszła, bo nie bardzo miałam ochotę, ale gdy dotarłyśmy na miejsce, od razu go zauważyłam. Miał dość długie jasne włosy, szerokie ramiona i niemal nieosiągalną dla mnie złocistą opaleniznę; wystawiona na słońce, moja skóra przybierała kolor dojrzałego czerwonego jabłka. Nawet z daleka widziałam każdy mięsień na jego brzuchu – jak gdyby był żywym eksponatem ludzkiej anatomii.

Trzymał się z Chloe, dziewczyną z ostatniej klasy jednego z publicznych liceów – kojarzyłam ją, ale nie znałyśmy się osobiście – równie piękną jak on. Nie ulegało wątpliwości, że są razem, bo trudno było nie zauważyć, jak kleją się do siebie. Mimo wszystko gapiłam się na niego przez całe popołudnie, tak jak gapiłam się w kościele na młodych Taylorów. Przyznaję, że od kilku lat miałam świra na punkcie chłopaków.

Wszystko powinno skończyć się na patrzeniu, ale tak się nie stało. Za sprawą Jodie zobaczyłam go znowu, czwartego lipca na nocnej imprezie z okazji Święta Niepodległości, na której było też mnóstwo rodziców, i dwa tygodnie później w centrum handlowym. Za każdym razem był z Chloe i wydawało się, że w ogóle mnie nie zauważa.

Aż do soboty dziewiętnastego sierpnia.

Cóż mogę powiedzieć? Właśnie obejrzałam z Jodie *Szklaną pułapkę 3*, chociaż widziałam ją już wcześniej, po czym poszłyśmy do Jodie. Tym razem jej rodziców nie było w domu. Był za to kuzyn i J., ale bez Chloe. Nie wiem, jak to się stało, ale ja i J. zaczęliśmy rozmawiać na werandzie za domem i o dziwo, wydawał się mną zainteresowany. Był milszy, niż się tego spodziewałam. Opowiadał mi o Kalifornii, wypytywał o życie w Seattle i mimochodem wspomniał, że on i Chloe zerwali. Niedługo potem mnie pocałował. Był taki cudowny, że sytuacja wymknęła się spod kontroli. Krótko mówiąc, wylądowałam na tylnym siedzeniu samochodu jego kuzyna. Nie zamierzałam uprawiać seksu, ale pewnie jak wszystkie dzieciaki w moim wieku, byłam ciekawa, o co tyle hałasu. Chciałam zobaczyć, jak to jest. J. do niczego mnie nie zmuszał. Po prostu stało się i pięć minut później było już po wszystkim.

Potem był dla mnie miły. Kiedy musiałam wyjść, żeby zdążyć do domu przed jedenastą, odprowadził mnie do samochodu i znowu mnie pocałował. Obiecał, że zadzwoni, ale tego nie zrobił. Trzy dni później znowu widziałam go z Chloe, a gdy się pocałowali, odwróciłam się, zanim mnie zobaczył. Czułam się, jakbym połknęła papier ścierny.

Później, kiedy okazało się, że jestem w ciąży, zadzwoniłam do niego do Kalifornii. Jodie zdobyła jego numer od kuzyna, bo J. mi go nie dał. Gdy powiedziałam mu, kim jestem, sprawiał wrażenie, jakby w ogóle mnie nie pamiętał. Dopiero kiedy przypomniałam mu, co się między nami wydarzyło, skojarzył mnie, ale i tak wyczułam, że nie pamięta, o czym rozmawialiśmy ani nawet jak wyglądam. Poirytowanym tonem zapytał, po co właściwie dzwonię, i nie trzeba było geniusza, by wiedzieć, że wcale go nie interesuję. Chociaż zamierzałam oznajmić mu, że jestem w ciąży, rozłączyłam się i nigdy więcej z nim nie rozmawiałam.

Tak na marginesie, moi rodzice nie mają o niczym pojęcia. Postanowiłam, że nie powiem im, kto jest ojcem dziecka, jaki miły wydawał się na początku i jak szybko o mnie zapomniał. Niczego by to nie zmieniło, zresztą wtedy wiedziałam już, że oddam dziecko do adopcji.

Wiesz, czego jeszcze im nie powiedziałam?

Że po rozmowie telefonicznej z J. poczułam się jak idiotka. Byłam rozczarowana samą sobą i zła na siebie bardziej niż rodzice.

*

Kiedy tak siedziałam na ławce, z czerwonymi uszami i cieknącym nosem, kątem oka dostrzegłam jakiś ruch. Odwróciłam się i zobaczyłam psa z papierkiem po snickersie w pysku. Wyglądał dokładnie jak Sandy, suczka, którą miałam w domu, tylko był trochę mniejszy.

Sandy była krzyżówką golden retrievera i labradora, z ogonem, który nigdy nie przestawał merdać. Oczy miała łagodne, w kolorze ciemnego karmelu, mądre. Gdyby próbowała zagrać w pokera, przegrałaby wszystkie pieniądze, bo w ogóle nie umiała blefować. Zawsze wiedziałam, co czuje. Jeśli ją nagrodziłam, oczy błyszczały jej z radości. Jeśli coś mnie smuciło, patrzyła ze współczuciem. Była z nami od dziewięciu lat – dostałyśmy ją, kiedy chodziłam do pierwszej klasy – i większość swojego życia przespała w nogach mojego łóżka. Teraz zwykle spała w pokoju gościnnym, bo miała problemy z biodrami i coraz trudniej było jej wchodzić po schodach. Ale chociaż pysk Sandy posiwiał, jej oczy pozostały takie same. Były tak samo słodkie jak zawsze, zwłaszcza gdy obejmowałam dłońmi jej kudłaty łeb. Zastanawiałam się, czy będzie mnie pamiętała, kiedy wrócę do domu. Głupia, pomyślałam, oczywiście, że będzie cię pamiętać. Nie było mowy, żeby Sandy mnie zapomniała. Zawsze będzie mnie kochać.

Prawda?

Prawda?!

Tęsknota za domem sprawiła, że łzy napłynęły mi do oczu. Otarłam je szybko, ale do głosu doszły hormony, które za wszelką cenę postanowiły mi przypomnieć, JAK BARDZO TĘSKNIĘ ZA SANDY! Niewiele myśląc, poderwałam się z ławki. Zobaczyłam, że sobowtór Sandy truchta w stronę faceta, który z wyciągniętymi nogami siedział na krześle ogrodowym, na skraju pokładu. Miał na sobie oliwkową kurtkę, a obok niego na trójnogu stał aparat fotograficzny.

Zatrzymałam się. Chociaż chciałam zobaczyć – i tak, pogłaskać – psa, nie byłam pewna, czy mam ochotę na sztywną rozmowę z jego właścicielem, zwłaszcza że zauważył, że płakałam. Już miałam odejść, kiedy szepnął coś do psa. Patrzyłam, jak pies podreptał do najbliższego kosza na śmieci, oparł się o niego przednimi łapami i wrzucił do środka papierek.

Zamrugałam i pomyślałam: No, no! Nieźle.

Pies wrócił do swojego pana, położył się obok niego i już miał zamknąć oczy, gdy mężczyzna rzucił na pokład pusty papierowy kubek. Pies poderwał się, chwycił kubek w zęby, wyrzucił do kosza i chwilę później był już z powrotem. Kiedy minutę później następny kubek wylądował na pokładzie, nie mogłam się powstrzymać.

– Co pan robi? – spytałam w końcu.

Facet odwrócił się i dopiero wtedy uświadomiłam sobie swój błąd. Był raczej nastolatkiem – nie mężczyzną – starszym ode mnie o rok, może dwa. Miał włosy koloru czekolady, a w jego ciemne oczy błyszczały rozbawieniem. Jego oliwkowa kurtka z dziwnymi szwami była dość elegancka i zdawała się nie pasować do tej części świata. Kiedy uniósł brew, ogarnęło mnie dziwne przeczucie, że spodziewał się mnie. W ciszy, która nastała, uświadomiłam sobie, że ciotka miała jednak rację. Na wyspie był ktoś w moim wieku, a przynajmniej ktoś taki właśnie na nią zmierzał. Społeczność Ocracoke nie składała się wyłącznie z rybaków, byłych zakonnic i starszych kobiet, które zajadały ciastka i czytały romanse.

Pies zdawał się mnie oceniać. Postawił uszy i zamerdał ogonem tak mocno, że trzepnął nim w nogę chłopaka, ale w przeciwieństwie do Sandy, która garnęła się do wszystkich i wybiegłaby mi na spotkanie, ten pies spojrzał na papierowy kubek i powtórzył wyczyn z wyrzucaniem go do kosza.

Tymczasem chłopak nie przestawał się na mnie gapić. Chociaż siedział, widziałam, że jest szczupły, umięśniony i zdecydowanie przystojny, mimo że moja fascynacja chłopakami przygasła z chwilą, gdy doktor Bobbi rozsmarowała mi na brzuchu przezroczystą maź i usłyszałam bicie serca. Spuściłam wzrok, żałując nagle, że nie wróciłam do samochodu i że w ogóle się odezwałam. Zwykle unikałam kontaktu wzrokowego, z wyjątkiem piżamowych przyjęć, kiedy z przyjaciółkami patrzyłyśmy sobie w oczy, żeby sprawdzić, która dłużej wytrzyma bez mrugania. Poza tym nie potrzebowałam w swoim życiu kolejnego chłopaka. A już na pewno nie w taki dzień jak ten, kiedy nie tylko płakałam, ale też byłam w ogóle nieumalowana i miałam na sobie workowate dżinsy, converse'y i puchową kurtkę, w której wyglądałam jak ludzik Michelina.

– Cześć – rzucił w końcu, wyrywając mnie z zamyślenia. – Chciałem odetchnąć świeżym powietrzem.

Nie odpowiedziałam. Gapiłam się w wodę, udając, że go nie usłyszałam, i modląc się w duchu, żeby nie zapytał, czy płakałam.

– Wszystko w porządku? Wyglądasz, jakbyś płakała.

No świetnie. Chociaż nie miałam ochoty z nim rozmawiać, nie chciałam też, żeby pomyślał, że jestem w rozsypce.

– Nic mi nie jest – zapewniłam. – Stałam na dziobie i od wiatru oczy zaczęły mi łzawić.

Nie wiedziałam, czy mi uwierzył, ale był na tyle miły, by udawać, że tak.

– Ładnie tam – zauważył.

– Po zachodzie słońca niewiele widać.

– Masz rację – przyznał. – Na razie nic się nie dzieje. Nie ma nawet sensu sięgać po aparat. A tak nawiasem, jestem Bryce Trickett.

Głos miał łagodny i melodyjny… nie żeby mnie to obchodziło. Pies wpatrywał się we mnie, machając ogonem. To przypomniało mi, dlaczego w ogóle go zagadnęłam.

– Nauczyłeś psa wyrzucać śmieci?

– Próbuję. – Uśmiechnął się. W policzkach miał dołeczki. – Ale jest młoda i wciąż nad tym pracujemy. Kilka minut temu uciekła, więc musieliśmy zacząć od nowa.

Zapatrzyłam się w te dołeczki i potrzebowałam chwili, żeby zebrać myśli.

– Po co?

– Co: po co?

– Po co uczyć psa wyrzucać śmieci?

– Nie lubię śmieci i nie chcę, żeby wiatr zwiewał je do oceanu. To szkodzi środowisku.

– Więc czemu sam ich nie wyrzucisz?

– Bo siedzę.

– To wredne.

– Czasami trzeba być wrednym, żeby coś osiągnąć, no nie?

Ha, ha, pomyślałam. Musiałam przyznać, że jest wygadany i całkiem dowcipny.

– Poza tym Daisy nie ma nic przeciwko temu – ciągnął. – Traktuje to jak zabawę. Chcesz ją poznać?

Zanim zdążyłam odpowiedzieć, rzucił krótkie: „Przerwa" i Daisy poderwała się z pokładu. Podeszła do mnie, zwinęła się przy moich stopach, a kiedy przykucnęłam i wyciągnęłam rękę, zaczęła lizać mnie po palcach. Nie tylko wyglądała jak Sandy, ale miała też taką samą sierść i głaskając ją, na chwilę wróciłam do prostszego, szczęśliwszego życia w Seattle, zanim wszystko się pochrzaniło.

Zaraz jednak rzeczywistość sprowadziła mnie na ziemię i uświadomiłam sobie, że wcale nie mam zamiaru zostawać tu dłużej. Poklepałam Daisy po łbie, wyprostowałam się i schowałam ręce do kieszeni, próbując wymyślić jakąś wymówkę. Bryce jednak wydawał się niezrażony.

– Chyba nie dosłyszałem, jak masz na imię.

– Bo nie mówiłam.

– Aha, no tak – rzucił. – Ale chyba się domyślam.

– Myślisz, że potrafisz zgadnąć, jak mam na imię?

– Zwykle jestem w tym całkiem niezły. Potrafię też wróżyć z ręki.

– Serio?

– Pokazać ci?

Zanim zdążyłam odpowiedzieć, płynnym ruchem zerwał się z krzesła i podszedł do mnie. Był nieco wyższy, niż sądziłam, i tyczkowaty jak koszykarz. Nie jak środkowy gracz czy Zeke Watkins, napastnik, ale bardziej jak rzucający obrońca.

Kiedy się zbliżył, dostrzegłam orzechowe plamki w jego brązowych oczach i ten sam wyraz rozbawienia, który widziałam już wcześniej. Z uwagą przyglądał się mojej twarzy, aż w końcu wskazał na moje ręce, które wciąż trzymałam w kieszeniach.

– Mogę teraz zobaczyć twoje dłonie? Odwróć je wnętrzem do góry.

– Jest zimno.

– To nie potrwa długo.

Sytuacja robiła się coraz dziwniejsza, ale co mi tam, pomyślałam. Pokazałam mu swoje dłonie, a on nachylił się nad nimi w skupieniu. Chwilę później podniósł palec.

– Mogę? – spytał.

– Proszę bardzo.

Przez chwilę wodził palcem po liniach na moich dłoniach. Była w tym jakaś intymność i poczułam się odrobinę zaniepokojona.

– Na pewno nie jesteś z Ocracoke – zaczął.

– Ho, ho – prychnęłam. Nie chciałam, żeby wiedział, jak się czuję. – Niesamowite. I twoje przypuszczenia nie mają nic wspólnego z tym, że nigdy wcześniej mnie tutaj nie widziałeś.

– Chodziło mi o to, że nie jesteś z Karoliny Północnej. Ani nawet z Południowej.

– Mogłeś zauważyć, że nie mam południowego akcentu.

Nagle uświadomiłam sobie, że on również go nie ma, co było dziwne, bo myślałam, że wszyscy południowcy mówią jak Andy Griffith, ten aktor. Jeszcze przez chwilę wodził palcem po wnętrzu mojej dłoni, po czym cofnął rękę.

– Dobra, myślę, że już wiem. Możesz schować ręce z powrotem do kieszeni.

Zrobiłam to i czekałam, ale on milczał.

– No i?

– No i co?

– Masz wszystkie odpowiedzi?

– Nie wszystkie. Ale wystarczająco dużo. I chyba wiem, jak masz na imię.

– Nieprawda.

– Skoro tak mówisz.

Chociaż był przystojny, miałam dość tych gierek i uznałam, że czas się zbierać.

– Chyba wrócę do samochodu – rzuciłam. – Robi się zimno. Miło było cię poznać. – Odwróciłam się i zdążyłam zrobić kilka kroków, kiedy usłyszałam, jak odchrząknął.

– Jesteś z Zachodniego Wybrzeża! – zawołał za mną. – Ale nie z Kalifornii. Myślę, że z… Waszyngtonu? Albo z Seattle?

Słysząc to, zatrzymałam się i spojrzałam na niego, wiedząc, że nie zdołałam ukryć wyrazu zaskoczenia na twarzy.

– Mam rację, prawda?

– Skąd wiedziałeś?

– Wiem też, że masz szesnaście lat i jesteś w drugiej klasie. Masz też starsze rodzeństwo i wydaje mi się, że jest to... siostra? A twoje imię zaczyna się na M... nie Molly, Mary ani Marie, ale coś bardziej formalnego. Na przykład... Margaret? Tyle że pewnie wszyscy mówią do ciebie Maggie albo jakoś tak.

Rozdziawiłam usta, zbyt oszołomiona, żeby cokolwiek powiedzieć.

– I nie przeprowadziłaś się do Ocracoke na stałe. Przyjechałaś tu na kilka miesięcy, mam rację? – Pokręcił głową i znów się uśmiechnął. – Dobra, wystarczy. Tak jak mówiłem, mam na imię Bryce i miło cię poznać, Maggie.

Minęło kilka sekund, zanim zdołałam wychrypieć:

– I wyczytałeś to wszystko z mojej twarzy i dłoni?

– Nie. Większość wiem od Lindy.

Dopiero po chwili zrozumiałam.

– Mojej ciotki?

– Rozmawiałem z nią w kabinie. Pokazała mi ciebie, kiedy przechodziłaś obok naszego stolika, i trochę mi o tobie opowiedziała. A tak na marginesie, to ja naprawiłem twój rower.

Popatrzyłam na niego uważniej i jak przez mgłę przypomniałam sobie, że ciotka i Gwen rzeczywiście z kimś rozmawiały.

– Więc o co chodziło z tym zaglądaniem w twarz i czytaniem z dłoni?

– O nic. To taki żart.

– Mało śmieszny.

– Może. Ale żałuj, że nie widziałaś swojej miny. Ślicznie wyglądasz, kiedy nie wiesz, co powiedzieć.

Nie byłam pewna, czy dobrze usłyszałam. Ślicznie? Czy on właśnie powiedział mi, że jestem śliczna? Kolejny raz upominałam się w myślach, że to bez znaczenia.

– Obeszłabym się bez twoich magicznych sztuczek.

– Masz rację. To się więcej nie powtórzy.

– Czemu rozmawiałeś o mnie z moją ciotką? – spytałam, zastanawiając się, co jeszcze mu powiedziała.

– Chciała wiedzieć, czy jestem zainteresowany udzielaniem ci korepetycji. Czasami to robię.

Bez jaj.

– Będziesz moim korepetytorem?

– Jeszcze nie zdecydowałem. Najpierw chciałem cię poznać.

– Nie potrzebuję korepetytora.

– W takim razie to mój błąd.

– Ciotka po prostu martwi się na zapas.

– Rozumiem.

– To czemu odnoszę wrażenie, że mi nie wierzysz?

– Nie mam pojęcia. Powtarzam tylko to, czego dowiedziałem się od twojej ciotki. Ale skoro nie potrzebujesz korepetycji, rozumiem. – Uśmiech miał szczery, dołeczki wciąż były na swoim miejscu. – Jak ci się tu podoba?

– To znaczy?

– W Ocracoke. Jesteś tu od kilku tygodni, tak?

– To mała mieścina.

– Nie da się ukryć. – Roześmiał się. – Sam potrzebowałem czasu, żeby się przyzwyczaić.

– Nie jesteś stąd?

– Nie – odparł. – Tak jak ty, jestem napływowy.

– Napływowy?

– Tak mówią tutaj na tych, którzy się tu nie urodzili.

– Nieprawda.

– Poważnie – zapewnił mnie. – Mój ojciec i bracia też są napływowi. Ale mama nie. Ona urodziła się tu i wychowała. Wróciliśmy kilka lat temu. – Wskazał palcem za siebie, na zniszczonego pick-upa z łuszczącym się czerwonym lakierem i wielkimi oponami. – Mam w samochodzie dodatkowe krzesło. Dużo wygodniejsze od ławki.

– Powinnam już chyba iść. Nie chcę ci przeszkadzać.

– Wcale mi nie przeszkadzasz. Dopóki nie podeszłaś, nudziłem się jak mops.

Nie wiedziałam, czy ze mną flirtuje, ale wolałam się nie odzywać. Bryce najwyraźniej uznał moje milczenie za zgodę.

– Świetnie – rzucił. – Przyniosę krzesło.

Zanim się zorientowałam, rozłożył drugie krzesło i usiadł na swoim. Nagle poczułam się jak w pułapce i chcąc nie chcąc, usadowiłam się obok niego.

Bryce wyciągnął swoje długie nogi.

– Lepiej niż na ławce, co?

Nadal próbowałam oswoić się z myślą, jaki jest przystojny, i z tym, jak moja ciotka – była zakonnica – zaaranżowała to wszystko. A może nie? Moi rodzice z pewnością nie chcieli, żebym miała jakiekolwiek kontakty z płcią przeciwną, i musieli jej o tym powiedzieć.

– Chyba tak. Chociaż nadal jest zimno.

Gdy to mówiłam, Daisy położyła się między nami. Wyciągnęłam rękę i pogłaskałam ją.

– Uważaj – ostrzegł mnie. – Jak raz zaczniesz ją głaskać, nie pozwoli ci przestać.

– To nic. Przypomina mi mojego psa. Tego, którego mam w domu.

– Tak?

– Sandy jest starsza i trochę większa. Tęsknię za nią. Ile lat ma Daisy?

– W październiku skończyła rok. Czyli ma teraz prawie czternaście miesięcy.

– Jak na tak młodego psa jest dobrze ułożona.

– Powinna. Uczę ją od szczeniaka.

– Wyrzucania śmieci?

– I innych rzeczy. Na przykład tego, żeby nie uciekała. – Skupił uwagę na psie i ciągnął podekscytowany: – Ale ona i tak ma swoje sposoby, prawda, psinko?

Daisy zaskomlała, a jej ogon uderzył kilka razy o pokład.

– Skoro nie jesteś z Ocracoke, to od jak dawna tu mieszkasz? – spytałam.

– W kwietniu miną cztery lata.

– Czemu się tu przenieśliście?

– Ojciec był wojskowym i kiedy przeszedł na emeryturę, mama stwierdziła, że chce zamieszkać bliżej rodziców.

A ponieważ praca ojca wiązała się z częstymi przeprowadzkami, uznał, że tym razem to mama powinna wybrać, gdzie zamieszkamy. Mówił, że to będzie przygoda.

– No i jest?

– Czasami. Latem jest tu fajnie. Na wyspę zjeżdżają ludzie, zwłaszcza w okolicach Święta Niepodległości. No i plaża jest piękna. Daisy uwielbia po niej biegać.

– Mogę zapytać, po co ci aparat?

– Żeby uchwycić coś ciekawego. Dziś było tego niewiele, nawet przed zachodem słońca.

– A czy w ogóle kiedykolwiek dzieje się tu coś ciekawego?

– W zeszłym roku zapalił się jeden z kutrów rybackich. Prom zawrócił, żeby pomóc załodze, zanim przypłynęła straż przybrzeżna. Widok był straszny, ale nikomu nic się nie stało, no i zrobiłem kilka świetnych zdjęć. Są tutaj też delfiny. Czasami udaje mi się uchwycić, jak wyskakują nad wodę. Ale dziś aparat był mi potrzebny do projektu.

– Jakiego projektu?

– Chcę zdobyć odznakę Eagle Scout. Trenuję Daisy i chciałem jej zrobić jakieś fajne zdjęcia.

Zmarszczyłam brwi.

– Nie rozumiem. Możesz zdobyć odznakę za szkolenie psa?

– Przygotowuję ją do bardziej zaawansowanego szkolenia – wyjaśnił. – Będzie psem opiekunem dla osób niepełnosprawnych. Na wózkach inwalidzkich – dodał, uprzedzając moje następne pytanie.

– Czymś w rodzaju psa przewodnika?

– Tak jakby. Zasada jest taka sama, ale potrzebne są inne umiejętności.

– Na przykład wyrzucanie śmieci?

– Właśnie. Albo przynoszenie pilota czy słuchawki telefonicznej. Otwieranie szuflad, szafek, drzwi.

– Niby jak otwiera drzwi?

– Chodzi o drzwi z klamką, nie z gałką. Staje na tylnych łapach, przednimi naciska ją i nosem popycha drzwi. Jest w tym całkiem niezła. Potrafi też otwierać szuflady, tylko do uchwytu musi być przymocowany sznurek. Przede wszystkim muszę popracować nad jej koncentracją, ale myślę, że głównym problemem jest jej wiek. Mam nadzieję, że zostanie przyjęta do oficjalnego programu, i jestem dobrej myśli. Nie musi posiadać żadnych zaawansowanych umiejętności, od tego są profesjonalni treserzy, ale chciałem, żeby miała przewagę. Kiedy będzie gotowa, pójdzie do nowego domu.

– Będziesz musiał ją oddać?

– W kwietniu.

– Na twoim miejscu zatrzymałabym psa i odpuściła sobie odznakę.

– Tu przede wszystkim chodzi o to, żeby pomóc komuś, kto tej pomocy potrzebuje. Ale masz rację. Nie będzie łatwo. Odkąd ją dostałem, jesteśmy nierozłączni.

– Chyba że jesteś w szkole.

– Nawet wtedy – odparł. – Skończyłem już szkołę, ale mama uczyła mnie w domu. Moi bracia też uczą się w ten sposób.

W Seattle słyszałam tylko o jednej rodzinie, w której dzieci uczyły się w domu, ale to byli fundamentaliści religijni. Nie znałam ich za dobrze. Wiedziałam jedynie, że ich córki cały czas musiały nosić długie sukienki i że co roku na święta przed ich domem pojawiała się wielka szopka.

– Podobało ci się? To, że uczysz się w domu?

– Uwielbiałem to.

W szkole najbardziej lubiłam stronę towarzyską. Nie wyobrażałam sobie, żebym miała nie spotykać się z koleżankami.

– Dlaczego?

– Bo mogłem się uczyć we własnym tempie. Moja mama jest nauczycielką, a ponieważ często się przeprowadzaliśmy, rodzice uznali, że edukacja domowa będzie najlepszym rozwiązaniem.

– Macie pokój z ławkami, tablicą, projektorem?

– Nie. Kiedy potrzebna jest nam lekcja, siadamy przy kuchennym stole. Ale najczęściej uczymy się sami.

– I to działa? – Nie potrafiłam ukryć nuty sceptycyzmu w głosie.

– Chyba tak – odparł. – Na pewno jeśli chodzi o moich braci. Są bardzo mądrzy. Przerażająco mądrzy. A nawiasem mówiąc, to bliźniacy. Robert interesuje się aeronautyką, a Richard programowaniem. Pewnie pójdą do college'u w wieku piętnastu, szesnastu lat, ale jeśli chodzi o osiągnięcia w nauce, już teraz są na to gotowi.

– Ile mają lat?

– Dopiero dwanaście. Zanim wpadniesz w zachwyt, dodam, że są niedojrzali, robią głupie rzeczy i doprowadzają mnie do szału. Ciebie też doprowadzą, jak ich poznasz. Muszę cię uprzedzić, żebyś nie myślała źle o mnie. Albo o nich. I żebyś wiedziała, że są mądrzy, chociaż wcale się tak nie zachowują.

Po raz pierwszy, odkąd zaczęliśmy rozmawiać, nie mogłam przestać się uśmiechać. Za jego ramieniem Ocracoke zbliżało się nieubłaganie. Dookoła nas ludzie zaczęli wracać do samochodów.

– Zapamiętam to. A ty? Też jesteś przerażająco mądry?

– Nie tak jak oni. Ale to jedna z fajniejszych rzeczy w edukacji domowej. Zwykle odwalasz całą robotę w dwie, trzy godziny, a później masz czas uczyć się o tym, co lubisz. Moi bracia lubią nauki ścisłe, ale mnie interesuje fotografia, więc miałem mnóstwo czasu, żeby ćwiczyć.

– A college?

– Już mnie przyjęli – powiedział. – Zaczynam jesienią.

– Masz osiemnaście lat?

– Siedemnaście. W lipcu skończę osiemnaście.

Nie mogłam przestać myśleć, że wydawał się dużo starszy ode mnie i bardziej dojrzały od moich rówieśników. Bardziej pewny siebie, jak ktoś, kto dobrze czuje się w świecie i lubi swoją rolę w nim. Nie pojmowałam, jak to jest możliwe w takim miejscu jak Ocracoke.

– Do jakiego idziesz college'u? – spytałam.

– West Point. Tam studiował mój ojciec, więc to coś w rodzaju rodzinnej tradycji. A ty? Jaki jest stan Waszyngton? Nigdy tam nie byłem, ale słyszałem, że jest tam pięknie.

– To prawda. Góry są niesamowite, idealne do pieszych wycieczek, a w Seattle jest świetnie. Razem z przyjaciółmi chodzimy do kina i do centrów handlowych. Mieszkam w spokojnej okolicy. Dużo tam starszych ludzi.

– W zatoce Puget są wieloryby, tak? Humbaki?

– Jasne.

– Widziałaś kiedyś jakiegoś?

– Wiele razy. – Wzruszyłam ramionami. – W szóstej klasie wypłynęliśmy łodzią na wycieczkę krajoznawczą i widzieliśmy je z bliska. Było fajnie.

– Miałem nadzieję, że zobaczę jakiegoś, zanim skończę szkołę. Podobno czasami pływają niedaleko brzegu, ale jak dotąd nie miałem szczęścia.

Minęły nas dwie osoby i chwilę później gdzieś za moimi plecami trzasnęły drzwi samochodu. Silnik promu zarzęził i zaczęliśmy zwalniać.

– Chyba jesteśmy na miejscu – zauważyłam i w duchu stwierdziłam, że tym razem podróż wydała mi się krótsza niż zwykle.

– Na to wygląda – rzucił. – Lepiej zabiorę Daisy do samochodu. Twoja ciotka chyba cię szuka.

Pomachał do kogoś, a gdy się odwróciłam, zobaczyłam ciotkę, która szła w naszą stronę. Modliłam się w duchu, by nie zaczęła machać albo nie urządziła sceny. Nie chciałam, żeby wszyscy na promie wiedzieli, że poznałam chłopaka, który miał być moim korepetytorem.

Pomachała.

– Tu jesteś! – wykrzyknęła, a ja miałam ochotę skulić się na krześle. – Szukałam cię w samochodzie – oznajmiła. – Widzę, że poznałaś Bryce'a.

– Dzień dobry, pani Dawes – przywitał się. Wstał z krzesła i złożył je. – Tak, mieliśmy okazję trochę się poznać.

– Miło mi to słyszeć.

W ciszy, która zapadła, czułam, że oboje czekają, aż coś powiem.

– Cześć, ciociu.

Widząc, że Bryce ładuje krzesło na tył pick-upa, ja również się podniosłam. Złożyłam to, na którym siedziałam, podałam mu je i patrzyłam, jak je chowa i zamyka tylną klapę.

– Wskakuj, Daisy! – zawołał.

Suczka poderwała się z pokładu i wskoczyła na tył pick-upa.

Czułam, że ciotka patrzy na niego, na mnie, a w końcu na nas oboje, jak gdyby nie bardzo wiedziała, co zrobić. A potem najwyraźniej przypomniała sobie czasy sprzed wstąpienia do klasztoru, kiedy prowadziła normalne życie i miała normalne uczucia.

– Zaczekam na ciebie w samochodzie – powiedziała. – Miło było cię zobaczyć, Bryce. Cieszę się, że mieliśmy okazję zamienić słowo.

– Proszę o siebie dbać – odrzekł Bryce. – W tym tygodniu na pewno wpadnę po bułeczki, więc jeszcze się zobaczymy.

Ciotka Linda ostatni raz omiotła nas wzrokiem, po czym się odwróciła. Kiedy oddaliła się na tyle, że nie mogła nas usłyszeć, Bryce spojrzał na mnie.

– Naprawdę lubię Lindę i Gwen. W życiu nie jadłem lepszych bułek, chociaż na pewno to wiesz. Próbowałem wyciągnąć od nich sekretny przepis, ale gdzie tam! Mój ojciec i dziadek zajadają się nimi za każdym razem, gdy wypływają.

– Wypływają?

– Dziadek jest rybakiem. Ojciec pomaga mu, kiedy nie pracuje jako konsultant w DO. Naprawia kuter i sprzęt albo wypływa razem z nim.

– Co to jest DO?

– Departament Obrony.

– Aha – bąknęłam, nie wiedząc, co innego mogłabym powiedzieć. Nie mogłam uwierzyć, że konsultant w Departamencie Obrony postanowił zamieszkać w takim miejscu jak Ocracoke. Prom zatrzymał się i wszędzie dookoła słyszałam trzask zamykanych drzwi i warkot silników. – Chyba powinnam już iść.

– Chyba tak. Ale miło się z tobą rozmawiało, Maggie. Zwykle na promie nie ma nikogo w moim wieku, więc tym milej było cię spotkać.

– Dzięki. – Starałam się nie gapić na jego dołeczki.

Odwróciłam się i – o dziwo – poczułam ulgę zmieszaną z rozczarowaniem, że czas, który spędziliśmy razem, dobiegł końca.

*

Czekałam do ostatniej chwili, żeby wsiąść do samochodu, bo nie chciałam wysłuchiwać pytań z rodzaju tych, które w domu zwykle zadawali mi rodzice. O czym rozmawialiście?

Spodobał ci się? Wyobrażasz sobie, że mógłby uczyć cię geometrii i sprawdzać twoje wypracowania? Dobrze wybrałam?

Rodzice zasypywali mnie pytaniami. Niemal codziennie, aż do tego dnia, kiedy mama przyłapała mnie wiszącą nad sedesem – tego samego, w którym kazała mi zrobić test ciążowy – pytali mnie, jak było w szkole; jakby udział w lekcjach był czymś magicznym i tajemniczym, czym każdy powinien się zachwycać. Bez względu na to, ile razy odpowiadałam, że było „w porządku" – co tak naprawdę znaczyło: „Przestańcie zadawać mi te swoje głupie pytania" – pytali dalej. Szczerze? Co innego miałam im powiedzieć? Przecież sami chodzili kiedyś do szkoły. Wiedzieli, jak to wygląda. Nauczyciel stawał przed grupą uczniów i wykładał temat, a oni mieli zapamiętać jak najwięcej, żeby zaliczyć testy – co nie było żadną frajdą.

Znacznie ciekawsze były lunche. Albo na przykład gadanie o wakacjach. Ale szkoła? Szkoła była… szkołą.

Na szczęście ciotka Linda i Gwen rozmawiały o kazaniu, z którego sama niewiele pamiętałam, a podróż samochodem trwała zaledwie kilka minut. Zahaczyłyśmy jeszcze o sklep, gdzie wyładowałyśmy zakupy. Tym razem Gwen pojechała z nami do domu, żeby pomóc wnieść choinkę.

Chociaż byłam w ciąży, a ciotka i Gwen miały już swoje lata, wniosłyśmy drzewko po schodach i ustawiłyśmy w stojaku, który ciotka wyciągnęła z szafy w przedpokoju. Po tym wszystkim byłam trochę zmęczona, one zresztą pewnie też, i zamiast ubierać choinkę, zaczęły krzątać się w kuchni. Ciotka

Linda upiekła świeże bułeczki, podczas gdy Gwen podgrzała resztki z obiadu na Święto Dziękczynienia.

Nie zdawałam sobie sprawy, jak bardzo jestem głodna, i po raz pierwszy od dawna nie zostawiłam niczego na talerzu. Tego wieczoru bułeczki smakowały mi bardziej niż zwykle, może dlatego, że Bryce o nich wspomniał. Kiedy sięgnęłam po drugą, ciotka się uśmiechnęła.

– No co? – spytałam.

– Po prostu cieszę się, że jesz – odparła.

– Co jest w tych bułkach?

– To co zawsze: mąka, maślanka i tłuszcz do pieczenia.

– Jakiś sekretny składnik?

Jeśli zastanowiło ją, dlaczego pytam, nie dała nic po sobie poznać. Wymieniła porozumiewawcze spojrzenie z Gwen, po czym znów popatrzyła na mnie.

– Oczywiście.

– Jaki?

– To tajemnica. – Puściła do mnie oko.

Nie rozmawiałyśmy więcej i kiedy skończyłam myć naczynia, poszłam do swojego pokoju. Za oknem niebo usiane było gwiazdami, a wiszący nad wodą księżyc sprawiał, że ocean lśnił srebrzystym blaskiem. Przebrałam się w piżamę i już chciałam położyć się do łóżka, gdy nagle przypomniało mi się, że miałam napisać pracę o sędzim Thurgoodzie Marshallu. Sięgnęłam po notatki – wcześniej zrobiłam chociaż tyle – i zabrałam się do roboty. Zawsze lubiłam pisać; może nie szło mi jakoś wybitnie, ale zdecydowanie wolałam to niż matematykę. Byłam w połowie drugiej strony, gdy usłyszałam pukanie do drzwi. Podniosłam wzrok i ujrzałam ciotkę Lindę, która zaglądała do pokoju. Gdy zobaczyła, że odrabiam pracę domową, uniosła brew, ale jestem pewna, że postanowiła nic nie mówić, żeby mnie nie zniechęcać.

– Kuchnia aż błyszczy – powiedziała tylko. – Dziękuję.

– Proszę bardzo. Dzięki za kolację.

– To były tylko resztki. – Wzruszyła ramionami. – Oprócz bułeczek. Powinnaś dziś wieczorem zadzwonić do rodziców. U nich jest jeszcze wcześnie.

Zerknęłam na zegarek.

– Pewnie jedzą kolację. Zadzwonię za chwilę.

Odchrząknęła cicho.

– Chcę, żebyś wiedziała, że w rozmowie z Bryce'em nie wspomniałam mu nic o… no wiesz… o twojej sytuacji. Powiedziałam tylko, że bratanica przyjechała do mnie na kilka miesięcy.

Do tej pory nie myślałam o tym, ale teraz odetchnęłam z ulgą.

– Nie pytał dlaczego?

– Może, ale mnie interesowało tylko to, czy będzie chciał cię uczyć.

– Ale opowiadałaś mu o mnie.

– Owszem, ponieważ zaznaczył, że musi wiedzieć cokolwiek na twój temat.

– Na przykład to, czy chcę, żeby był moim korepetytorem.

– Tak – przyznała. – Wiem, że to bez znaczenia, ale to on naprawił twój rower.

Wiedziałam już o tym, nadal jednak zastanawiałam się, czy chcę spotykać się z nim codziennie.

– A jeśli obiecam, że sama nadrobię zaległości? Bez jego pomocy?

– A dasz sobie radę? Bo wiesz, że ja ci nie pomogę. Minęło dużo czasu, odkąd chodziłam do szkoły.

Zawahałam się.

– Co mam powiedzieć, jeśli zapyta, czemu tu przyjechałam?

Zastanawiała się przez chwilę.

– Trzeba pamiętać, że nikt z nas nie jest idealny. Wszyscy popełniamy błędy. Możemy tylko starać się być najlepszą wersją nas. Jeśli zapyta, możesz powiedzieć mu prawdę albo skłamać. Myślę, że wszystko zależy od osoby, którą chcesz zobaczyć, gdy patrzysz na siebie w lustrze.

Skrzywiłam się, wiedząc, że nie powinnam radzić się byłej zakonnicy w kwestiach związanych z moralnością. Ale stało się i teraz, kiedy nie było już odwrotu, postanowiłam wrócić do czegoś, co było dla mnie oczywiste.

– Nie chcę, żeby ktokolwiek wiedział. Nawet on.

Uśmiechnęła się.

– Rozumiem. Ale pamiętaj, że trudno ukryć ciążę, zwłaszcza w takiej mieścinie jak Ocracoke. A kiedy stanie się widoczna…

Nie musiała kończyć, to było oczywiste.

– A jeśli przestanę wychodzić z domu?

Już wypowiadając te słowa, zdawałam sobie sprawę, że to nierealne. Co tydzień w niedzielę razem z innymi płynęłam z Ocracoke do kościoła, a niebawem miałam umówioną wizytę u lekarza w Morehead City, co oznaczało kolejne podróże promem. Bywałam w sklepie ciotki. Ludzie wiedzieli, że jestem na wyspie, i bez wątpienia niektórzy zastanawiali się, co tu robię. Jak zauważyłam, Bryce również. Może nie domyślali się, że jestem w ciąży, ale z pewnością podejrzewali, że mam jakieś kłopoty. Z rodziną, narkotykami, prawem... z czymkolwiek. Inaczej po co przyjeżdżałabym na wyspę w samym środku zimy?

– Uważasz, że powinnam mu powiedzieć, prawda?

– Uważam – przeciągała samogłoski – że dowie się prawdy, czy tego chcesz, czy nie. Pytanie tylko: kiedy i od kogo. Myślę, że najlepiej by było, gdyby usłyszał ją od ciebie.

Patrzyłam w okno niewidzącym wzrokiem.

– Pomyśli, że jestem okropna.

– Wątpię.

Wściekła na całą tę sytuację, z trudem przełknęłam ślinę. Ciotka milczała, dając mi czas do namysłu. Musiałam przyznać, że pod tym względem była lepsza od moich rodziców.

– Sądzę, że Bryce może być moim korepetytorem.

– Dam mu znać – powiedziała cicho. A potem odchrząknęła i zapytała: – Nad czym pracujesz?

– Mam nadzieję, że skończę dziś roboczą wersję wypracowania.

– Na pewno będzie świetne. Jesteś inteligentną młodą damą.

Powiedz to moim rodzicom, pomyślałam, ale na głos rzuciłam tylko:

– Dzięki.

– Przynieść ci coś, zanim się położę? Może szklankę mleka? Jutro muszę wcześnie wstać.

– Nic mi nie trzeba, dziękuję.

– Nie zapomnij zadzwonić do rodziców.

– Nie zapomnę.

Odwróciła się, by odejść, ale nagle się zatrzymała.

– Aha, jeszcze jedno, Pomyślałam, że może jutro po kolacji ubrałybyśmy choinkę.

– Zgoda.

– Śpij dobrze, Maggie. Kocham cię.

– Ja ciebie też, ciociu. – Powiedziałam to odruchowo, tak jak odruchowo mówiłam to przyjaciółkom.

Później, kiedy rozmawiałam z rodzicami i zapytali mnie, jak dogaduję się z ciotką Lindą, uświadomiłam sobie, że pierwszy raz powiedziałyśmy do siebie takie słowa.

DZIADEK DO ORZECHÓW

Manhattan
Grudzień 2019

Kiedy Maggie zamilkła, Mark siedział z palcami złączonymi w piramidkę. Z jego twarzy nie sposób było niczego wyczytać. Przez chwilę nic nie mówił, aż w końcu pokręcił głową, jak gdyby uświadomił sobie, że teraz jego kolej, by coś powiedzieć.

– Przepraszam – bąknął. – Chyba próbuję ogarnąć to wszystko, co właśnie od ciebie usłyszałem.

– Nie tego się spodziewałeś, tak?

– Sam nie wiem, czego się spodziewałem – wyznał. – I co było później?

– Jestem za bardzo zmęczona, żeby teraz o tym mówić.

Mark podniósł rękę.

– Rozumiem. Ale mimo wszystko… Jejku… Wątpię, żebym w wieku szesnastu lat poradził sobie z czymś takim.

– Ja nie miałam wyboru.

– Mimo to… – W zamyśleniu podrapał się w ucho. – Twoja ciotka Linda wydaje się interesującą osobą.

– Z pewnością. – Maggie się uśmiechnęła.

– Nadal masz z nią kontakt?

– Miałam. Ona i Gwen odwiedziły mnie kilka razy w Nowym Jorku i raz widziałam się z nią w Ocracoke, ale głównie pisałyśmy do siebie i rozmawiałyśmy przez telefon. Zmarła pół roku temu.

– Przykro mi to słyszeć.

– Wciąż za nią tęsknię.

– Zatrzymałaś listy?

– Wszystkie, co do jednego.

Spojrzał w bok, po czym znów popatrzył na Maggie.

– Dlaczego przestała być zakonnicą? Pytałaś ją o to kiedykolwiek?

– Nie wtedy. Czułabym się niezręcznie, rozpytując ją o jej przeszłość, a poza tym byłam tak pochłonięta własnymi problemami, że nie przyszło mi to do głowy. Minęły lata, zanim poruszyłam ten temat, a gdy to zrobiłam, uzyskałam odpowiedź, której właściwie nie zrozumiałam. Chyba liczyłam na jakieś rewelacje.

– Co ci powiedziała?

– Że w życiu chodzi o zmieniające się pory roku, a ta pora roku dobiegła końca.

– No, no. Rzeczywiście, brzmi dość tajemniczo.

– Myślę, że miała dość opieki nad ciężarnymi nastolatkami. Wiem z doświadczenia, że potrafimy być humorzaste.

Roześmiał się, ale zaraz znów spoważniał.

– Czy klasztory żeńskie nadal przyjmują ciężarne nastolatki?

– Nie mam pojęcia, ale jakoś w to wątpię. Czasy się zmieniają. Kilka lat temu, kiedy interesowałam się tą sprawą, wyszukałam w sieci zakon Sióstr Miłosierdzia i odkryłam, że został zamknięty przeszło dziesięć lat wcześniej.

– A gdzie był ten jej klasztor?

– Myślę, że w Illinois. Albo w Ohio. W każdym razie gdzieś na Środkowym Zachodzie. I nie pytaj mnie, jak tam trafiła. Podobnie jak mój ojciec, pochodziła z Zachodniego Wybrzeża.

– Jak długo była zakonnicą?

– Jakieś dwadzieścia pięć lat... Może trochę krócej albo dłużej, nie wiem. Gwen też. Myślę, że Gwen przyjęła święcenia, zanim zrobiła to moja ciotka.

– Myślisz, że były...?

Kiedy urwał, Maggie uniosła brew.

– Kochankami? Tego też nie wiem. Z czasem zaczęłam myśleć, że mogło tak być, bo zawsze były razem, ale nigdy nie widziałam, żeby się całowały ani nawet trzymały za ręce. Jedno wiem na pewno: bardzo się kochały. Gwen była przy mojej ciotce w chwili jej śmierci.

– Z nią też masz kontakt?

– Byłam oczywiście bardziej związana z ciotką, ale odkąd umarła, kilka razy w roku dzwoniłam do Gwen. Ostatnio trochę rzadziej. Ma alzheimera i nie wiem nawet, czy pamięta, kim jestem. Na pewno jednak pamięta moją ciotkę i to mnie cieszy.

– Aż trudno uwierzyć, że nigdy nie mówiłaś o tym Luanne.

– To coś w rodzaju przyzwyczajenia. Nawet moi rodzice wciąż udają, że to się nigdy nie wydarzyło. Siostra też.

– Rozmawiałaś z Luanne? Odkąd wyjechała na Hawaje?

– Nie mówiłam jej, co powiedziała lekarka, jeśli to masz na myśli.

Z trudem przełknął ślinę.

– Nie mogę uwierzyć, że to dzieje się naprawdę – odezwał się cicho.

– Nie tylko ty. Wyświadcz sobie przysługę i nie choruj nigdy na raka, zwłaszcza w przysłowiowym kwiecie wieku.

Mark spuścił głowę; widać było, że nie wie, co powiedzieć. Nawet jeśli żarty na temat śmierci pozwalały jej trzymać na dystans inne, mroczniejsze, myśli, musiała zdawać sobie sprawę, że nikt nie wie, jak na nie reagować. W końcu Mark podniósł wzrok.

– Rano dostałem wiadomość od Luanne. Pisze, że wysłała ci esemesa, ale nie odpisałaś.

– Nie sprawdzałam dziś telefonu. O co chodziło?

– Chciała, żebym przypomniał ci, że masz otworzyć kopertę, jeśli jeszcze tego nie zrobiłaś.

No tak. Bo w środku jest prezent.

– Bądź tak miły i pomóż mi ją znaleźć, pewnie wciąż leży gdzieś na biurku.

Mark wstał i zaczął przeglądać korespondencję, podczas gdy Maggie przetrząsała zawartość górnej szuflady biurka. Chwilę później ze sterty faktur wyciągnął kopertę.

– To ta?

– Tak. – Przez chwilę przyglądała się jej. – Mam nadzieję, że nie podarowała mi swojego seksownego zdjęcia.

Mark spojrzał na nią szeroko otwartymi oczami.

– To raczej nie w jej stylu…

Roześmiała się.

– Żartuję. Chciałam zobaczyć, jak zareagujesz. – Otworzyła kopertę. W środku była elegancka kartka z życzeniami i krótki liścik, w którym Luanne dziękowała Maggie za to, że „ma przyjemność dla niej pracować". Luanne zawsze zwracała uwagę na gramatykę i styl. Do kartki dołączone zostały dwa bilety do Lincoln Center na *Dziadka do orzechów* w wykonaniu New York City Ballet. Przedstawienie miało się odbyć za dwa dni, w piątkowy wieczór.

Maggie wyjęła bilety i pokazała je Markowi.

– Dobrze, że mi przypomniałeś. Inaczej by przepadły.

– Świetny prezent. Widziałaś już ten balet?

– Zawsze mówiłam, że chcę go zobaczyć, ale jakoś nigdy mi się nie udało. A ty?

– Niestety, nie.

– Chciałbyś pójść ze mną?

– Ja?

– Czemu nie? Potraktuj to jako nagrodę za pracę po godzinach.

– Chętnie.

– No to doskonale.

– Podobała mi się twoja historia, chociaż przerwałaś ją w najciekawszym momencie.

– To znaczy?

– Mam na myśli ciebie i resztę ciąży. To, że zaczęłaś się dogadywać z ciotką. No i pojawił się Bryce. Wiem, że zgodziłaś się, żeby był twoim korepetytorem, ale jestem ciekaw, co z tego wynikło. Czy ci pomógł? Czy może to nie wypaliło?

Na dźwięk tego imienia ogarnęło ją niedowierzanie, że minęło prawie ćwierć wieku od czasu, gdy spędziła na Ocracoke kilka miesięcy.

– Naprawdę interesuje cię, co wydarzyło się później?

– Tak – przyznał.

– Dlaczego?

– Bo dzięki temu lepiej cię zrozumiem.

Upiła łyk nieco wodnistego już napoju i nagle przypomniała sobie ostatnią rozmowę z doktor Brodigan. W jednej chwili spokojnie rozmawiasz sobie z kimś, pomyślała, a w następnej myślisz wyłącznie o śmierci. Bezskutecznie próbowała odepchnąć od siebie to spostrzeżenie, zastanawiając się, czy Mark myśli o tym samym.

– Wiem, że codziennie rozmawiasz z Abigail. Możesz powiedzieć jej o mojej diagnozie.

– Nie zrobiłbym tego. To… nie moja sprawa.

– Czy ona ogląda moje wideo?

– Tak.

– Więc i tak się dowie. Zamierzałam nagrać o tym filmik, ale najpierw chcę porozmawiać z rodzicami i siostrą.

– Jeszcze im nie powiedziałaś?

– Postanowiłam, że zrobię to po świętach.

– Dlaczego?

– Gdybym teraz im powiedziała, nalegaliby, żebym natychmiast przyleciała do Seattle, a ja tego nie chcę… albo uparliby

się, że to oni przylecą do mnie, a tego też nie chcę. Byliby za-
łamani, a ja musiałabym na to patrzeć, więc wszystkim byłoby
trudniej. No i już zawsze kojarzyliby święta z czymś przykrym.
Nie mogę im tego zrobić.

– To nie będzie łatwe, obojętnie, kiedy im powiesz.

– Wiem. Ale moja rodzina i ja mamy... dość szczególne
relacje.

– To znaczy?

– Nie do końca żyłam tak, jak chcieliby tego moi rodzice.
Zawsze miałam wrażenie, że urodziłam się w niewłaściwej rodzinie, i już dawno temu doszłam do wniosku, że nasze relacje
są najlepsze, kiedy żyjemy nieco dalej od siebie. Nie rozumieli
moich wyborów. Jeśli chodzi o siostrę, bardziej przypomina rodziców. Wyszła za mąż, ma dzieci, mieszka na przedmieściach
i wciąż jest taka śliczna jak kiedyś. Trudno rywalizować z kimś
takim.

– Ale zobacz, ile osiągnęłaś.

– Dla moich bliskich nie ma to chyba znaczenia.

– Przykro mi to słyszeć. – W ciszy, która zapadła, Maggie
nagle ziewnęła. Mark odchrząknął. – Jeśli jesteś zmęczona, wra-
caj do domu – powiedział. – Skataloguję wszystko i zajmę się
wysyłkami.

Kiedyś uparłaby się, że zostanie. Teraz wiedziała, że i tak na
nic się nie przyda.

– Na pewno?

– Zabierasz mnie na balet. Przynajmniej tak mogę ci się od-
wdzięczyć.

Kiedy się opatuliła, Mark poszedł za nią do drzwi i je otworzył. Przenikliwy wiatr kąsał jej policzki.

– Jeszcze raz dzięki za napój.

– Chcesz, żebym zamówił ci ubera albo taksówkę? Jest zimno.

– To niedaleko. Nic mi nie będzie.

– Widzimy się jutro?

Nie chciała go okłamywać. Kto wie, jak się będzie czuła?

– Może – odparła.

Kiedy pokiwał głową i zacisnął usta w wąską kreskę, wiedziała, że zrozumiał.

*

Zanim dotarła do rogu ulicy, już zrozumiała, że popełniła błąd. Na zewnątrz było nie zimno, ale wręcz lodowato i trzęsła się jeszcze długo po tym, jak weszła do mieszkania. Czuła się, jakby ktoś umieścił jej w piersi bryłę lodu. Okryta kocem, siedziała skulona na kanapie przez dobre pół godziny, zanim znalazła w sobie dość siły, żeby się ruszyć.

W kuchni zaparzyła sobie herbatę rumiankową. Zastanawiała się, czy nie wziąć gorącej kąpieli, ale to wymagałoby wysiłku. Poszła więc do sypialni, włożyła dwie grube flanelowe piżamy, bluzę, dwie pary skarpet i czapkę, żeby nie było jej zimno w głowę, i wślizgnęła się pod kołdrę. Wypiła pół szklanki herbaty, po czym zasnęła i przespała szesnaście godzin.

*

Po przebudzeniu czuła się podle, jak po całonocnej imprezie. Co gorsza, całym jej ciałem szarpał ból, narastający z każdym uderzeniem serca. Jakimś cudem zwlokła się z łóżka i poszła do łazienki, gdzie trzymała środki przeciwbólowe przepisane przez doktor Brodigan.

Popiła wodą dwie tabletki i siedziała na skraju łóżka, bez ruchu, skupiona, aż upewniła się, że ich nie zwróci. Dopiero wtedy była gotowa zacząć dzień.

Przygotowała sobie kąpiel i przez prawie godzinę leżała w ciepłej wodzie. Potem napisała do Marka, że nie będzie jej dziś w galerii, ale skontaktuje się z nim w sprawie jutrzejszego wyjścia.

Ubrała się w coś wygodnego i zrobiła sobie śniadanie, chociaż było już popołudnie. Wmusiła w siebie jajko i pół kromki pieczywa tostowego, choć jedno i drugie smakowało jak solona tektura, a następnie – jak to miała w zwyczaju przez ostatnie półtora tygodnia – usiadła na kanapie, żeby popatrzeć na świat za oknem.

Podmuchy wiatru nawiewały na szybę płatki śniegu, które wirowały w hipnotyzującym tańcu. Zatrzymała wzrok na gwieździe betlejemskiej w oknie mieszkania naprzeciwko i przypomniała sobie swoje pierwsze święta w Seattle po powrocie z Ocracoke. Chociaż chciała się nimi cieszyć, przez większość grudnia stwarzała jedynie pozory. Pamiętała, że nawet otwierając prezenty w świąteczny poranek, tylko udawała entuzjazm.

Wiedziała, że po części dzieje się tak dlatego, że była starsza. Przestała wierzyć w bajeczki dla dzieci i dotarła do punktu, w którym czując zapach pierników, zaczynała liczyć kalorie. Chodziło jednak o coś więcej. Miesiące w Ocracoke zmieniły ją w kogoś, kogo sama nie poznawała, i zdarzały się chwile, gdy nie czuła się w Seattle jak w domu. Z perspektywy czasu zrozumiała, że już wtedy liczyła dni do momentu, kiedy będzie mogła wyjechać stamtąd na dobre.

Ale przecież czuła się tak od miesięcy. Niedługo po powrocie do Seattle, gdy mniej więcej wszystko wróciło do normalności, jej przyjaciółki Madison i Jodie starały się, żeby wszystko było tak jak dawniej. Z pozoru niewiele się zmieniło. A jednak im więcej czasu spędzała z nimi, tym częściej czuła, że wydoroślała, podczas gdy one wciąż pozostawały takie same. Miały te same zainteresowania i lęki co zawsze, tak samo uganiały się za chłopakami i tak samo cieszyły się na sobotnie popołudnia w galerii handlowej. Znała je i lubiła ich towarzystwo, ale stopniowo zaczynała rozumieć, że w końcu całkiem znikną z jej życia, w którym ona sama czasami czuła się dziwnie nieobecna.

Przez kilka pierwszych miesięcy po powrocie myślała o Ocracoke i tęskniła za nim bardziej, niż się tego spodziewała. Myślała o ciotce i wyludnionej, smaganej wiatrem plaży, o podróżach promem i wyprzedażach garażowych. Wszystko, co wydarzyło się tam podczas jej pobytu, zdumiewało ją do tego stopnia, że nawet teraz czasami wspomnienia zapierały jej dech w piersi.

*

Maggie obejrzała na Netflixie jakiś film z Nicole Kidman, którego tytułu nie mogła sobie przypomnieć, późnym popołudniem zdrzemnęła się, a potem zamówiła dwa napoje z dostawą do domu. Wiedziała, że nie wypije obu, ale rachunek był tak niski, że nie miała sumienia zamawiać jednego. Zresztą jakie to miało znaczenie, czy jeden wyrzuci, czy nie? Zastanawiała się też nad kieliszkiem wina. Nie teraz, później. Może przed snem. Od miesięcy nie piła alkoholu, nawet na spotkaniu w galerii pod koniec listopada, gdy trzymała kieliszek wyłącznie na pokaz. Podczas chemioterapii na samą myśl o alkoholu robiło jej się niedobrze, a potem najzwyczajniej w świecie nie miała ochoty. Wiedziała, że w lodówce stoi butelka jakiegoś wina z Napa Valley, które kupiła pod wpływem impulsu, i choć teraz wydawało się to dobrym pomysłem, podejrzewała, że później straci ochotę i po prostu położy się spać. Zresztą pewnie wyjdzie jej to na dobre. Kto wie, jak wpłynęłoby na nią wino? Brała środki przeciwbólowe i jadła tak mało, że mogłoby wystarczyć kilka łyków, by odpłynęła albo pobiegła do łazienki i wszystko zwróciła.

Może to dziwne, ale nigdy nie chciała, żeby ktokolwiek widział albo słyszał, jak wymiotuje, nawet pielęgniarki, które opiekowały się nią podczas chemioterapii. Odprowadzały ją do łazienki, a ona zamykała za sobą drzwi i starała się zachowywać tak cicho, jak to tylko było możliwe. Oprócz tamtego ranka, kiedy mama nakryła ją w łazience, tylko raz ktoś widział, jak wymiotowała. Było to u wybrzeży Martyniki, gdy dostała choroby morskiej, robiąc zdjęcia z katamaranu. Nudności ogarnęły ją nagle, jak fala przypływu; poczuła, że żołądek podchodzi jej do gardła, i ledwie zdążyła podbiec do relingu. Wymiotowała bez przerwy przez dwadzieścia cztery godziny. Jeszcze nigdy nie czuła się w pracy tak podle; do tego stopnia, że nie zależało jej, czy ktokolwiek patrzy. Z trudem zdołała zrobić jakieś zdjęcia – tylko trzy z przeszło setki w ogóle do czegoś się nadawały – i między ujęciami starała się nie poruszać. Poranne mdłości – ba, nawet wymioty po chemii – były niczym w porównaniu z tamtym dniem i zastanawiała się, czemu tak użalała się nad sobą, gdy miała szesnaście lat.

Kim tak naprawdę wtedy była? Próbowała odtworzyć tę historię dla Marka, zwłaszcza to, jak koszmarne wydawały się samotnej ciężarnej szesnastolatce pierwsze tygodnie w Ocracoke. Wtedy miała wrażenie, że wygnano ją z domu na zawsze; z perspektywy czasu myślała tylko, że czas, który spędziła na wyspie, minął zdecydowanie za szybko.

Choć nigdy nie powiedziała tego rodzicom, pragnęła wrócić do Ocracoke. Przez pierwsze dwa miesiące w Seattle to pragnienie niemal ją przytłaczało. I choć z upływem czasu nieco przygasło, tak naprawdę nigdy nie zniknęło. Lata temu w dziale podróżniczym „New York Timesa" zamieszczono czyjąś relację z podróży po Outer Banks. Autorka miała nadzieję zobaczyć tamtejsze dzikie konie i nieopodal miejscowości Corolla jej marzenie się spełniło, ale to opisy surowego piękna tych wysp barierowych najbardziej poruszyły Maggie. Ten artykuł nasunął jej wspomnienia zapachu bułeczek, które ciotka Linda i Gwen piekły wczesnym rankiem dla rybaków, i uczucia pustki, jakie towarzyszyło jej w wietrzne zimowe dni. Pamiętała, że wycięła tekst i wysłała go ciotce, razem z odbitkami kilku

117

swoich ostatnich zdjęć. Jak zwykle ciotka Linda odpowiedziała jej w mailu; dziękowała za artykuł i zachwycała się fotografiami. Na końcu napisała, jak bardzo jest dumna z Maggie i jak bardzo ją kocha.

Maggie powiedziała Markowi, że ona i ciotka przez lata stały się sobie bliskie, ale nie wyjawiła mu szczegółów. Dzięki niekończącym się listom ciotka Linda była bardziej obecna w życiu Maggie niż wszyscy z jej rodziny razem wzięci. Było coś pocieszającego w świadomości, że jest na świecie ktoś, kto kocha ją i akceptuje taką, jaka jest. Te wspólnie spędzone miesiące pokazały jej, czym jest bezwarunkowa miłość.

Kilka miesięcy przed śmiercią ciotki Lindy Maggie wyznała jej, że zawsze chciała być taka jak ona. Było to podczas jej pierwszej i ostatniej wizyty w Ocracoke, odkąd jako nastolatka opuściła wyspę. Wioska praktycznie się nie zmieniła, a widok domu ciotki obudził słodko-gorzkie wspomnienia. Meble były wciąż te same, podobnie jak zapachy, ale upływający czas powoli odciskał swoje piętno. Wszystko wydawało się bardziej zniszczone, spłowiałe i zmęczone, nawet ciotka Linda. Zmarszczki na jej twarzy pogłębiły się, a siwe włosy przerzedziły, tu i ówdzie odsłaniając skórę głowy. Tylko zielone oczy pozostały takie same i wciąż widziało się w nich ten młodzieńczy błysk. Usiadły obie przy stole, przy którym Maggie odrabiała kiedyś lekcje.

– Niby czemu chciałabyś być taka jak ja? – spytała Linda, wyraźnie zaskoczona.

– Bo jesteś... cudowna.

– Och, skarbie. – Uścisnęła jej rękę dłonią tak szczupłą i kruchą, że Maggie pękało serce. – Nie rozumiesz, że mogłabym powiedzieć to samo o tobie?

*

W piątek, po tym, jak obudziła się z przypominającego śpiączkę snu i przez jakiś czas snuła się po mieszkaniu, wmusiła w siebie trochę pozbawionej smaku owsianki i napisała do Marka, że spotkają się później w galerii. Zrobiła rezerwację w Atlantic Grill i zamówiła samochód, bo wiedziała, że wieczorem złapanie ubera albo taksówki w tej okolicy graniczy z cudem. Załatwiwszy to wszystko, wróciła do łóżka. Ponieważ czekał ją długi wieczór, musiała być na tyle wypoczęta, żeby podczas kolacji nie paść twarzą w talerz. Nie nastawiła budzika i przespała kolejne trzy godziny. I dopiero potem zaczęła się szykować.

Problem w tym, pomyślała, że kiedy twarz wygląda jak obciągnięta skórą czaszka, a skóra jest cienka jak bibułka, nie ma szans, żeby człowiek jakoś się prezentował. Wystarczyło spojrzeć na porastający jej głowę meszek, by wiedzieć, że jest już jedną nogą w grobie. Musiała jednak spróbować i po kąpieli usiadła przed lustrem, żeby zrobić makijaż. Starała się dodać trochę koloru i życia policzkom. Nałożyła trzy różne odcienie szminki, zanim wybrała ten, który wyglądał najbardziej naturalnie.

W kwestii włosów miała wybór – chusta albo czapka – i w końcu zdecydowała się na czerwony wełniany beret. Zastanawiała się, czy nie włożyć sukienki, ale wiedząc, że zmarznie, zdecydowała się na spodnie i gruby sweter z gęstym splotem, dodający jej nieco ciała. Szyję, jak zawsze ozdobioną wisiorkiem, owinęła jasnym kaszmirowym szalem. Kiedy spojrzała na siebie w lustrze, poczuła, że wygląda niemal tak dobrze jak przed chemioterapią.

Wzięła dwie tabletki przeciwbólowe – ból nie był tak silny jak wczoraj, ale wolała nie ryzykować. Dotarła do galerii kilka minut po jej zamknięciu. Przez okno widziała, jak Mark pokazuje jedną z jej fotografii parze po pięćdziesiątce. Uniósł rękę, kiedy weszła do środka i pospieszyła do swojego gabinetu. Na biurku leżała poczta. Przeglądała ją, gdy Mark zapukał do otwartych drzwi.

– Cześć, przepraszam. Myślałem, że podejmą decyzję przed twoim przyjazdem, ale mieli mnóstwo pytań.

– I?

– Kupili dwie reprodukcje.

Zdumiewające, pomyślała. Na początku istnienia galerii bywało, że tygodniami nie sprzedała żadnej ze swoich prac. I chociaż wraz z rozwojem jej kariery sprzedaż wzrosła, prawdziwą sławę zyskała dzięki „Rakowym wideo”. To on wszystko zmienił, choć nikomu nie życzyła takiego rozgłosu. Mark wszedł do gabinetu i stanął jak wryty.

– Rany! – zawołał. – Wyglądasz fantastycznie.

– Staram się.

– Jak się czujesz?

– Jestem bardziej zmęczona niż zwykle, dlatego dużo śpię.

– Na pewno chcesz iść do teatru? – Na jego twarzy malowała się szczera troska.

– To prezent od Luanne, więc muszę iść. Zresztą dzięki temu udzieli mi się świąteczny nastrój.

– Nie mogę się doczekać, odkąd mnie zaprosiłaś. Gotowa? Będzie straszny ruch, zwłaszcza w taką pogodę.

– Gotowa.

Wyłączyli światła, zamknęli drzwi i wyszli w mroźną noc. Mark zatrzymał taksówkę i pomógł Maggie, kiedy gramoliła się do środka.

W drodze do centrum opowiadał jej o klientach i poinformował ją, że Jackie Bernstein wróciła, żeby kupić rzeźbę Trinity'ego, która tak bardzo jej się podobała. Była droga, ale zdaniem Maggie warta swej ceny, nawet jeśli potraktować ją tylko jako inwestycję. W ciągu ostatnich pięciu lat ceny prac Trinity'ego poszybowały w górę. Mark sprzedał też dziewięć reprodukcji Maggie – wliczając te dwie ostatnie – i zapewnił ją, że zdążył uporać się z wysyłkami.

– Każdą wolną chwilę spędzałem na zapleczu, bo chciałem mieć pewność, że wszystkie zostaną wysłane dzisiaj. Wiele z nich kupiono na prezent.

– Co ja bym bez ciebie zrobiła?

– Pewnie zatrudniłabyś kogoś innego.

– Nie doceniasz się. Zapominasz, że wiele osób ubiegało się o tę posadę i jej nie dostało.

– Poważnie?

– Nie wiedziałeś?

– Skąd miałbym wiedzieć?

No tak, miał rację.

– Chcę ci też podziękować, że zajmujesz się wszystkim pod nieobecność Luanne, zwłaszcza w okresie przedświątecznym.

– Nie ma za co. Lubię rozmawiać z ludźmi o twoich pracach.

– Moich i Trinity'ego.

– Oczywiście. Ale jego są nieco przytłaczające. Wolę o nich słuchać, niż mówić. Ludzie, którzy interesują się jego rzeźbami, zwykle wiedzą o nich więcej niż ja.

– I tak masz do tego smykałkę. Myślałeś kiedyś, żeby zostać kustoszem albo otworzyć własną galerię? Zrobić dyplom z historii sztuki zamiast z teologii?

– Nie – odparł. Głos miał łagodny, ale stanowczy. – Wiem, jaką ścieżką chcę podążać.

Na pewno, pomyślała.

– Kiedy się zaczyna? Mówię o twojej ścieżce.

– Zajęcia rozpoczynają się we wrześniu.

– Przyjęli cię już?

– Tak. Na Uniwersytet Chicagowski.

– Tam gdzie studiuje Abigail?

– Tak.

– To dobrze – powiedziała. – Czasami zastanawiam się, jak by to było studiować.

– Byłaś w college'u.

– Mam na myśli czteroletnie studia, z mieszkaniem w akademiku, imprezami, słuchaniem muzyki i graniem we frisbee na dziedzińcu.

Uniósł brew.

– Z chodzeniem na zajęcia, uczeniem się i pisaniem prac semestralnych.

– A tak. Z tym też. – Uśmiechnęła się. – Mówiłeś Abigail, że idziemy dziś na balet?

– Tak. Trochę nam zazdrościła. Kazała mi obiecać, że kiedyś pójdziemy razem.

– Jak jej zjazd rodzinny?

– Podobno w domu panuje chaos i gwar. Ale ona to uwielbia. Jeden z jej braci służy w siłach powietrznych i przyleciał aż z Włoch. Nie widziała go od roku.

– Założę się, że jej rodzice są przeszczęśliwi, mając wszystkich przy sobie.

– Tak. Pewnie zbudowali dom z pierników. Naprawdę duży. Robią to co roku.

– Gdyby nie to, że twoja szefowa cię potrzebuje, mógłbyś im pomóc.

– Z całą pewnością byłoby to pouczające doświadczenie. W kuchni raczej się nie przydaję.

– A twoi rodzice? Słyszałam, jak mówiłeś Trinity'emu, że jadą za granicę.

– Dziś i jutro zwiedzają Jerozolimę. W Wigilię będą w Betlejem. Przysłali mi zdjęcia z Bazyliki Grobu Świętego. – Wyjął telefon, żeby jej pokazać. – Od lat chcieli tam pojechać, ale czekali, aż skończę college. Żebym mógł wracać do domu na ferie. – Schował telefon do kieszeni. – A ty, dokąd pojechałaś? Gdy pierwszy raz opuściłaś kraj?

– Do Vancouver, do Kanady – odparła. – Głównie dlatego, że mogłam tam dotrzeć samochodem. Przez weekend robiłam zdjęcia w Whistler, po tym, jak przeszła tam potężna burza lodowa.

– Ja nigdy jeszcze nie byłem za granicą.

– Koniecznie musisz jechać – powiedziała. – Odwiedzanie różnych miejsc zmienia perspektywę. Pomaga zrozumieć, że niezależnie od kraju, w którym jesteś, ludzie wszędzie są do siebie podobni.

Kiedy znaleźli się na West Side Highway, ruch zgęstniał i w miarę jak kierowali się na wschód, jechali coraz wolniej. Mimo przenikliwego chłodu na ulicach były tłumy. Ludzie taszczyli torby z zakupami, tłoczyli się przed budkami z jedzeniem i spieszyli po pracy do domu. Gdy w oddali zamajaczyły rozświetlone okna Lincoln Center, Maggie i Mark mieli dwie opcje: mogli spędzić kolejne dziesięć, piętnaście minut we wlokącej się taksówce albo wysiąść i ostatni kawałek drogi pokonać pieszo.

Postanowili się przejść i powoli przeciskali się przez tłum stojący przed wejściem. Maggie objęła się ramionami i przestępowała z nogi na nogę, licząc, że dzięki temu nie zmarznie. Na szczęście kolejka posuwała się szybko i kilka minut później byli już w foyer teatru Davida H. Kocha. Pokierowani przez bileterów, znaleźli swoje miejsca w pierwszym rzędzie na balkonie.

Rozmawiali jeszcze po cichu, rozglądając się dookoła i patrząc, jak sala zapełnia się dorosłymi i dziećmi. Wreszcie światła przygasły i rozbrzmiała muzyka, a publiczność przeniosła się do domu Silberhausów, gdzie trwały przygotowania do wigilijnego wieczoru.

Maggie była zauroczona gracją i urodą tancerzy, ich płynnymi, lekkimi ruchami, jakże pasującymi do onirycznych dźwięków muzyki Czajkowskiego. Od czasu do czasu zerkała na Marka, który siedział w nabożnym skupieniu. Wydawało się, że nie jest w stanie oderwać oczu od sceny, co przypomniało jej, że jest chłopcem ze Środkowego Zachodu, który pewnie nigdy nie widział czegoś takiego.

Po spektaklu wyszli na Broadway i wmieszali się w tłum ludzi ogarniętych świąteczną gorączką. Maggie cieszyła się, że Atlantic Grill znajduje się po drugiej stronie ulicy. Zmarznięta i słaba – przez tabletki albo dlatego, że przez cały dzień praktycznie nic nie jadła – chwyciła Marka pod ramię, gdy przechodzili przez ulicę. Zwolnił, tak by mogła się na nim wesprzeć.

Dopiero gdy usiedli przy stole, poczuła się odrobinę lepiej.

– Jesteś pewna, że nie wolałabyś wrócić do domu?

– Nic mi nie będzie – rzuciła, choć wcale nie miała takiej pewności. – Poza tym naprawdę muszę coś zjeść. – Widząc, że nie wygląda na przekonanego, dodała: – Jestem twoją szefową. Potraktuj to jako kolację biznesową.

– Ale to nie jest kolacja biznesowa.

– No to potraktuj to jako kolację z szefową. Myślałam, że chcesz dowiedzieć się więcej o moim pobycie w Ocracoke.

– Bo chcę – potwierdził. – Ale tylko jeśli czujesz się na siłach.

– Naprawdę muszę coś zjeść. Nie żartuję.

Niechętnie pokiwał głową, a chwilę później do stolika podeszła kelnerka z kartą dań. Maggie zaskoczyła samą siebie, zamawiając kieliszek wina – francuskiego burgunda. Mark zamówił mrożoną herbatę.

Kiedy kelnerka odeszła, rozejrzał się po restauracji.

– Byłaś tu już wcześniej?

– Na randce, jakieś pięć lat temu. Nie mogłam uwierzyć, że udało mi się zrobić rezerwację na dzisiejszy wieczór, ale przypuszczam, że ktoś musiał odwołać.

– Jaki był? Mężczyzna, z którym tu przyszłaś?

Przechyliła głowę, próbując sobie przypomnieć.

– Wysoki, szpakowaty, pracował dla spółki Accenture jako konsultant do spraw zarządzania. Rozwodnik, z dwójką dzieci, cholernie inteligentny. Przyszedł kiedyś do galerii. Poszliśmy na kawę i spotkaliśmy się kilka razy.

– Ale nic z tego nie wyszło?

– Czasami po prostu nie ma chemii. W jego przypadku dotarło to do mnie, kiedy poleciałam do Key Largo na sesję i po powrocie uświadomiłam sobie, że wcale za nim nie tęskniłam. Właściwie tak wyglądało moje życie uczuciowe, niezależnie od tego, z kim się spotykałam.

– Aż boję się zapytać, co to znaczy.

– Kiedy w wieku dwudziestu kilku lat przeprowadziłam się tutaj, przez kilka lat namiętnie odwiedzałam różne kluby… Przychodziłam około północy i zostawałam prawie do rana, nawet w tygodniu. Żaden z facetów, których tam spotkałam, nie był typem, którego mogłabym przedstawić rodzicom. Już sam pomysł, żeby zabierać ich do mojego domu, był raczej kiepski.

– Tak?

– Wyobraź sobie… mnóstwo tatuaży i marzenia o zostaniu sławnym raperem albo didżejem. To był wtedy mój typ.

Widząc jego minę, roześmiała się. Kelnerka przyniosła kieliszek wina i Maggie sięgnęła po niego, choć nadal nie była pewna, czy powinna pić alkohol. Upiła łyczek i odczekała chwilę, żeby zobaczyć, jak zareaguje żołądek, ale nic się nie wydarzyło. Oboje zdecydowali już, co zamówią – Maggie dorsza atlantyckiego, Mark doradził jej, żeby to był filet – i gdy kelnerka spytała, czy mają ochotę na przystawkę albo sałatkę, oboje odmówili.

Kiedy odeszła, Maggie pochyliła się nad stolikiem.

– Mogłeś zamówić coś więcej – zbeształa go. – To, że ja nie mogę zjeść dużo, nie znaczy, że ty też nie możesz.

– Zanim przyszłaś do galerii, zjadłem kilka kawałków pizzy.

– Po co?

– Nie chciałem nabijać rachunku. Takie miejsca jak to są drogie.

– Żartujesz? To głupie.

– Tak robimy z Abigail.

– Jesteś jedyny w swoim rodzaju, wiesz?

– Chciałem zapytać… Jak zaczęła się twoja przygoda z fotografowaniem?

– Od uporu. I szaleństwa.

– To wszystko?

Wzruszyła ramionami.

– No i miałam szczęście, bo magazyny nie zatrudniają już niezależnych wykonawców, którym płacą stałą pensję. Pierwszy gość, dla którego pracowałam w Seattle, był znanym fotografem podróżniczym, robił zdjęcia dla „National Geographic". Miał imponującą listę kontaktów z magazynami, firmami i agencjami reklamowymi i czasami zabierał mnie ze sobą jako asystentkę. Po kilku latach coś mi odbiło i przeprowadziłam się tutaj. Wynajmowałam pokój ze stewardesami, miałam rabaty na przeloty i robiłam zdjęcia w każdym miejscu, do którego przelot był na moją kieszeń. Zaczęłam też pracę u tutejszego fotografa, który jako jeden z pierwszych zajmował się fotografią cyfrową. Wszystko, co zarobił, inwestował w nowy sprzęt i oprogramowanie, a to znaczyło, że ja również musiałam w nie inwestować. Zaczęłam prowadzić własną stronę ze wskazówkami, recenzjami i kursem Photoshopa, na którą natrafił jeden z redaktorów z Condé Nast. Zatrudnił mnie do sesji w Monako, a potem dostałam kolejne zlecenie i następne. Tymczasem mój dawny szef z Seattle przeszedł na emeryturę, przekazał mi swoją listę klientów i polecił mnie, więc przejęłam mnóstwo jego projektów.

– I dzięki temu stałaś się w pełni niezależna?

– Zyskałam renomę, co pozwoliło mi samej organizować sesje. Moje niskie honoraria kusiły redaktorów. A dzięki popularności mojej strony i bloga sprzedałam w internecie swoje pierwsze prace, co wystarczało na opłacenie rachunków. Byłam jednym z pierwszych użytkowników Facebooka, Instagrama, a zwłaszcza YouTube'a, więc moje nazwisko stało się rozpoznawalne. Zwieńczeniem wszystkiego była galeria. Przez lata walczyłam o to, by zleceniodawcy płacili za moje wyjazdy, i nagle, jak za dotknięciem czarodziejskiej różdżki, pojawiło się mnóstwo zleceń.

– Ile miałaś lat, kiedy dostałaś zlecenie w Monako?

– Dwadzieścia siedem.

Dostrzegła w jego oczach błysk.

– To świetna historia.

– Jak mówiłam, miałam szczęście.

– Może z początku. Później sama na wszystko zapracowałaś.

Maggie rozejrzała się wokół. Podobnie jak w wielu nowojorskich lokalach, także tutaj czuło się świąteczny klimat, którego dopełnieniem była choinka i stojąca na barze menora z zapalonymi świecami. Zdaniem Maggie było tu nieco za dużo czerwonych sukienek i czerwonych swetrów i patrząc na gości restauracji, zastanawiała się, co będą robić w święta i jak ona je spędzi.

Upiła kolejny łyk wina, które już lekko uderzyło jej do głowy.

– A skoro o historiach mowa, chcesz, żebym od razu zaczęła tam, gdzie przerwałam, czy wolisz poczekać na jedzenie?

– Jeśli jesteś gotowa, chętnie posłucham dalej.

– Pamiętasz, na czym skończyłam?

– Zgodziłaś się, żeby Bryce był twoim korepetytorem, i powiedziałaś ciotce Lindzie, że ją kochasz.

Sięgnęła po kieliszek i przyjrzała się jego purpurowej zawartości.

– W poniedziałek – zaczęła – dzień po tym, jak kupiłyśmy choinkę…

POCZĄTKI

Ocracoke
1995

Gdy się obudziłam, promienie słońca wlewały się przez okno mojego pokoju. Wiedziałam, że ciotki nie ma, ale wydawało mi się, że słyszę, jak ktoś krząta się w kuchni. Wciąż półprzytomna i przestraszona, że lada chwila dopadną mnie poranne mdłości, ostrożnie naciągnęłam poduszkę na głowę i leżałam z zamkniętymi oczami, aż wreszcie stwierdziłam, że mogę się poruszyć.

Powoli wracałam do życia, czekając na mdłości, które stały się dla mnie czymś tak oczywistym jak wschód słońca, lecz – o dziwo – wciąż czułam się dobrze. Powoli usiadłam, odczekałam kolejną minutę, ale nadal nic się nie działo. W końcu opuściłam stopy na podłogę i wstałam, przekonana, że mój żołądek lada chwila się zbuntuje, jednak nic się nie wydarzyło.

Hurra i alleluja!

Ponieważ w domu było chłodno, włożyłam na piżamę bluzę i wsunęłam stopy w kapcie. W kuchni na stole leżały wszystkie moje podręczniki i papierowe teczki, które ciotka prawdopodobnie specjalnie tam poukładała, licząc, że ich widok zmotywuje mnie do nauki. Ostentacyjnie je zignorowałam, bo nie dość, że nie było mi niedobrze, to w dodatku pierwszy raz od dawna czułam autentyczny głód. Nie przestając ziewać, usmażyłam jajecznicę i podgrzałam w piekarniku bułkę. Byłam bardziej zmęczona niż zwykle, bo siedziałam do późna, żeby skończyć wypracowanie o sędzim Thurgoodzie Marshallu. Miało cztery i pół strony zamiast wymaganych pięciu, ale było wystarczająco dobre. Dumna ze swojej pracowitości, postanowiłam się nagrodzić i zaczekać z odrabianiem lekcji, aż bardziej się rozbudzę. Sięgnęłam po leżącą na półce książkę Sylvii Plath i okutana w kurtkę, usiadłam na werandzie z tyłu domu, żeby trochę poczytać.

Sęk w tym, że w przeciwieństwie do mojej siostry Morgan, nigdy nie lubiłam czytać dla przyjemności. Wolałam tylko pobieżnie przejrzeć książkę, żeby wiedzieć, o czym mniej więcej jest. Ale kiedy otworzyłam *Szklany klosz* na przypadkowej stronie, zauważyłam, że ciotka podkreśliła kilka linijek.

Cisza podziałała na mnie przygnębiająco. Nie ta na zewnątrz, ale ta we mnie[*].

Zmarszczyłam brwi i jeszcze raz przeczytałam podkreślony fragment, próbując zrozumieć, co miała na myśli Plath. Wydawało mi się, że rozumiem pierwsze zdanie; podejrzewałam,

---

[*] Sylvia Plath, *Szklany klosz*, przeł. Mira Michałowska.

że mówiła o samotności, choć nie robiła tego wprost. Pierwsza część drugiego zdania również nie była taka trudna. Według mnie poetka dawała jasno do zrozumienia, że pisze o samotności, nie o tym, że przygnębia ją przebywanie w cichym miejscu. Bardziej niezrozumiała była druga część. Domyślałam się, że ma na myśli własną apatię, która być może wynikała z jej samotności.

Czemu więc nie napisała po prostu: „Samotność jest do kitu"? Zastanawiałam się, dlaczego niektórzy ludzie muszą tak wszystko komplikować. I dlaczego jej spostrzeżenie miało być takie głębokie? Chyba każdy wie, że samotność jest do bani. Ja o tym wiedziałam, a byłam nastolatką. Do diabła, czułam się samotna, odkąd utknęłam w Ocracoke.

A może błędnie to wszystko zinterpretowałam? Nie byłam filologiem. Prawdziwe pytanie brzmiało jednak: Dlaczego ciotka podkreśliła ten fragment? Najwyraźniej coś dla niej znaczył. Tylko co? Dlaczego czuła się samotna? Nie sprawiała wrażenia samotnej i dużo czasu spędzała z Gwen, ale przecież tak naprawdę jej nie znałam. Odkąd tu przyjechałam, nie odbyłyśmy żadnej poważnej rozmowy.

Rozmyślałam o tym, kiedy dobiegł mnie warkot silnika i chrzęst opon na wysypanym żwirem podjeździe. Potem trzasnęły drzwi samochodu. Wstałam i zamarłam, nasłuchując. Chwilę później usłyszałam pukanie. Nie miałam pojęcia, kto to może być. Pierwszy raz, odkąd tu byłam, ktoś pukał do drzwi. Może powinnam się wystraszyć, ale Ocracoke nie było siedliskiem przestępców, a zresztą wątpiłam, by przestępca zawracał sobie głowę pukaniem. Przeszłam do drzwi frontowych i je otworzyłam. Widok stojącego w progu Bryce'a wprawił mnie w osłupienie. Wprawdzie zgodziłam się, żeby mnie uczył, ale myślałam, że zaczniemy dopiero za kilka dni.

– Cześć, Maggie – odezwał się. – Twoja ciotka prosiła, żebym przyjechał, byśmy mogli wziąć się do roboty.

– Jak to?

– Lekcje – wyjaśnił.

– Eee...

– Wspomniała, że możesz potrzebować pomocy w przygotowywaniu się do testów. I w odrabianiu pracy domowej.

Nie wzięłam jeszcze prysznica, byłam nieuczesana i nieumalowana. W piżamie, kapciach i kurtce wyglądałam pewnie jak bezdomna.

– Dopiero wstałam – bąknęłam.

Przechylił głowę.

– Śpisz w kurtce?

– W nocy było zimno. – Widząc, że nie przestaje się gapić, dodałam: – Jestem zmarzluchem.

– Aha. Moja mama też. No, ale... gotowa? Twoja ciotka mówiła, że mam być o dziewiątej.

– O dziewiątej?

– Rozmawiałem z nią dziś rano po treningu. Mówiła, że wróci i zostawi ci liścik.

Wcześniej wydawało mi się, że słyszałam kogoś w kuchni. Ups.

133

– Och… – Próbowałam zyskać na czasie. Wyglądając tak jak teraz, ani myślałam wpuszczać go do środka. – Wydawało mi się, że napisała o dziesiątej.

– Chcesz, żebym wrócił o dziesiątej?

– Może tak będzie lepiej – przyznałam, starając się nie chuchać w jego stronę.

Wyglądał… no cóż, dokładnie tak jak wczoraj. Miał nieco rozwichrzone włosy i te urocze dołeczki. Znów był ubrany w dżinsy i tę fajną oliwkową kurtkę.

– Nie ma sprawy – odparł. – Mogłabyś wcześniej przynieść mi materiały, które zostawiła twoja ciotka?

– Jakie materiały?

– Mówiła, że są na kuchennym stole.

No tak, pomyślałam nagle. Stos podręczników, który zostawiła mi na dobry początek dnia.

– Zaczekaj – rzuciłam. – Sprawdzę.

Zostawiłam go na werandzie przed domem i wróciłam do kuchni. Faktycznie, na stercie podręczników leżała wiadomość od ciotki.

Dzień dobry, Maggie!

Właśnie rozmawiałam z Bryce'em. Przyjdzie o dziewiątej, żeby pomóc ci w lekcjach. Skserowałam listę zadań domowych i daty sprawdzianów. Mam nadzieję, że Bryce pomoże ci z przedmiotów, z których ja nie potrafię. Miłego dnia. Do zobaczenia po południu. Kocham cię.

Ciotka Linda

Zanotowałam w pamięci, żeby w przyszłości wypatrywać liścików. Już miałam sięgnąć po stertę książek, kiedy przypomniałam sobie o wypracowaniu. Poszłam po nie do sypialni, po czym zgarnęłam wszystko ze stołu i ruszyłam do drzwi. Dopiero wtedy uświadomiłam sobie swój błąd.

– Bryce? Jesteś tam?

– Tak.

– Możesz otworzyć drzwi? Mam zajęte ręce.

Kiedy drzwi się otworzyły, wręczyłam mu stos książek.

– Zostawiła to dla ciebie. W nocy napisałam wypracowanie, jest na wierzchu.

Jeśli był zaskoczony wysokością stosu, nie okazał tego.

– Świetnie. – Wyciągnął ręce. Książki przechyliły się niebezpiecznie, ale je poprawił. – Mógłbym rzucić na to okiem tu na werandzie? Zamiast wracać do domu i przyjeżdżać z powrotem.

– Jasne. – Bardzo, ale to bardzo żałowałam, że nie umyłam zębów. – Potrzebuję chwili, żeby się ogarnąć, dobrze?

– W porządku. Przyjdź, jak będziesz gotowa. Nie spiesz się.

Zamknęłam drzwi i poszłam prosto do sypialni, żeby znaleźć coś do ubrania. W pośpiechu zrzuciłam piżamę, ze sterty w szafie wyjęłam swoje ulubione dżinsy, ale zauważyłam, że górny guzik wrzyna mi się w skórę. Tak samo było z drugą parą moich ulubionych spodni. To znaczyło, że prawdopodobnie będę musiała włożyć te same workowate spodnie, które miałam na promie. Przejrzałam bluzki; przynajmniej one wciąż jeszcze były na mnie dobre. Wybrałam rdzawoczerwoną z długimi rękawami. Jeśli chodzi o buty, nie miałam zbyt dużego wyboru. Trampki, kapcie, kalosze albo uggi. Wybrałam te ostatnie.

Wzięłam prysznic, umyłam zęby i wysuszyłam włosy. Zrobiłam makijaż i ubrałam się. Ponieważ ciotka miała obsesję na punkcie porządku, pokój lśnił czystością. Poprawiłam jedynie pościel, nakryłam łóżko narzutą i oparłam Maga o poduszkę.

Oczywiście nie zamierzałam pokazywać Bryce'owi swojej sypialni, ale gdyby chciał skorzystać z łazienki i tu zajrzał, zobaczyłby, że panuje idealny porządek.

Nie żeby miało to jakiekolwiek znaczenie.

W kuchni również było czysto, więc tylko zmyłam i wytarłam talerz, szklankę i sztućce, których użyłam do śniadania. Rozsunęłam zasłony, żeby wpuścić do domu więcej światła, wzięłam głęboki oddech i podeszłam do drzwi.

Bryce siedział na werandzie, ze stopami opartymi na schodkach.

– O, hej – rzucił, słysząc, że wyszłam. Poprawił stos książek, wstał i zamarł. Patrzył na mnie, jakby widział mnie po raz pierwszy. – Ładnie wyglądasz.

– Dzięki. – Myślałam, że może wyglądam nieźle, ale nigdy nie będę tak śliczna jak Morgan. Mimo wszystko poczułam, że się rumienię. – Włożyłam pierwsze lepsze rzeczy, jakie nawinęły mi się pod rękę. Gotowy?

– Tylko to wezmę.

Podniósł książki, a ja cofnęłam się, żeby mógł wejść. Zatrzymał się, najwyraźniej nie wiedząc, dokąd iść.

– Możemy usiąść w kuchni – powiedziałam. – Zwykle tam się uczę.

Choć nie zdarza się to zbyt często, dodałam w myślach. Bywało, że uczyłam się w łóżku, ale nie zamierzałam mu o tym mówić.

– Świetnie – rzucił.

Kiedy weszliśmy do kuchni, położył książki na stole, na samej górze umieścił papierową teczkę i usiadł na krześle, na którym siedziałam, jedząc śniadanie. Tymczasem ja nie mogłam przestać myśleć o tym, co powiedział mi na werandzie, i chociaż sama zaprosiłam go do środka, wciąż nie mogłam uwierzyć, że siedzi tutaj, przy kuchennym stole. Był jak coś, co człowiek widuje w telewizji, ale nie spodziewa się tego w prawdziwym życiu.

Pokręciłam głową, nakazując sobie wziąć się w garść. Podeszłam do wiszących nad zlewem szafek.

– Napijesz się wody?

– Chętnie, dzięki.

Napełniłam dwie szklanki, postawiłam je na stole i usiadłam na krześle, które zwykle zajmowała ciotka. Zdumiało mnie, że z tego miejsca dom wyglądał zupełnie inaczej, i zastanawiałam się, jak widzi go Bryce.

– Przeczytałeś moje wypracowanie? – spytałam.

– Tak. To jeden z najważniejszych sędziów w historii wymiaru sprawiedliwości. Sama go wybrałaś czy zrobił to nauczyciel?

– Nauczyciel.

– Miałaś szczęście, bo to człowiek, o którym można naprawdę dużo napisać. – Skrzyżował ręce na piersi. – Zacznijmy od tego. Jak, twoim zdaniem, radzisz sobie na zajęciach?

Nie spodziewałam się takiego pytania i potrzebowałam chwili, żeby odpowiedzieć.

– Chyba całkiem nieźle. Zważywszy na to, że muszę się uczyć wszystkiego sama, bez pomocy nauczycieli. Ostatnie testy nie poszły mi może najlepiej, ale mam jeszcze czas, żeby poprawić oceny.

– A chcesz je poprawić?

– Jak to?

– Moja mama ciągle powtarzała: „Nie ma czegoś takiego jak nauczanie, jest tylko uczenie się". Długo nie wiedziałem, o co jej chodzi, no bo przecież ona mnie uczyła. Czyżby chciała powiedzieć mi, że nie jest nauczycielką? Dopiero gdy trochę podrosłem, zrozumiałem, że chodzi jej o to, że nauka nie ma sensu, jeśli uczeń nie chce się uczyć. Ja chyba ująłbym to inaczej. Chcesz się uczyć? Tak naprawdę? Czy tylko zrobić wystarczające minimum, żeby zdać do następnej klasy?

Znowu wydał mi się bardziej dojrzały od ludzi w jego wieku, ale może dlatego, że powiedział to tak miłym tonem, zastanowiłam się, o co właściwie pyta.

– Hm… nie chcę powtarzać drugiej klasy.

– Rozumiem. Ale wciąż nie odpowiedziałaś na moje pytanie. Jakie oceny chciałabyś mieć? Z jakich stopni będziesz zadowolona?

Chciałabym mieć z góry na dół same piątki i nie musieć się uczyć, ale wiedziałam, że lepiej będzie, jeśli nie powiem tego na głos. Prawda wyglądała tak, że byłam czwórkowo-trójkową uczennicą, z przewagą trójek. Czasami dostawałam piątki z łatwiejszych przedmiotów, takich jak muzyka czy plastyka, lecz miałam też kilka dwój. Wiedziałam, że nigdy nie dorównam Morgan, ale jakaś część mnie chciała sprawić rodzicom przyjemność.

– Myślę, że byłabym szczęśliwa, gdybym z większości przedmiotów miała czwórki.

– Okej. – Uśmiechnął się. – Teraz wiem, na czym stoimy.

– To wszystko?

– Niezupełnie. Na razie jesteś daleka od miejsca, w którym chciałabyś się znaleźć. Masz co najmniej osiem zaległych prac domowych z matematyki i raczej kiepskie oceny z testów. Będziesz musiała się postarać, żeby dostać czwórkę z geometrii.

– Aha.

– Z biologii też masz tyły.

– Aha.

– Tak samo z historii Ameryki. Z angielskiego i hiszpańskiego też.

Unikałam jego wzroku, domyślając się, że prawdopodobnie ma mnie za idiotkę. Nie byłam aż tak głupia, by nie wiedzieć, że dostać się do West Point jest równie trudno jak na Uniwersytet Stanforda.

– Co sądzisz o moim wypracowaniu? – spytałam, obawiając się jego odpowiedzi.

Zerknął na nie; nie schował go do teczki, tylko położył na stosie podręczników.

– O tym też chciałem z tobą porozmawiać.

*

139

Ponieważ nigdy dotąd nie miałam korepetycji, nie wiedziałam, czego się spodziewać. A zważywszy na to, że mój korepetytor był NAPRAWDĘ przystojny, czułam się jeszcze bardziej zdezorientowana. Chyba wyobrażałam sobie, że będziemy się uczyć, a potem zrobimy sobie przerwę, żeby lepiej się poznać, może nawet trochę poflirtować, ale wszystko wyglądało zupełnie inaczej.

Uczyliśmy się. Poszłam do łazienki. Znowu się uczyliśmy. Kolejna przerwa na siusiu. I tak przez kilka godzin.

Po omówieniu mojego wypracowania – Bryce doradził mi, żebym uporządkowała fakty chronologicznie, zamiast skakać w czasie – większość dnia poświęciliśmy moim zaległym pracom domowym z geometrii. Nie było mowy, żebym zrobiła wszystko, bo każdy problem musiałam rozwiązywać sama. Zawsze, gdy prosiłam go o pomoc, zaglądał do podręcznika i znajdował dział, który wyjaśniał dane zagadnienie. Kazał mi go czytać, a jeśli nadal czegoś nie rozumiałam, analizował go razem ze mną. Jeśli to wciąż nie pomagało – czyli w większości przypadków – sprawdzał pytanie, na którym utknęłam, i zadawał własne, podobne do tamtego. Następnie cierpliwie wyjaśniał mi krok po kroku, jak na nie odpowiedzieć. Na koniec wracaliśmy do zadania domowego, które musiałam rozwiązać bez jego pomocy. Wszystko to było niezwykle frustrujące, bo nie tylko spowalniało cały proces, ale też przysparzało mi wiele dodatkowej pracy.

Ciotka wróciła, gdy Bryce szykował się do wyjścia, i przez chwilę rozmawiali w drzwiach. Nie mam pojęcia o czym, ale wyglądali na zadowolonych. Ja tymczasem siedziałam przy stole, z głową opartą o blat. Tuż przed powrotem ciotki, mimo całej pracy, jaką wykonałam, Bryce zadał mi dodatkowe zadania, które powinnam była zrobić już wcześniej. Miałam poprawić wypracowanie, a poza tym przeczytać rozdziały z podręczników do biologii i historii. Chociaż mówiąc to, uśmiechał się – jakby po godzinach wytężania umysłu jego prośba nie była niczym nadzwyczajnym – w ogóle nie zwracałam uwagi na jego dołeczki.

Tyle że...

Sęk w tym, że potrafił naprawdę dobrze tłumaczyć i był wręcz anielsko cierpliwy. Wreszcie poczułam, że rozumiem co nieco, a kształty, liczby i równania nie przerażały mnie już tak bardzo. Nie myśl jednak, że nagle stałam się specem od geometrii. Przez cały dzień popełniałam większe lub mniejsze błędy i pod koniec byłam już zdołowana. Wiedziałam, że Morgan nie miałaby z tym najmniejszych problemów.

Tuż po jego wyjściu zdrzemnęłam się trochę. Kiedy się obudziłam, zjadłam obiad, posprzątałam kuchnię i wróciłam do pokoju, żeby posiedzieć nad lekcjami. Musiałam poprawić wypracowanie, więc włączyłam sobie walkmana i zaczęłam pisać. Kilka minut później ciotka zajrzała do pokoju i powiedziała coś do mnie. Udałam, że ją słyszę, chociaż wcale tak nie było. Pomyślałam, że jeśli to coś ważnego, wróci i powie mi jeszcze raz.

Pochłonięta pisaniem, popełniłam błąd: zapomniałam, że jestem w ciąży. Usiadłam wygodniej i nagle poczułam, że muszę siku. Znowu! Otworzyłam drzwi na korytarz i zdumiałam się, słysząc głosy dobiegające z pokoju gościnnego. Zajrzałam tam i zobaczyłam Gwen, która postawiła przed choinką pudło pełne bożonarodzeniowych ozdób. Nagle przypomniałam sobie, jak ciotka mówiła, że dziś wieczorem będziemy ubierać choinkę.

Nie spodziewałam się jednak, że zobaczę Bryce'a rozmawiającego z ciotką Lindą, która szukała w radiu stacji grającej bożonarodzeniowe melodie. Miałam wrażenie, że mój żołądek wywinął salto, ale przynajmniej nie byłam w piżamie i kapciach, jak kloszard jadący na gapę pociągiem.

– Tu jesteś – odezwała się ciotka. – Właśnie miałam po ciebie iść. Przyjechał Bryce.

– Cześć, Maggie – powiedział. Wciąż miał na sobie te same dżinsy i koszulkę i nie mogłam nie zauważyć zarysu jego ramion i bioder. – Linda zaprosiła mnie do pomocy przy ubieraniu choinki. Mam nadzieję, że to ci nie przeszkadza.

Na chwilę mnie zatkało, ale nie sądzę, żeby którekolwiek z nich to dostrzegło. Ciotka Linda wkładała już kurtkę, kierując się w stronę drzwi.

– Gwen i ja skoczymy do sklepu po likier jajeczny – wyjaśniła. – Jeśli chcecie zawiesić światełka, to proszę bardzo. Wrócimy za kilka minut.

Przez chwilę stałam w drzwiach, zanim przypomniałam sobie, po co właściwie wyszłam z pokoju. Ruszyłam do łazienki i po wszystkim umyłam ręce. Patrząc na swoje odbicie w lustrze nad umywalką, pomyślałam, że wyglądam na zmęczoną, ale nie mogłam nic na to poradzić. Przeczesałam włosy i wzięłam głęboki oddech, zastanawiając się, dlaczego nagle tak się denerwuję. Bryce i ja byliśmy wcześniej sami przez kilka godzin, więc czemu teraz miałoby być inaczej?

Bo tym razem nie przyszedł cię uczyć, podpowiedział głos w mojej głowie. Jest tutaj, bo ciotka Linda go zaprosiła. I zrobiła to nie dla siebie, ale dla ciebie.

Kiedy wyszłam, ciotki i Gwen już nie było, a Bryce zdążył wyciągnąć z pudełka sznur lampek. Patrzyłam, jak próbuje go rozplątać. Udając obojętną, wyjęłam drugi sznur i również zaczęłam go rozplątywać.

– Skończyłam czytać – oznajmiłam. – I poprawiłam część wypracowania. – Teraz, gdy przez okna nie wpadało światło słoneczne, jego włosy i oczy wydawały się ciemniejsze.

– To dobrze. Ja zabrałem Daisy na spacer po plaży, a później rodzice kazali mi narąbać drewna na opał. Dzięki za zaproszenie.

– Jasne – rzuciłam, chociaż nie miałam w tej kwestii nic do powiedzenia.

Rozplątał lampki i rozejrzał się po pokoju.

– Muszę sprawdzić, czy świecą. Jest tu jakieś wolne gniazdko?

Nie miałam pojęcia. Nigdy nie musiałam szukać gniazdek, ale myślę, że mówił głównie do siebie, bo zaraz potem pochylił się i zajrzał pod stół obok kanapy.

– Jest.

Przykucnął i wyciągnął rękę, żeby wpiąć sznur do gniazdka. Patrzyłam, jak kolorowe światełka rozbłysły.

– Uwielbiam ubierać choinkę – oświadczył. – To wprowadza mnie w świąteczny nastrój.

Wyjął z pudełka następny sznur lampek, podczas gdy ja skończyłam rozplątywać swój. Podpięłam go do tego, który leżał na podłodze, przez chwilę podziwiałam feerię barw, po czym sięgnęłam po kolejne światełka.

– Nigdy nie ubierałam choinki.

– Poważnie?

– Zwykle robi to moja mama – wyjaśniłam. – Lubi, żeby wyglądała tak, jak ona chce.

– Aha – bąknął, ale widziałam, że jest zdziwiony. – U nas jest inaczej. Mama dyryguje wszystkimi i mówi nam, co mamy robić.

– Nie lubi ubierać choinki?

– Lubi, ale żeby zrozumieć moją mamę, trzeba ją poznać. A nawiasem mówiąc, z tym likierem to był mój pomysł. U nas to coś w rodzaju tradycji i kiedy tylko o tym wspomniałem, twoja ciotka uznała, że to świetny pomysł. Powiedziałem jej, jak dobrze ci dzisiaj poszło. Zwłaszcza pod koniec. Prawie nie musiałem ci pomagać.

– I tak mam mnóstwo zaległości.

– Tym się nie martwię – odparł. – Jeśli będziesz pracowała tak jak dzisiaj, niedługo wszystko nadrobisz.

Nie byłam tego taka pewna. Najwyraźniej wierzył we mnie bardziej, niż wierzyłam ja sama.

– Dzięki za pomoc. Nie pamiętam, czy podziękowałam ci, zanim wyszedłeś. Padałam z nóg.

– Nie ma sprawy. – Wyjął mi z ręki sznur lampek i te również sprawdził. – Jak długo mieszkałaś w Seattle?

– Od urodzenia. W tym samym domu. A nawet w tym samym pokoju.

– Nie wyobrażam sobie, jak to jest. Dopóki nie zamieszkaliśmy w Ocracoke, przeprowadzaliśmy się niemal co rok. Mieszkaliśmy w Idaho, w Wirginii, w Niemczech, we Włoszech, w Georgii, nawet w Karolinie Północnej. Tata przez jakiś czas był w bazie Fort Bragg.

– Nie wiem, gdzie to jest.

– W Fayetteville. Na południe od Raleigh, jakieś trzy godziny drogi od wybrzeża.

– Dalej nic mi to nie mówi. Moja znajomość Karoliny Północnej ogranicza się do Ocracoke i Morehead City.

Uśmiechnął się.

– Opowiedz mi o swojej rodzinie. Czym zajmują się twoi rodzice?

– Tata pracuje w fabryce Boeinga. Zajmuje się chyba nitowaniem, nie jestem pewna. Rzadko mówi o pracy, ale mam wrażenie, że codziennie robi to samo. Mama pracuje na pół etatu jako sekretarka w naszym kościele.

– Masz jeszcze siostrę, tak?

– Tak. – Pokiwałam głową. – Morgan. Jest starsza o dwa lata.

– Jesteście do siebie podobne?

– Chciałabym – rzuciłam.

– Ona pewnie myśli to samo o tobie. – Jego komplement zaskoczył mnie, tak samo jak rankiem, kiedy Bryce powiedział mi, że ładnie wyglądam. Wyjął z pudełka przedłużacz. – Chyba jesteśmy gotowi. – Podłączył przedłużacz i przypiął do niego pierwszy sznur lampek. – Wolisz wieszać czy poprawiać?

Nie wiedziałam, co właściwie ma na myśli.

– Chyba poprawiać.

– Dobra. – Ostrożnie odsunął drzewko od okna, robiąc więcej miejsca. – Tak będzie łatwiej obchodzić ją dookoła. Później ją przestawimy.

Upewniwszy się, że sznur jest wystarczająco luźny, zaczął okrążać choinkę.

– Pilnuj, żeby nie było przerw i żeby lampki nie były zbyt blisko siebie.

Czyli o to chodziło z tym poprawianiem.

Zrobiłam, jak kazał. Niebawem pierwszy sznur zawisł na choince i Bryce podpiął kolejny. Pracowaliśmy razem, powtarzając te same czynności.

W pewnej chwili odchrząknął.

– Już wcześniej chciałem zapytać… Co sprowadziło cię do Ocracoke?

No i proszę. W końcu padło to pytanie. Właściwie byłam zaskoczona, że nie zadał go wcześniej. Przypomniałam sobie rozmowę z ciotką i jej słowa o tym, że w takiej mieścinie jak Ocracoke trudno cokolwiek ukryć. Powiedziała mi wtedy, że najlepiej będzie, jeśli Bryce dowie się o wszystkim ode mnie. Wzięłam głęboki oddech, czując, że ogarnia mnie strach.

– Jestem w ciąży.

Wciąż pochylony, podniósł na mnie wzrok.

– To wiem. Chodziło mi o to, dlaczego jesteś w Ocracoke,
a nie ze swoją rodziną.

Rozdziawiłam usta.

– Wiedziałeś, że jestem w ciąży? Ciotka ci powiedziała?

– Linda nic nie mówiła. Sam połączyłem fakty.

– Jakie fakty?

– Na przykład to, że siedzisz tutaj, ale jesteś zapisana do
szkoły w Seattle. Że w maju wyjedziesz. Że twoja ciotka dość
mętnie tłumaczyła powód twojego przyjazdu. Że poprosiła
o wyjątkowo wygodne siodełko. Że często chodzisz do łazienki. Ciąża była jedynym logicznym wytłumaczeniem.

Nie wiedziałam, czy bardziej zaskoczyło mnie to, że tak łatwo się domyślił, czy to, że nie próbował mnie oceniać.

– To był błąd – rzuciłam pospiesznie. – W sierpniu zrobiłam coś głupiego z chłopakiem, którego prawie nie znałam, a teraz muszę tu siedzieć, dopóki nie urodzę, bo rodzice nie chcieli,
żeby ktokolwiek wiedział, co mnie spotkało. Wolałabym, żebyś
nikomu o tym nie mówił.

Znowu okrążył drzewko.

– Nic nikomu nie powiem. Ale ludzie i tak się dowiedzą,
jak zobaczą cię z dzieckiem.

– Oddaję ją do adopcji. Rodzice wszystkim się zajęli.

– To dziewczynka?

– Nie mam pojęcia. Mama uważa, że tak, bo w mojej rodzinie rodzą się same dziewczynki. To znaczy… mama ma cztery
siostry, a tata trzy. Mam dwanaście kuzynek i ani jednego kuzyna. Moi rodzice też mają dwie córki.

– Fajnie – skwitował. – Oprócz mojej mamy w naszej rodzinie są sami chłopcy. Podasz mi następny sznur?

Zdziwiła mnie ta nagła zmiana tematu.

– Chwileczkę… nie masz więcej pytań?

– Na przykład?

– Nie wiem. Jak to się stało, coś w tym stylu?

– Wiem, skąd się biorą dzieci – rzucił obojętnie. – Poza tym mówiłaś już, że prawie nie znałaś tego chłopaka, że popełniłaś błąd i oddajesz dziecko do adopcji, więc o czym tu więcej gadać?

Moi rodzice z pewnością mieliby więcej do powiedzenia, ale zdaniem Bryce'a szczegóły nie miały znaczenia. Zdezorientowana, sięgnęłam po następny sznur i podałam mu go.

– Nie jestem taka zła…

– Nigdy nie pomyślałem, że jesteś.

Znowu zaczął chodzić dookoła drzewka. Dolna połowa choinki była już rozświetlona.

– Czemu cię to nie gorszy ani nie oburza?

– Bo to samo przydarzyło się mojej mamie – odparł, nie przestając zawieszać lampek. – Była nastolatką, kiedy zaszła w ciążę. Jedyna różnica jest taka, że mój tata ożenił się z nią i urodziłem się ja.

– Rodzice ci to powiedzieli?

– Nie musieli. Wiem, kiedy mają rocznicę i kiedy są moje urodziny. Łatwo policzyć.

O rany! Zastanawiałam się, czy ciotka o tym wie.

– Ile lat miała twoja mama?

– Dziewiętnaście.

Nie była to jakaś znacząca różnica wieku, ale jednak była, nawet jeśli nie powiedział tego na głos. Bo przecież mając dziewiętnaście lat, człowiek jest już właściwie dorosły i nie chodzi do liceum. Bryce skończył zawieszać kolejny łańcuch.

– Cofnijmy się i zobaczmy, jak nam idzie – zaproponował.

Z odległości łatwiej było zobaczyć luki i miejsca, w których światełka były zbyt blisko siebie. Poprawiliśmy je, znów zrobiliśmy kilka kroków w tył i dokonaliśmy jeszcze kilku drobnych poprawek. Pokój wypełniała woń sosny. W tle rozbrzmiewał głos Binga Crosby'ego, światła lampek kładły się na twarzy Bryce'a tęczową poświatą. W ciszy, która zapadła między nami, zastanawiałam się, co on tak naprawdę myśli i czy rzeczywiście jest taki tolerancyjny, jaki się wydaje.

Zadowoleni z rozmieszczenia lampek w dolnej części choinki, zawiesiliśmy sznury na górnej połowie drzewka. Ponieważ Bryce był wyższy, głównie on się tym zajmował, a ja stałam i patrzyłam. Kiedy skończył, cofnęliśmy się, by obejrzeć nasze dzieło.

– Co myślisz?

– Wygląda ładnie – odparłam, chociaż myślami błądziłam zupełnie gdzieś indziej.

– Wiesz może, co twoja ciotka umieszcza na szczycie: gwiazdę czy aniołka?

– Nie mam pojęcia. I... dzięki.

– Za co?

– Za to, że nie zadajesz pytań. Za to, że jesteś taki miły i że zgodziłeś się mnie uczyć.

– Nie musisz mi dziękować – powiedział. – Wierz mi lub nie, ale cieszę się, że tu jesteś. Zimą w Ocracoke bywa nudnawo.

– Co ty nie powiesz?

Roześmiał się.

– Pewnie już sama zauważyłaś, co?

Po raz pierwszy, odkąd przyjechał, uśmiechnęłam się.

– Nie jest tak źle.

*

Mniej więcej minutę później wróciły ciotka Linda i Gwen i zachwyciły się naszym dziełem. Nalały wszystkim likieru jajecznego i powoli go popijając, przystrajaliśmy choinkę lametą i zawieszaliśmy ozdoby, a na koniec zatknęliśmy na czubku aniołka, którego ciotka trzymała w szafie w przedpokoju. Bryce przesunął drzewko z powrotem na miejsce. Następnie ciotka Linda uraczyła nas bułeczkami cynamonowymi, które kupiła w sklepie, i choć nie były tak świeże jak te, które wypiekały razem z Gwen, zjedliśmy je ze smakiem.

Chociaż nie było jeszcze bardzo późno, nadeszła pora, żeby Bryce wracał do domu, bo ciotka i Gwen wstawały skoro świt. Na szczęście miał tego świadomość. Wstawił swój talerz do zlewu, pożegnał się i ruszyliśmy w stronę drzwi.

– Jeszcze raz dzięki, że mogłem wpaść – powiedział z dłonią na klamce. – Było fajnie.

Nie wiedziałam, czy miał na myśli ubieranie choinki, czy czas spędzony ze mną, ale czułam nieopisaną ulgę, że wyznałam mu prawdę o sobie. I że był wobec mnie taki wyrozumiały.

– Cieszę się, że przyjechałeś.

– Widzimy się jutro – rzucił ściszonym głosem, a jego słowa zabrzmiały jak obietnica i sposobność.

*

– Powiedziałam mu – oznajmiłam ciotce, kiedy Gwen wyszła i zostałyśmy same.

Byłyśmy w pokoju gościnnym i wynosiłyśmy puste pudła do szafy w przedpokoju.

– I?

– Już wiedział. Domyślił się.

– Jest... bardzo bystry. Jak wszyscy w jego rodzinie.

Kiedy postawiłam pudło na podłodze, pasek spodni werżnął mi się w brzuch i przeraziła mnie myśl, że inne moje spodnie będą jeszcze ciaśniejsze.

– Chyba będę potrzebowała większych ubrań.

– Właśnie miałam zaproponować, żebyśmy w niedzielę po mszy wybrały się na zakupy.

– Wiedziałaś?

– Nie. Ale to chyba najwyższy czas. Kiedy byłam zakonnicą, często chodziłam z ciężarnymi dziewczętami na zakupy.

– Są jakieś spodnie, w których ciąża nie będzie aż tak widoczna? To znaczy... wiem, że i tak wszyscy się dowiedzą, ale...

– Zimą łatwiej to ukryć pod swetrami i kurtkami. Wątpię, by ktokolwiek zauważył coś do marca. Może nawet do kwietnia. Później, jeśli będziesz chciała, możesz rzadziej się pokazywać.

– Sądzisz, że inni też się domyślili? Tak jak Bryce? I gadają o mnie?

Ciotka starała się ostrożnie dobierać słowa.

– Sądzę, że ciekawi ich, co tutaj robisz, ale nikt nie zapytał mnie wprost. Jeśli tak się zdarzy, powiem, że to sprawa osobista. Będą wiedzieli, że nie należy więcej pytać.

Podobało mi się, że stara się mnie chronić. Nagle pomyślałam o tym, co przeczytałam wcześniej w książce Sylvii Plath.

– Mogę cię o coś zapytać?

– Oczywiście.

– Czujesz się czasami samotna?

Spuściła wzrok, a na jej twarzy zaszła subtelna zmiana.

– Cały czas – odpowiedziała głosem niewiele głośniejszym od szeptu.

*

Nie będę cię zanudzała szczegółami pierwszego tygodnia, bo wszystko wyglądało niemal tak samo i tylko przedmioty się różniły. Poprawiłam wypracowanie, ale Bryce kazał mi je poprawić jeszcze raz, zanim w końcu uznał, że jest dobre. Powoli zaczęłam odrabiać zaległości, a w czwartek przez większą część dnia przygotowywaliśmy się do piątkowego testu z geometrii. Wiedziałam, że mój mózg będzie zbyt zmęczony, żeby napisać test dopiero wtedy, gdy ciotka Linda wróci z pracy, więc nazajutrz przyszłam do domu o ósmej rano, zanim przyjechał Bryce.

Byłam zdenerwowana. Chociaż naprawdę się uczyłam, bałam się, że zrobię jakieś głupie błędy albo nie zrozumiem zadań.

Tuż przed tym, jak ciotka wręczyła mi test, zmówiłam krótką modlitwę, chociaż nie sądziłam, że to cokolwiek pomoże.

Na szczęście wydawało mi się, że rozumiem większość zadań, i rozwiązywałam je krok po kroku, tak jak uczył mnie Bryce. Mimo wszystko, oddając test, czułam się, jakbym połknęła piłkę do tenisa. Poprzednie testy rozwiązywałam na pięćdziesiąt, sześćdziesiąt procent i nie mogłam patrzeć, jak ciotka sprawdza ten. Nie chciałam widzieć, jak kreśli po nim czerwonym długopisem, więc ostentacyjnie wyglądałam przez okno. Kiedy w końcu pokazała mi test, uśmiechała się, ale nie wiedziałam, czy z politowaniem, czy dlatego, że tak dobrze mi poszło. Położyła test na stole przede mną. Wzięłam głęboki oddech, zanim odważyłam się spojrzeć na kartkę.

Nie zdałam celująco. Nie dostałam nawet piątki.

Ale czwórka była bliżej piątki niż trója. Pisnęłam z radości i niedowierzania, a gdy ciotka Linda rozłożyła ramiona, wpadłam w jej objęcia. Długą chwilę stałyśmy przytulone na środku kuchni i uświadomiłam sobie, jak bardzo tego potrzebowałam.

*

Kiedy przyjechał Bryce, przejrzał test, po czym oddał go mojej ciotce.

– Następnym razem pójdzie mi lepiej – powiedział, chociaż to ja go pisałam.

– Jestem podekscytowana – wyznałam. – I nawet nie próbuj mieć do siebie pretensji, bo nie zamierzam tego tolerować.

– Zgoda – rzucił, ale wiedziałam, że wciąż go to męczy.

Gdy ciotka Linda zebrała moje prace – w piątki wysyłała wszystko do mojej szkoły – i ruszyła w stronę drzwi, Bryce zerknął na mnie z zakłopotaniem.

– Chciałem cię o coś spytać – odezwał się. – Wiem, że to trochę późno i będę musiał porozmawiać z twoją ciotką, ale najpierw chciałem pogadać z tobą. Bo jeśli nie będziesz chciała, nie ma sensu zawracać jej głowy. No i jeśli ona się nie zgodzi, to nie było sprawy.

– Nie mam pojęcia, o czym mówisz.

– Wiesz o flotylli w New Bern, prawda?

– W życiu o niej nie słyszałam.

– Och... Powinienem był się domyślić. New Bern to niewielkie miasteczko w głębi lądu, niedaleko Morehead City, które co roku gości bożonarodzeniową flotyllę. Tak naprawdę to kilkanaście udekorowanych lampkami łodzi, które jedna za drugą płyną w dół rzeki. Potem moja rodzina idzie na kolację, a później jedziemy do cudownie przystrojonej posiadłości w Vanceboro. To taka nasza coroczna tradycja i wszystko to odbędzie się jutro.

– Czemu mi o tym mówisz?

– Zastanawiałem się, czy nie chciałabyś z nami pojechać.

Minęło kilka sekund, zanim uświadomiłam sobie, że zaprosił mnie na coś w rodzaju randki. Ponieważ mieli być z nami jego rodzice i młodsi bracia, to był raczej rodzinny wypad, a nie prawdziwa randka, ale z tego, w jak nieudolny sposób mnie zaprosił, mogłam się domyślać, że jestem pierwszą dziewczyną, której proponuje coś podobnego. Zaskoczyło mnie to, bo zawsze wydawał się taki dorosły. W Seattle chłopcy pytali po prostu: „Masz ochotę gdzieś wyskoczyć?" i tyle. J. nie zrobił nawet tego; po prostu usiadł obok mnie na werandzie i zaczął gadać.

Ale podobała mi się ta nieudolność, nawet jeśli nie wyobrażałam sobie, że mogłoby wydarzyć się między nami coś romantycznego. Bez względu na to, czy Bryce podobał mi się, czy nie, mój romantyczny pierwiastek skurczył się jak rodzynka na słońcu i wątpiłam, czy kiedykolwiek jeszcze poczuję prawdziwą namiętność. Mimo wszystko uważałam, że to… słodkie.

– Jeśli ciotka się zgodzi, chętnie pojadę.

– Jest jeszcze coś, o czym musisz wiedzieć – dodał. – Zostajemy w New Bern na noc, bo promy nie kursują o tak późnej porze. Wynajmujemy domek, ale ty, oczywiście, miałabyś własny pokój.

– Może lepiej zapytaj ją, zanim wyjdzie.

Ciotka Linda była już za drzwiami. Bryce pobiegł za nią, a ja myślałam jedynie o tym, że właśnie zaprosił mnie na randkę.

Nie… wróć. Na rodzinny wypad.

Zastanawiałam się, co powie ciotka Linda. Chwilę później usłyszałam jego kroki. Wszedł do domu, uśmiechając się od ucha do ucha.

– Powiedziała, że porozmawia z moimi rodzicami i po południu da nam znać.

– Brzmi nieźle.

– W takim razie powinniśmy chyba wziąć się do roboty. Mam na myśli lekcje.

– Ja jestem gotowa.

– Świetnie. – Wyraźnie odprężony, usiadł przy stole. – Zacznijmy od hiszpańskiego. We wtorek masz test.

I nagle, jakby ktoś nacisnął jakiś włącznik, Bryce znowu wcielił się w rolę mojego korepetytora, w której z pewnością czuł się dużo swobodniej.

*

Ciotka Linda wróciła do domu kilka minut po trzeciej. Zdejmując kurtkę, uśmiechała się, chociaż widziałam, że jest zmęczona. Uderzyło mnie, że gdy przekracza próg domu, zawsze się uśmiecha.

– Cześć – przywitała się. – Jak dziś poszło?

– Dobrze – odparł Bryce, zbierając swoje rzeczy. – Co słychać w sklepie?

– Duży ruch. – Odwiesiła kurtkę na wieszak. – Rozmawiałam z twoimi rodzicami. Nie mają nic przeciwko temu, żeby Maggie pojechała jutro z wami. Powiedzieli, że zobaczymy się na niedzielnej mszy w kościele.

– Dziękuję, że porozmawiała pani z nimi. I się zgodziła.

– Cała przyjemność po mojej stronie – rzuciła, po czym zwróciła się do mnie: – A w niedzielę po mszy pójdziemy na zakupy, dobrze?

– Zakupy? – powtórzył odruchowo Bryce.

Ciotka na chwilę pochwyciła moje spojrzenie, ale wiedziała, co myślę.

– Prezenty świąteczne – wyjaśniła.

I tak oto umówiłam się na randkę.

Tak jakby.

*

Następnego ranka spałam dłużej niż zwykle i szósty dzień z rzędu nie miałam porannych mdłości. To był zdecydowany plus i niejedyna niespodzianka, bo kiedy w łazience rozebrałam się, by wejść pod prysznic, odkryłam, że mój... biust jest zdecydowanie większy. Przyznaję, że w pierwszej chwili przyszło mi do głowy inne słowo, ale zmieniłam je na „biust", gdy zobaczyłam krzyż wiszący na ścianie. Pomyślałam, że tego właśnie słowa użyłaby moja ciotka.

Czytałam, że tak będzie, lecz nie sądziłam, że stanie się to z dnia na dzień. No dobrze, może nie zwracałam na to uwagi, a moje piersi rosły sobie w najlepsze, ale gdy tamtego ranka stanęłam przed lustrem, pomyślałam, że wyglądam jak miniaturowa wersja Dolly Parton.

Minus był taki, że moja niegdyś wąska talia wcale nie była już taka wąska. Patrząc na siebie z profilu, stwierdziłam, że robię się coraz większa i szersza. Chociaż w łazience była waga, nie miałam odwagi sprawdzić, ile kilogramów mi przybyło.

Po raz pierwszy, odkąd Bryce zaczął mnie uczyć, przez większość dnia miałam dom tylko dla siebie. Powinnam była pewnie wykorzystać spokój i ciszę i odrobić zaległe prace domowe, ale zamiast tego postanowiłam pójść na plażę.

Ubrałam się ciepło i wzięłam stojący za domem rower. Z początku jechałam niepewnie – minęło trochę czasu, odkąd ostatni raz jechałam na rowerze – ale po kilku minutach czułam się już całkiem pewnie. Jadąc pod wiatr, pedałowałam powoli, a gdy dotarłam na plażę, oparłam rower o jeden ze słupków wyznaczających ścieżkę pośród wydm.

Plaża była ładna, choć zupełnie niepodobna do tych w stanie Waszyngton. Tam przyzwyczaiłam się do skał, klifów i wysokich fal, wyrzucających w powietrze wodną mgiełkę, natomiast tutaj nie było nic poza leniwymi falami, piaskiem i trawami. Żadnych ludzi, palm, wież ratowniczych ani domów z widokiem na ocean. Kiedy tak szłam wzdłuż pustej plaży, bez trudu wyobrażałam sobie, że nigdy wcześniej nie postała tu ludzka stopa.

Sam na sam ze swoimi myślami, zastanawiałam się, co robią rodzice. Albo raczej co będą robić, bo w Seattle wciąż jeszcze było wcześnie. Czy Morgan będzie ćwiczyła grę na skrzypcach – w soboty dużo ćwiczyła – czy będzie kupowała prezenty w centrum handlowym. Czy kupili już choinkę, czy też kupią ją dziś, jutro, a może dopiero w przyszły weekend. Myślałam o tym, co robią Madison i Jodie, czy któraś z nich ma nowego chłopaka, jakie filmy widziały ostatnio i dokąd pojadą na ferie, jeśli w ogóle gdzieś wyjadą.

A jednak po raz pierwszy, odkąd opuściłam Seattle, te myśli nie napełniały mnie bólem i smutkiem, który wydawał się nie do zniesienia. Uświadomiłam sobie, że decyzja o przyjeździe tutaj była słuszna. To znaczy oczywiście nadal wolałabym, żeby to wszystko się nie wydarzyło, ale wiedziałam, że w tym okresie swojego życia potrzebuję właśnie kogoś takiego jak ciotka

Linda. Miałam wrażenie, że rozumie mnie w taki sposób, w jaki moi rodzice nigdy mnie nie rozumieli.

Może dlatego, że – tak jak ja – zawsze czuła się samotna.

*

Po powrocie do domu wzięłam prysznic, po czym spakowałam do jednego z płóciennych worków, które przywiozłam z Seattle, ubrania do kościoła i przez resztę dnia czytałam podręczniki, licząc, że chociaż część informacji pozostanie mi w głowie na tyle długo, żebym poradziła sobie z pracą domową bez konieczności robienia dodatkowych zadań, wymyślanych przez Bryce'a.

W soboty sklep był otwarty krócej niż zwykle, więc ciotka Linda wróciła o czternastej i sprawdziła, czy spakowałam wszystko, co będzie mi potrzebne, i czy o czymś nie zapomniałam, począwszy od pasty do zębów, a skończywszy na szamponie. Później pomogłam jej ustawić na kominku bożonarodzeniową szopkę. Wtedy pierwszy raz zauważyłam, że ciotka ma takie same oczy jak mój ojciec.

– Jakie masz plany na wieczór? – spytałam. – Skoro zostajesz sama?

– Gwen i ja zjemy razem kolację – odparła. – I zagramy w remika.

– Brzmi nieźle.

– Jestem pewna, że twój wieczór z Bryce'em i jego rodziną będzie równie udany.

– To nic wielkiego.

– Zobaczymy.

Sposób, w jaki to powiedziała, i fakt, że nie patrzyła mi przy tym w oczy, sprawiły, że odruchowo zadałam następne pytanie:

– Nie chcesz, żebym jechała?

– W tygodniu spędziliście ze sobą wystarczająco dużo czasu.

– Na nauce – przypomniałam jej. – Ponieważ uznałaś, że potrzebuję korepetycji.

– Wiem. Ale chociaż zgodziłam się na ten wyjazd, mam pewne obawy.

– Dlaczego?

Poprawiła figurki Józefa i Marii i dopiero wtedy odpowiedziała:

– Młodzi ludzie łatwo zatracają się w… uczuciach.

Potrzebowałam chwili, żeby dotarło do mnie znaczenie tych staroświeckich, pasujących do zakonnicy słów. Spojrzałam na nią szeroko otwartymi oczami.

– Myślisz, że się w nim zakocham?

Kiedy nie odezwała się słowem, prawie się roześmiałam.

– Nie musisz się martwić – uspokoiłam ją. – Jestem w ciąży, pamiętasz? On mnie w ogóle nie interesuje.

Westchnęła.

– Nie o ciebie się martwiłam.

*

Bryce przyjechał kilka minut po tym, jak skończyłyśmy dekorować kominek. Wciąż zaskoczona słowami ciotki, pocałowałam ją w policzek i z workiem na ramieniu wyszłam przed dom, gdy on właśnie wchodził na werandę.

– Cześć – rzucił. Podobnie jak ja, miał na sobie ciepłe ubrania, odpowiednie na zimowy wieczór. Oliwkową kurtkę zastąpiła gruba puchówka. – Gotowa? Mogę to wziąć? – Wskazał na worek.

– Nie jest ciężki, ale proszę bardzo.

Wziął go ode mnie, pomachał mojej ciotce i ruszył w stronę pick-upa, tego samego, którego widziałam na promie. Z bliska samochód wydawał się większy i bardziej masywny, niż go zapamiętałam. Bryce otworzył mi drzwi od strony pasażera. Gramoląc się na fotel, miałam wrażenie, że wspinam się na niewielką górę. Zamknął za mną drzwi, usiadł za kierownicą i położył worek między nami. Chociaż niebo było bezchmurne, temperatura zaczęła już spadać. Kątem oka zobaczyłam przez okno, jak ciotka włącza lampki choinkowe. Nie wiedzieć czemu, ich widok sprawił, że pomyślałam o chwili, kiedy pierwszy raz zobaczyłam Bryce'a i jego psa na promie.

– Zapomniałam spytać: czy Daisy jedzie z nami?

Bryce pokręcił głową.

– Nie. Właśnie zostawiłem ją u dziadków.

– A twoi dziadkowie nie chcieli jechać?

– Nie lubią opuszczać wyspy, jeśli nie muszą. – Uśmiechnął się. – A tak w ogóle, to rodzice nie mogą się doczekać, żeby cię poznać.

– Ja też nie mogę się doczekać, żeby ich poznać – odparłam, licząc, że nie zadadzą mi TEGO pytania, ale na szczęście nie miałam czasu się nad tym zastanawiać.

Podróż trwała zaledwie kilka minut. Bryce mieszkał niedaleko sklepu ciotki Lindy, nieopodal hoteli i promu. Zaparkował na podjeździe obok białego dużego vana, a ja spojrzałam na dom, który nie różnił się niczym od pozostałych, poza tym, że był nieco większy i lepiej utrzymany. Gdy tak patrzyłam, drzwi frontowe się otworzyły i po schodach zbiegli, przepychając się, dwaj chłopcy. Spoglądałam to na jednego, to na drugiego, zdumiona, że wyglądają jak swoje lustrzane odbicia.

– Richard i Robert, gdybyś zapomniała – powiedział Bryce.

– W życiu ich nie rozróżnię.

– Są do tego przyzwyczajeni. I wykorzystają to przeciwko tobie.

– Niby jak?

– Robert to ten w czerwonej kurtce, a Richard w niebieskiej. Przynajmniej na razie. Ale mogą się zamienić, więc bądź gotowa. Pamiętaj, że Richard ma maleńkie znamię pod lewym okiem.

Chłopcy podbiegli już do samochodu i patrzyli na nas. Bryce sięgnął po mój worek, otworzył drzwi i wysiadł. Ja zrobiłam to samo. Przez chwilę miałam wrażenie, że spadam, zanim w końcu stanęłam na wysypanym żwirem podjeździe. Spotkaliśmy się przed samochodem.

– Richard, Robert? To Maggie – powiedział Bryce.

– Cześć, Maggie – odrzekli zgodnie. Ich głosy zabrzmiały sztucznie, mechanicznie. Chwilę później obaj przechylili głowy w lewo, a gdy się odezwali, wiedziałam już, że odgrywają scenkę. – Miło nam cię poznać i jesteśmy zaszczyceni, że spędzisz z nami wieczór.

Podjęłam grę i zasalutowałam jak Wolkanin ze *Star Treka*.

– Żyjcie długo i pomyślnie.

Obaj zachichotali. Chociaż stali blisko i wciąż było jeszcze widno, nie mogłam zobaczyć znamienia. Ale Richard (niebieska kurtka) nachylił się w stronę Roberta (czerwona kurtka). Ten popchnął brata, który w odpowiedzi walnął go pięścią w ramię i zaczął uciekać. Robert rzucił się za nim w pościg i chwilę później obaj zniknęli za domem.

Kątem oka dostrzegłam po prawej stronie jakiś ruch. Kiedy się odwróciłam, zobaczyłam młodo wyglądającą kobietę na wózku inwalidzkim, a za nią ostrzyżonego na jeża wysokiego mężczyznę, który, jak się domyślałam, był ojcem Bryce'a.

Oczywiście widziałam już ludzi na wózkach inwalidzkich. W trzeciej i czwartej klasie chodziłam na zajęcia z dziewczyną o imieniu Audrey, która jeździła na wózku, i pan Petrie – który podobnie jak mój ojciec był diakonem w kościele – też poruszał się na wózku. Ale nie sądziłam, że mama Bryce'a jest niepełnosprawna, zwłaszcza że nawet się o tym nie zająknął. Powiedział mi, że jako nastolatka zaszła w ciążę, a zapomniał powiedzieć o czymś takim?

Jakimś cudem zdołałam ukryć zaskoczenie. Podjechawszy w naszą stronę, mama Bryce'a zawołała:

– Chłopcy… do samochodu! Inaczej pojedziemy bez was!

Chwilę później Richard i Robert z krzykiem wybiegli z drugiej strony domu. Teraz Richard (niebieska kurtka) gonił Roberta (czerwona kurtka)…

A może próbowali mnie nabrać?

– Do samochodu! – krzyknął ich ojciec.

Bliźniacy okrążyli vana, po czym otworzyli drzwi i wskoczyli do środka, aż samochód się zakołysał.

Inteligentni czy nie, z całą pewnością mieli mnóstwo energii. Rodzice Bryce'a byli teraz na tyle blisko, że dokładnie widziałam ich pełne serdeczności twarze. Jego mama, w puchowej kurtce, chyba jeszcze grubszej niż moja, miała rude włosy i zielone oczy. Ojciec trzymał się prosto, a jego czarne włosy zaczynały siwieć na skroniach. Mama Bryce'a wyciągnęła do mnie rękę.

– Cześć, Maggie – odezwała się z uśmiechem. – Jestem Janet Trickett, a to mój mąż, Porter. Bardzo się cieszę, że z nami jedziesz.

– Dzień dobry. Dziękuję za zaproszenie.

Porter Trickett uścisnął moją dłoń.

– Miło mi – powiedział. – Zawsze dobrze jest zobaczyć nową twarz. Słyszałem, że mieszkasz ze swoją ciotką, Lindą.

– Przyjechałam na kilka miesięcy – wyjaśniłam i dodałam pospiesznie: – Bryce bardzo pomaga mi w nauce.

– Dobrze wiedzieć – rzucił Porter. – Gotowi?

– Tak – potwierdził Bryce. – Przynieść jeszcze coś z domu?

– Spakowałem już torby. Lepiej jedźmy, nigdy nie wiadomo, jak dużo ludzi będzie na promie.

Zamierzałam wsiąść do vana, ale Bryce dotknął mojego ramienia, dając mi znać, żebym zaczekała. Patrzyłam, jak jego rodzice kierują się do drzwi samochodu po przeciwnej stronie, niż wsiedli jego bracia. Pan Trickett sięgnął do środka, usłyszałam metaliczny szczęk i chwilę później z samochodu wysunął się na ziemię niewielki podest.

– Pomogłem tacie i dziadkowi zmodyfikować vana – powiedział Bryce. – Żeby mama też mogła nim jeździć.

– Czemu nie kupiliście drugiego?

– Bo są drogie. Zresztą nie mieli modelu, jaki by nam odpowiadał. Rodzice chcieli samochód, którym oboje mogliby jeździć. Taki, gdzie można by wymieniać przednie siedzenie. Tutaj można je przesunąć na drugą stronę i zablokować.

– I razem to wymyśliliście?

– Tata ma głowę do takich rzeczy.

– Czym zajmował się w wojsku?

– Był oficerem wywiadu – odparł Bryce. – Ale jest też genialnym mechanikiem.

Czemu mnie to nie zdziwiło?

Kiedy pani Trickett wsiadła do samochodu, a platforma z powrotem się wsunęła, Bryce uznał, że możemy wsiadać. Otworzył drzwi po drugiej stronie i zajęliśmy miejsca z tyłu, obok bliźniaków.

Wyjechaliśmy z podjazdu i ruszyliśmy w stronę promu. Kątem oka zerknęłam na siedzącego obok mnie bliźniaka. Miał na sobie niebieską kurtkę i gdy przyjrzałam się uważniej, wydało mi się, że zobaczyłam znamię.

– Ty jesteś Richard, tak?

– A ty Maggie.

– Ty interesujesz się komputerami czy inżynierią aeronautyczną?

– Komputerami. Inżynieria jest dla geeków.

– Lepiej być geekiem niż nerdem – wtrącił pospiesznie Robert.

Wychylił się i spojrzał w moją stronę.

– O co chodzi? – spytałam.

– Nie wyglądasz na szesnaście lat – powiedział. – Wyglądasz na starszą.

Nie wiedziałam, czy miał to być komplement, czy nie.

– Dzięki? – bąknęłam.

Przyglądał mi się z uwagą.

– Czemu się tu przeprowadziłaś?

– Z powodów osobistych.

– Lubisz ultralighty?

– Słucham?

– To małe, powolne, bardzo lekkie samoloty, które potrzebują do lądowania krótkiego pasa. Buduję taki samolot za domem. Jak bracia Wright.

– Ja robię gry wideo – wtrącił Richard.

Odwróciłam się w jego stronę.

– Nie bardzo rozumiem, o czym mówisz.

– Gra wideo wykorzystuje elektronicznie poruszane obrazy na komputerze lub innym urządzeniu, które pozwala użytkownikowi angażować się w rozmaite misje, podróżować i wypełniać różne zadania, samemu albo z innymi graczami, jako część rywalizacji lub drużynowo.

– Wiem, czym są gry wideo. Nie zrozumiałam, co to znaczy, że je „robisz”.

– To znaczy – odezwał się Bryce – że tworzy gry, pisze kody i je projektuje. Jestem pewien, że później Maggie będzie chciała dowiedzieć się więcej o grach i samolocie, ale teraz może pozwolicie nam w spokoju dojechać na prom?

– Dlaczego? – spytał Richard. – Ja tylko próbuję z nią porozmawiać.

– Richard! Daj spokój! – zawołał pan Trickett.

– Tata ma rację – dodała pani Trickett, spoglądając na nich przez ramię. – I macie przeprosić.

– Za co?

– Za to, że jesteście niegrzeczni.

– Niby kiedy byłem niegrzeczny?

– Nie będę z tobą dyskutować – ucięła. – No już, przeproście. Obaj.

– Dlaczego muszę przepraszać? – odezwał się Robert.

– Bo obaj się popisujecie – wyjaśniła pani Trickett. – I nie będę powtarzać.

Kątem oka zobaczyłam, że obaj aż się przygarbili.

– Przepraszam – bąknęli jednogłośnie.

Bryce nachylił się w moją stronę i poczułam na uchu jego ciepły oddech.

– Próbowałem cię ostrzec.

Stłumiłam śmiech i pomyślałam, że jeszcze niedawno to moją rodzinę uważałam za dziwną.

*

Stanęliśmy w dość długiej kolejce samochodów, ale na pokładzie promu wciąż było jeszcze dużo miejsca i wyruszyliśmy o czasie. Richard i Robert niemal natychmiast wysiedli z samochodu, a my za nimi, patrząc, jak biegną w stronę relingu. Kiedy wkładałam czapkę i rękawiczki, usłyszałam za plecami świst hydraulicznie opuszczanego podestu. Wskazałam na zamkniętą przestrzeń do siedzenia.

– Twoja mama da radę tam wjechać? Mają windę?

– Zwykle większość czasu rodzice spędzają w samochodzie – odparł Bryce. – Ale niekiedy mama lubi odetchnąć świeżym powietrzem. Masz ochotę na coś do picia?

Widząc, ilu pasażerów zmierza do kabiny, pokręciłam głową.

– Chodźmy na dziób.

Kilka innych osób ruszyło za nami w stronę dziobu, ale udało nam się znaleźć miejsce, gdzie nie panował ścisk. Choć powietrze było mroźne, woda pozostawała spokojna.

– Robert naprawdę buduje samolot? – spytałam.

– Pracuje nad nim od prawie roku. Pomaga mu tata, ale to jego projekt.

– I twoi rodzice pozwolą mu nim latać?

– Najpierw będzie musiał zrobić licencję pilota. Robi to w ramach krajowego konkursu i na ile znam Roberta, samolot na pewno będzie latał. A tata zadba, żeby był bezpieczny.

– Twój tata też potrafi pilotować samolot?

– Mój tata potrafi wiele rzeczy.

– Ale to twoja mama was uczy? Nie on?

– Tata zawsze pracował.

– Jak mama może was czegokolwiek uczyć?

– Jest bardzo mądra. – Wzruszył ramionami. – W wieku szesnastu lat zaczęła naukę na MIT.

To jakim cudem zaszła w ciążę, będąc nastolatką? – pomyślałam. No tak. Czasami człowiek zalicza wpadkę. Ale... co za rodzina! Jeszcze nigdy nie słyszałam o takiej.

– Jak poznali się twoi rodzice?

– Oboje odbywali staż w Waszyngtonie, ale wiem niewiele więcej. Nie opowiadają nam o tym.

– Twoja mama już wtedy była na wózku? Przepraszam, nie powinnam pytać...

– Nie, w porządku. Na pewno wiele osób się nad tym zastanawia. Osiem lat temu miała wypadek samochodowy. Jadący z naprzeciwka samochód wyprzedzał na trzeciego. Chcąc uniknąć czołowego zderzenia, zjechała z drogi, ale uderzyła w słup telefoniczny. Omal nie zginęła. To właściwie cud, że przeżyła. Prawie dwa tygodnie leżała na OIOM-ie, przeszła wiele operacji i długą rehabilitację. Ma uszkodzony rdzeń kręgowy. Przez ponad rok była całkowicie sparaliżowana od pasa w dół, jednak w końcu odzyskała częściową władzę w nogach. Teraz może nimi trochę ruszać, na tyle, żeby mogła się ubrać, ale to wszystko. Nie może stać.

– To straszne.

– Smutne. Przed wypadkiem prowadziła bardzo aktywny tryb życia. Grała w tenisa, codziennie biegała. Ale się nie skarży.

– Dlaczego mi o tym nie powiedziałeś?

– Chyba o tym nie myślałem. Wiem, że brzmi to dziwnie, ale nie zwracam już na to uwagi. Mama wciąż uczy bliźniaków,

169

gotuje obiady, jeździ na zakupy, robi zdjęcia i mnóstwo innych rzeczy. Ale masz rację. Powinienem był o tym wspomnieć.

– To dlatego przeprowadziliście się do Ocracoke? Żeby jej rodzice mogli wam pomóc?

– Wręcz przeciwnie. Tak jak ci mówiłem, kiedy tata przeszedł na emeryturę i zaczął pracować jako konsultant, mogliśmy zamieszkać właściwie wszędzie, ale rok wcześniej babcia miała udar. Nie był zbyt poważny, lekarz stwierdził jednak, że w przyszłości mogą się zdarzyć kolejne. Dziadek cierpi na artretyzm, dlatego tata pomaga mu za każdym razem, gdy jest w mieście. Mama uznała, że może pomóc rodzicom bardziej niż oni jej. To stąd pomysł, żeby tu zamieszkać. Naprawdę jest bardzo niezależna.

– Dlatego szkolisz Daisy? Żeby mogła pomóc komuś, kto będzie jej potrzebował, jak twoja mama?

– Po części. Tata pomyślał, że ucieszę się z psa, zwłaszcza że on często podróżuje.

– Jak często?

– Z tym bywa różnie, zwykle nie ma go w domu przez cztery, pięć miesięcy w roku. Po świętach znowu wyjeżdża. Ale teraz twoja kolej. Rozmawiamy o mnie i o mojej rodzinie, a mam wrażenie, że nie wiem nic o tobie.

Czułam wiatr we włosach i smak soli w mroźnym powietrzu.

– Opowiedziałam ci wszystko o rodzicach i siostrze.

– A ty? Co lubisz robić? Masz jakieś hobby?

– Kiedy byłam mała, tańczyłam, a w gimnazjum uprawiałam sport. Ale nie, nie mam prawdziwego hobby.

– To co robisz po szkole albo w weekendy?

– Spotykam się z przyjaciółmi, rozmawiam przez telefon, oglądam telewizję. – Już kiedy to mówiłam, uświadomiłam sobie, jak kiepsko to brzmi, i wiedziałam, że jak najszybciej muszę zmienić temat. – Zapomniałeś wziąć aparat.

– Żeby zrobić zdjęcia flotylli? Myślałem o tym, ale uznałem, że byłaby to strata czasu. Próbowałem rok temu i nie udało mi się zrobić dobrych zdjęć. Wszystkie światełka wyszły białe.

– Próbowałeś automatycznych ustawień?

– Próbowałem wszystkiego, ale nic to nie dało. Nie wiedziałem wtedy, że powinienem był użyć trójnogu i dostosować czułość, chociaż nawet wtedy zdjęcia wyszłyby pewnie kiepskie. Myślę, że łodzie znajdowały się za daleko od brzegu, no i były w ruchu.

Nie miałam pojęcia, o co mu chodzi.

– Brzmi skomplikowanie.

– Bo to jest i nie jest skomplikowane. Z fotografowaniem jest jak z uczeniem się innych rzeczy: potrzeba czasu i praktyki. I chociaż wydaje mi się, że wiem dokładnie, co zrobić, żeby zdjęcie wyszło dobre, wciąż łapię się na tym, że bez przerwy zmieniam przesłonę. Przy czarno-białych zdjęciach, a takie robię najczęściej, muszę pilnować minutnika w ciemni, żeby uzyskać odpowiednie cieniowanie. Teraz, w epoce Photoshopa, jeszcze więcej rzeczy mogę zrobić na miejscu.

– Masz własną ciemnię?

– Tata zbudował ją dla mamy, ale ja też z niej korzystam.

– Musisz naprawdę być w tym dobry.

– Ja nie, ale mama tak. Kiedy mam problem z odbitką, pomaga mi ona albo Richard. Czasami oboje.

– Richard?

– Zna się na Photoshopie. Właściwie zna się na wszystkim, co ma związek z komputerami, więc jeśli chodzi o Photoshopa, wie co i jak. To irytujące.

Uśmiechnęłam się.

– Rozumiem, że to mama nauczyła cię fotografować, tak?

– Tak. Przez lata zrobiła kilka naprawdę niesamowitych zdjęć.

– Chciałabym je zobaczyć. Ciemnię też.

– Chętnie ci pokażę.

– Jak twoja mama zainteresowała się fotografią?

– Mówi, że pewnego dnia w liceum po prostu wzięła aparat, zrobiła kilka zdjęć i złapała bakcyla. Kiedy się urodziłem, rodzice nie chcieli oddawać mnie do żłobka, więc w weekendy, gdy tata mógł się mną zająć, mama zaczęła pracować jako wolny strzelec dla miejscowego fotografa. Później, gdziekolwiek się przeprowadzaliśmy, pracowała jako asystentka fotografa. Tak było do czasu, aż urodzili się bliźniacy. Wtedy uczyła mnie już w domu i opiekowała się nimi, więc fotografia stała się dla niej czymś w rodzaju hobby. Nadal robi zdjęcia, kiedy tylko może.

Myślałam o swoich rodzicach, próbując przypomnieć sobie ich pasje, ale oprócz pracy, rodziny i kościoła nic nie przyszło mi do głowy. Mama nie grała w tenisa ani w brydża, a tata nigdy nie grał w pokera czy w co tam grają faceci, kiedy spotykają się w męskim gronie. Oboje pracowali. On dbał o ogród i garaż i wyrzucał śmieci, a ona gotowała, robiła pranie i sprzątała dom. Nie licząc wyjść na kolację w co drugi piątek, rodzice byli domatorami. Co pewnie tłumaczyło, dlaczego ja sama niewiele robiłam. Ale przecież Morgan grała na skrzypcach, więc może szukałam tylko wymówek.

– Kiedy pójdziesz do West Point, dalej będziesz robił zdjęcia?

– Wątpię, żebym miał na to czas. Tam jest napięty rozkład zajęć.

– Co chcesz robić w wojsku?

– Może pracować w wywiadzie jak tata? Chociaż zastanawiam się, jak by to było służyć w siłach specjalnych, Zielonych Beretach albo w Delta Force.

– Jak Rambo? – spytałam, mając na myśli bohatera granego przez Sylvestra Stallone.

– Tak, ale mam nadzieję, że nie cierpiałbym później na PTSD. No i znowu mówimy o mnie. A mieliśmy rozmawiać o tobie.

– Nie ma zbyt wiele do opowiadania.

– Więc jak to było z tą przeprowadzką do Ocracoke?

Milczałam przez moment, zastanawiając się, czy chcę o tym mówić i jak wiele mogę mu powiedzieć. Ale wahałam się tylko kilka sekund i pomyślałam: Czemu nie? Chwilę później słowa popłynęły z moich ust wartkim potokiem. Chociaż nie wspomniałam o J. – bo i co miałabym mówić, oprócz tego, że byłam głupia? – powiedziałam o tym, jak mama nakryła mnie w łazience, gdy zgięta wpół, wymiotowałam do sedesu, i o wszystkim, co wydarzyło się od tamtej pory, aż do dnia, kiedy zaczął mnie uczyć. Myślałam, że będzie trudniej, ale prawie mi nie przerywał, dawał mi tyle czasu i przestrzeni, ile potrzebowałam.

Kiedy skończyłam, zostało jeszcze pół godziny drogi i w duchu dziękowałam Bogu, że ubrałam się ciepło, bo w powietrzu czuło się lodowaty chłód. Wróciliśmy do vana, gdzie Bryce wyciągnął termos i nalał do dwóch kubków gorącej czekolady. Jego rodzice gawędzili z przodu i rzuciwszy w naszą stronę pospieszne „Cześć", wrócili do rozmowy.

W miarę jak popijałam czekoladę, moja twarz odzyskiwała naturalny kolor. Rozmawialiśmy o tym, o czym zwykle rozmawiają nastolatki – o ulubionych filmach i programach telewizyjnych, o muzyce, o tym, jaką lubimy pizzę (ja na cienkim cieście z podwójnym serem, a on z pepperoni), i o innych rzeczach. Robert i Richard wsiedli do samochodu tuż przed tym, jak ich ojciec uruchomił silnik, a prom wpłynął na przystań.

Jechaliśmy ciemnymi, długimi drogami, mijając przystrojone światełkami domy i przyczepy kempingowe. Jedna mieścina ustępowała miejsca kolejnej. Nogi Bryce'a ocierały się o moje, a gdy śmialiśmy się z czegoś, co powiedział któryś z bliźniaków, pomyślałam o tym, jak dobrze dogaduje się ze swoimi bliskimi. Jego mama, w obawie że poczuję się wykluczona, zadawała mi pytania, które zwykle zadają rodzice. I chociaż chętnie udzielałam odpowiedzi, wciąż zastanawiałam się, jak wiele Bryce powiedział im o mnie.

Kiedy dotarliśmy do New Bern, zdumiało mnie, jakie to urocze miasteczko. Wzdłuż rzeki ciągnęły się rzędy zabytkowych domków, w centrum mieściły się malutkie sklepiki, a słupy latarni na każdym skrzyżowaniu były ozdobione oświetlonymi lampkami wieńcami. Ciągnące po chodnikach tłumy kierowały się w stronę parku Union Point. Znaleźliśmy miejsce parkingowe i dołączyliśmy do nich.

Ochłodziło się jeszcze bardziej i oddech ulatywał mi z ust obłoczkami pary. W parku wypiliśmy gorącą czekoladę i zjedliśmy ciastka z masłem orzechowym. Dopiero gdy ugryzłam pierwszy kęs, uświadomiłam sobie, jak bardzo jestem głodna. Mama Bryce'a jak gdyby czytała w moich myślach, bo ledwie skończyłam pierwsze ciastko, podała mi kolejne, ale gdy bliźniacy zażądali dokładki, powiedziała im, że najpierw muszą zjeść kolację. Mrugnęła do mnie porozumiewawczo, tak że poczułam się, jakbym należała do rodziny.

Wciąż jeszcze skubałam ciastko, kiedy na rzece pojawiły się pierwsze łodzie. Dziennikarz lokalnego radia, nadającego z rozstawionego nad rzeką namiotu, informował przez głośniki, kto jest właścicielem której łodzi. Z jakiegoś powodu spodziewałam się jachtów, ale było ich tylko kilka; głównie kutry rybackie, nieco mniejsze lub większe od tych, które widywałam na przystani Ocracoke. Niektóre udekorowano światełkami, inne podobiznami Kubusia Puchatka albo Grincha, a na jeszcze innych stały ubrane choinki. Wszystko to przypominało paradę w Mayberry i myślałam, że poczuję tęsknotę za domem, jednak tak się nie stało. Skupiłam się na bliskości Bryce'a i kątem oka spoglądałam na jego tatę i bliźniaków, którzy uśmiechając się, machali do przepływających łodzi. Mama Bryce'a z wyrazem zadowolenia na twarzy popijała gorącą czekoladę. W pewnej chwili mąż pochylił się i pocałował ją, a ja zaczęłam się zastanawiać, kiedy ostatni raz widziałam, żeby mój tata całował mamę z taką czułością.

Po pokazie zjedliśmy kolację w Chelsea, restauracji niedaleko parku. Jak się okazało, nie my jedni wpadliśmy na ten pomysł, bo lokal dosłownie pękał w szwach. Mimo wszystko obsługa była szybka, a jedzenie dobre. Siedząc przy stole, głównie słuchałam, jak Richard i Robert rozmawiają z rodzicami na rozmaite tematy naukowe. Bryce odchylił się na krześle, równie milczący jak ja.

W końcu wróciliśmy do vana i pojechaliśmy do jakiegoś miejsca na odludziu. W pewnym momencie zjechaliśmy na pobocze i ojciec Bryce'a włączył światła awaryjne. Kiedy wysiadłam z samochodu, oniemiałam z zachwytu.

Byłam przyzwyczajona do widoku przystrojonych świątecznie domów i centrów handlowych, ale to, co rozpościerało się przede mną na powierzchni ponad hektara, nie mogło się z niczym równać. Po lewej stał mały domek ze światełkami wokół okien i wzdłuż dachu. Nieopodal komina przycupnął Święty Mikołaj z saniami. Jednak nie to zdumiało mnie najbardziej. Nawet stąd widziałam dziesiątki jarzących się lampkami choinek, ogromną amerykańską flagę, którą tworzyły światełka zatknięte na czubkach drzew, lampki w kształcie szyszek, „zamarzniętą" sadzawkę z powierzchnią z przezroczystego plastiku, podświetloną od spodu maleńkimi żaróweczkami, ozdobiony pociąg i światełka zsynchronizowane tak, że mknące po niebie renifery wydawały się żywe. Na środku posesji powoli obracał się miniaturowy diabelski młyn z siedzącymi w gondolach pluszowymi zwierzątkami. Tu i ówdzie widziałam namalowane na sklejce postacie z komiksów i kreskówek.

Bliźniacy pobiegli w jedną stronę, a rodzice Bryce'a powoli ruszyli w drugą, tak że zostaliśmy z Bryce'em sami. Klucząc między dekoracjami, rozglądałam się dookoła. Czubki butów miałam mokre od rosy, ręce wsunęłam głębiej do kieszeni. Dookoła nas ludzie spacerowali całymi rodzinami, dzieci biegały od jednej wystawy do drugiej.

– Kto to wszystko robi?

– Rodzina, która mieszka w tym domu – odparł Bryce. – Przygotowują to każdego roku.

– Muszą naprawdę kochać święta.

– Tak – przyznał. – Zawsze się zastanawiam, ile czasu zajmuje im zrobienie tego wszystkiego. I jak to potem pakują, żeby było gotowe na przyszły rok.

– I nie przeszkadza im, że ludzie tak po prostu chodzą sobie po ich ogrodzie?

– Chyba nie.

Przechyliłam głowę.

– Nie wiem, czy chciałabym, żeby obcy ludzie przez cały miesiąc kręcili mi się przy domu. Chyba bałabym się, że będą zaglądać do okien.

– Myślę, że większość ludzi rozumie, że nie należy tak robić.

Przez pierwsze pół godziny rozmawialiśmy, chodząc wśród dekoracji. W tle słyszałam płynącą z ukrytych głośników świąteczną muzykę i radosne popiskiwania dzieci. Wiele osób robiło zdjęcia i po raz pierwszy udzielił mi się świąteczny nastrój. Nigdy dotąd nie czułam czegoś podobnego. Miałam wrażenie, że Bryce wie, o czym myślę, a gdy spojrzeliśmy na siebie, przypomniałam sobie nasze ostatnie rozmowy i zdumiało mnie, jak wiele mu powiedziałam. Nagle uświadomiłam sobie, że zna prawdziwą mnie lepiej niż ktokolwiek inny.

*

Na noc zatrzymaliśmy się w zabytkowej części New Bern, niedaleko parku, w którym podziwialiśmy płynące rzeką łodzie. Wzięłam swój płócienny worek i weszłam do domu, gdzie Bryce pokazał mi mój pokój. Przebrałam się w piżamę i kilka minut później już spałam.

Rankiem pan Trickett zrobił na śniadanie naleśniki. Siedziałam obok Bryce'a i przysłuchiwałam się, jak jego rodzina planuje zakupy. Ale czas mijał – nikt nie chciał, żeby ciotka musiała czekać na mnie przed kościołem. Wzięłam szybki prysznic, spakowałam swoje rzeczy, z wilgotnymi jeszcze włosami wsiadłam do samochodu i ruszyliśmy w drogę powrotną do Morehead City.

Na parkingu czekały już ciotka Linda i Gwen. Pożegnałam się z rodziną Bryce'a – jego mama objęła mnie na pożegnanie –

i weszłyśmy do kościoła. Po mszy jak zwykle udałyśmy się na lunch i zakupy i chociaż wcześniej wspominałam, że potrzebuję większych ubrań, ciotka przypomniała mi też o czymś, co kompletnie wyleciało mi z głowy.

– Skoro już tu jesteśmy, może wybierzesz jakieś prezenty dla rodziców i Morgan.

No tak. A skoro o prezentach mowa, pomyślałam, że powinnam kupić też coś dla ciotki. Przecież w końcu u niej mieszkałam.

Weszłyśmy do pobliskiego sklepu i rozdzieliłyśmy się. Kupiłam szalik dla mamy, bluzę dla taty, bransoletkę dla Morgan i rękawiczki dla ciotki. W drodze do samochodu ciotka Linda obiecała, że w tym tygodniu wyśle prezenty do Seattle.

Następnie odwiedziłyśmy sklep z ubraniami dla kobiet w ciąży. Nie miałam pojęcia, skąd ciotka wiedziała o jego istnieniu – przecież nigdy nie kupowała tu niczego dla siebie – ale znalazłam dwie pary dżinsów z elastyczną talią, jedne na teraz, a drugie na przyszłość, kiedy mój brzuch urośnie do rozmiarów arbuza. Szczerze mówiąc, nie miałam pojęcia, że istnieją takie rzeczy.

Bałam się podejść do kasy, wiedząc, że kasjerka spojrzy na mnie znacząco, ale na szczęście ciotka Linda najwyraźniej wyczuła moje obawy.

– Jeśli chcesz, możesz iść do samochodu, a ja tymczasem zapłacę za wszystko i zaraz tam przyjdę.

Poczułam się, jakby zdjęto mi z ramion ogromny ciężar.

– Dzięki – bąknęłam.

Kiedy wychodziłam ze sklepu, naszła mnie myśl, że jedną z najfajniejszych osób, jakie znam, jest zakonnica – albo raczej była zakonnica.

*

Na promie spotkałyśmy się z Bryce'em i jego rodziną i zobaczyłam, że do dachu vana jest przypięta pasami wysoka choinka. Bryce i ja spędziliśmy większość czasu razem, jednak w pewnym momencie podeszła do nas ciotka Linda, żeby powiedzieć Bryce'owi, że we wtorek mamy do załatwienia pewne „sprawy", tak więc nie będzie mnie w domu. Nie miałam pojęcia, o czym mówi, ale wiedziałam, że lepiej się nie odzywać. Bryce przyjął to do wiadomości i dopiero gdy wróciłyśmy do domu, zapytałam ciotkę, o jakie „sprawy" chodzi.

Wyjaśniła, że mam umówioną wizytę u lekarza i że pojedzie z nami Gwen.

Nagle uświadomiłam sobie, że chociaż właśnie kupiłam spodnie dla ciężarnych, od kilku dni w ogóle nie myślałam o ciąży.

*

W przeciwieństwie do doktor Bobbi, mój nowy ginekolog położnik, doktor Chinowith, był starszym mężczyzną o siwych włosach i dłoniach tak dużych, że mógłby objąć nimi piłkę do koszykówki dwukrotnie większą od normalnej. Sądząc po jego zachowaniu, nie byłam pierwszą ciężarną nastolatką, z którą miał do czynienia. Najwyraźniej on i Gwen już wcześniej współpracowali, bo czuli się bardzo swobodnie w swoim towarzystwie.

Zbadał mnie – byłam w osiemnastym tygodniu ciąży – powtórzył receptę na witaminy, które wcześniej przepisała mi doktor Bobbi, i przez chwilę rozmawialiśmy o tym, jak prawdopodobnie będę się czuła w następnych kilku miesiącach. Powiedział, że zwykle widuje się z pacjentkami raz w miesiącu, ale ponieważ Gwen jest wykwalifikowaną położną, a wizyta w gabinecie łączy się z całodniową wyprawą, będziemy widywać się rzadziej, chyba że wydarzy się coś niespodziewanego. W razie jakichkolwiek pytań i wątpliwości mam rozmawiać z Gwen i to ona będzie monitorowała mój stan w trzecim trymestrze, więc nie mam się czym przejmować. Kiedy Gwen i ciotka Linda wyszły z gabinetu, wspomniał o adopcji i zapytał, czy po porodzie będę chciała potrzymać dziecko. Nie odpowiedziałam od razu, a on poprosił, żebym się nad tym zastanowiła, i zapewnił, że mam jeszcze dużo czasu, aby wszystko przemyśleć. Kiedy do mnie mówił, nie mogłam oderwać wzroku od jego dłoni, które autentycznie mnie przerażały.

Gdy poproszono mnie do sąsiedniego pomieszczenia na badanie USG, robiąca je kobieta spytała, czy chcę poznać płeć dziecka. Pokręciłam głową. Później, kiedy wkładałam kurtkę, usłyszałam, jak mówi do ciotki:

– Trudno było cokolwiek zobaczyć, ale jestem prawie pewna, że to dziewczynka.

To tylko potwierdziło wcześniejsze przypuszczenia mojej mamy.

W ciągu kolejnych dni i tygodni moje życie toczyło się według ustalonej rutyny. Ochłodziło się jeszcze bardziej. Odrabiałam zadania domowe, czytałam podręczniki, pisałam wypracowania i przygotowywałam się do egzaminów. Podchodząc do ostatnich testów przed zimową przerwą, miałam wrażenie, że eksploduje mi mózg.

Plusem było to, że moje oceny znacząco się poprawiły i rozmawiając z rodzicami, miałam się czym pochwalić. Choć nie uczyłam się tak dobrze jak Morgan – i nigdy jej nie dorównam – były znacznie wyższe, niż kiedy opuszczałam Seattle. I chociaż rodzice nie mówili tego na głos, wiedziałam, że zastanawiają się, dlaczego nagle zaczęłam przykładać się do nauki.

Jeszcze bardziej zaskakujące było to, że powoli przyzwyczajałam się do życia w Ocracoke. Owszem, była to mała nudna mieścina, a ja nadal tęskniłam za rodziną i zastanawiałam się, co robią moje przyjaciółki, ale stały rozkład zajęć sprawiał, że wszystko wydawało się łatwiejsze. Czasami po zajęciach ja i Bryce spacerowaliśmy po okolicy; dwa razy zabrał ze sobą aparat i światłomierz. Fotografował przypadkowe rzeczy z różnej perspektywy – domy, drzewa, łodzie – i pełen entuzjazmu tłumaczył mi, jaki efekt próbuje uzyskać.

Trzy razy kończyliśmy spacer w jego domu. Kuchenne blaty zostały obniżone, żeby mama Bryce'a miała do nich łatwy dostęp. Choinka była podobna do tej, którą ubraliśmy razem, a w całym domu prawie zawsze pachniało ciasteczkami. Jego mama niemal codziennie je piekła i gdy tylko wchodziliśmy, nalewała dwie szklanki mleka i siadała z nami przy stole. Dzięki tym „ciasteczkowym pogawędkom" lepiej się poznałyśmy. Pani Trickett opowiadała o tym, jak dorastała w Ocracoke – choć trudno mi było w to uwierzyć, wtedy było tu jeszcze spokojniej niż teraz – a gdy zapytałam, jak to się stało, że w tak młodym wieku przyjęto ją na MIT, wzruszyła ramionami i odparła, że zawsze miała smykałkę do nauk ścisłych, jak gdyby to tłumaczyło wszystko.

Wiedziałam, że chodziło tu o coś więcej – nie mogło być inaczej – ale ponieważ wyraźnie nudził ją ten temat, zwykle rozmawiałyśmy o innych rzeczach: o tym, jaki był Bryce i bliźniacy, kiedy byli młodsi, o ciągłych przeprowadzkach, o byciu żoną wojskowego, o nauce w domu, a nawet o tym, jak walczyła o powrót do normalnego życia po wypadku. Ona również zadawała mi mnóstwo pytań, ale w przeciwieństwie do moich rodziców, nie pytała, co zamierzam zrobić ze swoim życiem. Chyba sama widziała, że nie mam bladego pojęcia. Nie pytała też o powód mojego przyjazdu do Ocracoke, podejrzewałam jednak, że zna prawdę. Nie dlatego, że Bryce jej powiedział – sama się domyśliła. Kiedy rozmawiałyśmy, zawsze upierała się, żebym usiadła, i nigdy nie pytała, dlaczego wciąż noszę te same elastyczne dżinsy i workowate bluzy.

Rozmawialiśmy też o fotografii. Bryce i jego mama pokazali mi ciemnię, która przypominała szkolne laboratorium. Było tam urządzenie zwane powiększalnikiem i plastikowe pojemniki na roztwory chemiczne, a także sznur do bielizny, na którym wieszali zdjęcia, żeby wyschły. W pomieszczeniu był zlew, a wzdłuż ścian ciągnęły się blaty. Połowa z nich była na tyle niska, żeby mama Bryce'a miała do nich łatwy dostęp. Czerwone światło sprawiało, że czułam się tam jak na Marsie. W całym domu na ścianach wisiały zdjęcia i pani Trickett czasami opowiadała mi ich historie. Najbardziej lubiłam jedno, zrobione przez Bryce'a: wielki księżyc w pełni, wiszący nad latarnią morską w Ocracoke. Chociaż zdjęcie było czarno-białe, wyglądało prawie jak obraz.

– Jak je zrobiłeś?

– Ustawiłem trójnóg na plaży i użyłem wężyka spustowego, bo czas naświetlania musiał być wyjątkowo długi – odparł. – A jeśli chodzi o wywoływanie zdjęć, mama wiele mnie nauczyła.

Ponieważ byłam ciekawa, Robert pokazał mi ultralighta, którego budował razem z ojcem. Wiedziałam, że nie wsiadłabym do czegoś takiego nawet za milion dolarów i nawet gdyby rzeczywiście latało. Richard pokazał mi grę wideo, nad którą pracował. Była osadzona w świecie pełnym smoków i rycerzy w zbrojach, zdolnych pomieścić każdą możliwą broń. Grafika może nie zwalała z nóg, nawet Richard musiał to przyznać, ale sama gra była interesująca, o czym dobitnie świadczył fakt, że wciągnęła mnie na dobre kilka godzin.

Ale co ja tam mogłam wiedzieć? Zwłaszcza w porównaniu z takim dzieciakiem. Ba, z całą rodziną!

*

– Wiesz już, co kupisz Bryce'owi? – spytała ciotka Linda.

Był piątkowy wieczór, trzy dni przed świętami Bożego Narodzenia. Myłam naczynia, a ciotka je wycierała, chociaż wcale nie musiała tego robić.

– Jeszcze nie. Myślałam o tym, żeby kupić mu coś do aparatu, ale nie mam pojęcia co. Myślisz, że mogłybyśmy w niedzielę po kościele zajrzeć do sklepu? Wiem, że to Wigilia, ale to ostatnia szansa, żeby cokolwiek kupić. Może coś znajdę.

– Oczywiście. Będziemy miały mnóstwo czasu. To będzie długi dzień.

– Niedziele zawsze są długie – zauważyłam.

Uśmiechnęła się.

– W takim razie ta będzie wyjątkowo długa, bo w poniedziałek są święta. W niedzielę rano jest zwykła msza, a o północy pasterka. No i w międzyczasie mamy do załatwienia kilka rzeczy. Zostaniemy na noc w Morehead City i wrócimy do domu porannym promem.

– Och. – Jeśli usłyszała niezadowolenie w moim głosie, zignorowała je. Umyłam talerz, opłukałam go i podałam jej. Wiedziałam, że nie ma sensu próbować odwieść ją od tego pomysłu. – Co kupiłaś Gwen?

– Dwa swetry i zabytkową pozytywkę. Zbiera je.

– Ja też powinnam jej coś kupić?

– Nie – odparła. – Dopisałam twoje imię na pozytywce. To prezent od nas obu.

– Dziękuję – powiedziałam. – Jak myślisz, co powinnam kupić Bryce'owi?

– Znasz go lepiej niż ja. Pytałaś jego mamę, co mógłby chcieć?

– Zapomniałam. Może wpadnę do nich jutro i zapytam. Mam nadzieję, że to nie będzie nic drogiego. Chciałam też kupić coś jego rodzinie, może jakąś ładną ramkę na zdjęcie.

Schowała talerz do szafki.

– Pamiętaj, że nie musisz mu nic kupować. Czasami najlepsze prezenty są za darmo.

– Na przykład?

– Przeżycia. Możesz też zrobić coś dla niego albo go czegoś nauczyć.

– Nie sądzę, żeby było coś, czego mogłabym go nauczyć. Chyba że interesuje go sztuka robienia makijażu albo malowania paznokci.

Ciotka przewróciła oczami, ale widziałam, że rozbawiły ją moje słowa.

– Wierzę, że coś wymyślisz.

Zastanawiałam się nad tym, kiedy kończyłyśmy sprzątać kuchnię, ale dopiero gdy weszłyśmy do salonu, doznałam olśnienia. Jedyny problem polegał na tym, że potrzebowałam pomocy ciotki. Kiedy przedstawiłam jej swój pomysł, rozpromieniła się.

– Załatwione – powiedziała. – Jestem pewna, że będzie zachwycony.

*

Godzinę później zadzwonił telefon. Spodziewałam się, że to moi rodzice, zdziwiłam się więc, kiedy ciotka Linda wręczyła mi słuchawkę, mówiąc, że to Bryce. Jeśli dobrze pamiętałam, nigdy wcześniej do nas nie dzwonił.

– Cześć, Bryce – rzuciłam. – Co słychać?

– Zastanawiałem się, czy mógłbym zajrzeć do was w Wigilię. Chcę dać ci prezent.

– Nie będzie mnie – odparłam i powiedziałam mu o podwójnej mszy w niedzielę. – Wrócimy dopiero w pierwszy dzień świąt.

– Aha. Okej. Mama prosiła, żebym zapytał, czy nie wpadłabyś do nas na świąteczny obiad. Tak na czternastą?

To jego mama chciała, żebym przyszła do nich w święta? Czy może on?

Zakryłam słuchawkę ręką i zapytałam ciotkę. Zgodziła się, pod warunkiem że Bryce przyjdzie do nas na świąteczną kolację.

– Super. – Ucieszył się. – Mam też coś dla twojej ciotki i Gwen, więc będę mógł dać im te prezenty.

Dopiero gdy się rozłączył, uświadomiłam sobie powagę sytuacji. Oglądanie flotylli z Bryce'em i jego rodziną i wpadanie do niego po spacerze na plaży to jedno, a spędzanie razem pierwszego dnia świąt to już coś innego. Miałam wrażenie, że robimy krok w kierunku, w którym – byłam tego niemal pewna – nie chciałam podążać. A jednak...

Nie mogłam zaprzeczyć, że się cieszę.

*

Wigilia, przypadająca akurat w niedzielę, była zupełnie inna od tych w moim domu w Seattle i nie chodziło tylko o podróż promem i dwie msze. Powinnam się domyślić, że dla byłych zakonnic ważne jest, żeby obchodzić święta jak należy, i to właśnie robiłyśmy.

Po kościele poszłyśmy jak zwykle do Walmartu, gdzie kupiłam ramkę na zdjęcie dla rodziców Bryce'a i kartkę dla niego, ale tym razem zamiast wyprzedaży garażowej odwiedziłyśmy miejsce o nazwie Hope Mission, gdzie spędziłyśmy kilka godzin, przygotowując posiłki dla biednych i bezdomnych. Moim zadaniem było obieranie ziemniaków i chociaż z początku szło mi dość opornie, pod koniec czułam się już jak specjalistka. Przed wyjściem ciotka Linda i Gwen wyściskały co najmniej dziesięć osób – odniosłam wrażenie, że od czasu do czasu pracują tam jako wolontariuszki – i zauważyłam, jak ciotka ukradkiem wsuwa w dłoń opiekuna przytułku kopertę.

O zachodzie słońca wzięłyśmy udział w jasełkach w jednym z kościołów protestanckich (moja mama przeżegnałaby się, gdyby o tym usłyszała). Patrzyłyśmy, jak Józef z Marią opuszczają gospodę i idą do stajenki, śledziłyśmy narodziny Chrystusa i przybycie trzech króli. Jasełka odbywały się na zewnątrz i panujący na dworze chłód sprawił, że wszystko wydawało się jeszcze bardziej realne. Gdy widowisko dobiegło końca, zaczął się występ chóru i podczas wspólnego śpiewania kolęd ciotka wzięła mnie za rękę.

Zjadłyśmy kolację, a ponieważ do pasterki zostało jeszcze kilka godzin, udałyśmy się do tego samego motelu, w którym zatrzymałyśmy się po moim przyjeździe z Seattle. Dzieliłam pokój z ciotką Lindą i nastawiłyśmy budzik, bo postanowiłyśmy się zdrzemnąć. O jedenastej byłyśmy już znowu na nogach. Wprawdzie obawiałam się, że ze zmęczenia będę przysypiać w kościele, ale kadzidło, którego użył ksiądz, miało tak intensywny zapach, że człowiekowi od razu mijała senność; zaczęły mi łzawić oczy. Msza była dość niesamowita. W całym kościele paliły się świece, a dźwięki organów przydawały głębi i powagi. Kiedy zerknęłam na ciotkę, zobaczyłam, że porusza ustami, odmawiając cichą modlitwę.

Po nabożeństwie wróciłyśmy do motelu, a rankiem wsiadłyśmy na prom. Nie czułam świątecznej atmosfery, ale ciotka próbowała mi to wynagrodzić. W czasie podróży ona i Gwen raczyły mnie historiami o swoich najprzyjemniejszych świętach. Gwen, która wychowywała się na farmie w Vermoncie, opowiedziała nam, jak dostała w prezencie szczeniaka owczarka australijskiego. Miała dziewięć lat i odkąd sięgała pamięcią, zawsze pragnęła mieć psa. Rano, kiedy już rozpakowała wszystkie prezenty, poczuła się zawiedziona, ale nie wiedziała, że jej tata wymknął się z domu tylnymi drzwiami. Chwilę później wszedł do pokoju, niosąc szczeniaka z zawiązaną na szyi czerwoną kokardą. Niemal pół wieku później Gwen wciąż pamiętała radość, którą poczuła na widok pieska. Natomiast ciotka Linda wspominała, jak w wigilijny wieczór piekła z mamą ciasteczka. Był to pierwszy raz, kiedy mogła nie tylko patrzeć, ale też odmierzała i mieszała składniki. Czuła się bardzo dumna, gdy potem wszyscy w rodzinie zachwycali się ciasteczkami, a następnego dnia rano dostała fartuszek z wyszytym jej imieniem i własne przybory kuchenne do pieczenia. Było więcej takich historii i pamiętam, że siedząc z ciotką i Gwen, pomyślałam, jak bardzo wydają się normalne. Wcześniej do głowy by mi nie przyszło, że zakonnice mogą mieć zwyczajne dzieciństwo; zakładałam, że od małego modlą się, a pod choinką znajdują różańce i Pismo Święte.

Kiedy wróciłyśmy do domu, zadzwoniłam do rodziców i Morgan, wypisałam kartkę dla Bryce'a i zaczęłam się szykować. Wzięłam prysznic, zrobiłam makijaż i uczesałam się. Włożyłam dżinsy z elastycznym pasem – dzięki Bogu za ten wynalazek! – i czerwony sweter. Widząc, że niebo zasnuły ciemne chmury, na wszelki wypadek włożyłam kalosze. Popatrzyłam na siebie w lustrze i stwierdziłam, że gdyby nie mój coraz większy biust, trudno byłoby się domyślić, że jestem w ciąży.

Doskonale.

Wzięłam prezent pod pachę i ruszyłam w stronę domu państwa Trickettów. W zatoce Pamlico widziałam niskie grzywacze; gwałtowny podmuch wiatru szarpnął moimi włosami i zastanawiałam się, po co w ogóle było je układać.

Bryce otworzył drzwi, kiedy wchodziłam na werandę przed ich domem. Gdzieś w oddali przetoczył się grzmot. Wiedziałam, że wkrótce rozpęta się burza.

– Cześć! Wesołych świąt! Świetnie wyglądasz.

– Dzięki. Ty też – powiedziałam, patrząc na jego ciemne wełniane spodnie, zapiętą pod szyję koszulę i mokasyny.

Wnętrze domu wyglądało jak ze świątecznego katalogu. Resztki papieru po prezentach były zmięte i wsadzone do kartonowego pudła pod choinką, w powietrzu unosił się zapach szynki, szarlotki i gotowanej kukurydzy z masłem. Na nakrytym stole stały przystawki. Richard i Robert, wciąż jeszcze w piżamach i puchatych kapciach, czytali na kanapie komiksy. Patrząc na nich, pomyślałam, że niezależnie od tego, jacy są mądrzy, to wciąż jeszcze dzieciaki. Leżąca na podłodze Daisy zerwała się i podbiegła do mnie, merdając ogonem. Tymczasem Bryce przedstawił mnie swoim dziadkom. Chociaż byli bardzo mili, prawie nie rozumiałam, co do mnie mówią. Kiwałam głową i uśmiechałam się, aż w końcu Bryce odciągnął mnie na bok i szepnął:

– Hoi toider to wyspiarski dialekt. Na całym świecie mówi nim może kilkaset osób. Mieszkańcy wysp przez setki lat rzadko mieli kontakt z ludźmi zamieszkującymi stały ląd, więc wykształcili własny język. Nie przejmuj się, ja sam nie rozumiem połowy tego, co do mnie mówią.

Rodzice Bryce'a byli w kuchni. Jego mama przywitała się ze mną i podała mu półmisek z tłuczonymi ziemniakami, żeby zaniósł go na stół.

– Richard, Robert?! – zawołała. – Jedzenie prawie gotowe! Umyjcie się i siadajcie.

Przy obiedzie zapytałam bliźniaków, co dostali pod choinkę, a oni zapytali mnie o to samo. Kiedy wyjaśniłam, że moja ciotka i ja zamierzamy otworzyć prezenty później, Robert albo Richard – wciąż nie potrafiłam ich rozróżnić – przeniósł wzrok na rodziców.

– Ja lubię otwierać prezenty w Boże Narodzenie rano – oświadczył z naciskiem.

– Ja też – zawtórował mu brat.

– Czemu mi to mówisz? – spytała pani Trickett.

– Bo nie chcę, żebyś w przyszłości wpadała na jakieś szalone pomysły.

Powiedział to tak poważnie, że jego matka parsknęła śmiechem.

Po obiedzie otworzyła prezent, który im przyniosłam. Oboje z mężem podziękowali mi uprzejmie i wszyscy pomogli sprzątać ze stołu. Resztki jedzenia, w pojemnikach Tupperware, trafiły do lodówki, a gdy stół został uprzątnięty, mama Bryce'a wyciągnęła puzzle. Gdy wysypała na stół zawartość pudełka, ona, jej mąż, bliźniacy, a nawet dziadkowie zaczęli odwracać elementy kolorową stroną do góry.

– W święta zawsze układamy puzzle – szepnął do mnie Bryce. – Nie pytaj dlaczego.

Usiadłam obok niego i próbując znaleźć pasujące kawałki, zastanawiałam się, co robi moja rodzina. Nietrudno było wyobrazić sobie, że Morgan odwiesza do szafy nowe ciuchy, mama krząta się w kuchni, a tata ogląda mecz w telewizji. Uświadomiłam sobie, że oprócz porannego otwierania prezentów i wspólnego posiłku wszyscy w mojej rodzinie spędzali święta osobno. Wiedziałam, że każda rodzina ma swoje własne tradycje, ale nasze oddalały nas od siebie, podczas gdy te w domu Bryce'a zbliżały ich.

Na dworze zaczęło mżyć, po czym rozpadało się na dobre. Niebo rozdarła błyskawica, po której rozległ się grzmot, a my nadal spokojnie układaliśmy puzzle. Miały tysiąc elementów, ale rodzina Bryce'a – a zwłaszcza jego tata – była w tym naprawdę dobra i ułożyliśmy je w niespełna godzinę. Gdybym układała je sama, robiłabym to pewnie do przyszłych świąt. Ktoś włączył *Opowieść wigilijną*, musicalową wersję powieści Dickensa, i niedługo po tym, jak się skończyła, ja i Bryce musieliśmy iść. Wziął spod choinki kilka nieotwartych prezentów, chwycił parasol i kluczyki do samochodu, podczas gdy ja ściskałam na pożegnanie wszystkich domowników.

Puste drogi wydawały się ciemniejsze niż zwykle. Ciężkie chmury zasnuły niebo, wycieraczki zgarniały z przedniej szyby strumienie deszczu. Kiedy zajechaliśmy przed dom, burza już ucichła, a ulewa przeszła w mżawkę. Ciotka Linda i Gwen krzątały się w kuchni i chociaż nie byłam głodna, rozkoszowałam się wspaniałymi zapachami, które niosły się po całym domu.

– Wesołych świąt, Bryce! – zawołała Gwen.

– Kolacja będzie gotowa za dwadzieścia minut – poinformowała ciotka Linda.

Bryce włożył prezenty pod choinkę i przywitał się z ciotką i Gwen. Podczas mojej nieobecności w domu zaszły zmiany. Na choince błyszczały lampki, na stole, kominku i niskim stoliku przy sofie paliły się świeczki. Z radia dobiegała świąteczna muzyka, którą pamiętałam z dzieciństwa, kiedy jako pierwsza pędziłam na dół w bożonarodzeniowy poranek. Podbiegałam do choinki i sprawdzałam prezenty, patrząc, które są dla mnie, a które dla Morgan, a potem siadałam na schodach. Zwykle była ze mną Sandy. Siedziałam, głaskałam ją po głowie i czekałam, aż wszyscy się obudzą.

Myśląc o tamtych porankach, poczułam na sobie zaciekawiony wzrok Bryce'a.

– Miłe wspomnienia – wyjaśniłam krótko.

– Musi być ci ciężko w taki dzień z dala od rodziny.

Spojrzałam mu w oczy i poczułam ciepło, którego się nie spodziewałam.

– Właściwie jest całkiem w porządku – odparłam.

Usiedliśmy na kanapie i w ciepłym blasku lampek choinkowych rozmawialiśmy aż do kolacji. Ciotka Linda upiekła indyka i chociaż zjadłam niewiele, miałam wrażenie, że pęknę, kiedy w końcu odłożyłam widelec.

Gdy skończyliśmy sprzątać kuchnię i wróciliśmy do pokoju, burza ucichła już na dobre. Daleko na horyzoncie błyskało jeszcze, ale deszcz ustał, a znad ziemi podniosła się lekka mgła. Ciotka Linda nalała sobie i Gwen po kieliszku wina – pierwszy raz widziałam, żeby któraś z nich piła alkohol – i zaczęliśmy otwierać prezenty. Ciotka była zachwycona rękawiczkami, Gwen pisnęła z radości na widok pozytywki, a ja rozpakowałam prezenty, które przysłali rodzice i Morgan. Dostałam buty, a także bluzki i swetry o jeden rozmiar większe od tego, który nosiłam do tej pory, co było chyba rozsądne, zważywszy na moją sytuację. Kiedy przyszła kolej na Bryce'a, wręczyłam mu kopertę.

Wybrałam kartkę, na której sama mogłam coś napisać. Ponieważ w pokoju gościnnym było dość ciemno, musiał włączyć lampkę do czytania, żeby zobaczyć, co napisałam.

Wesołych świąt, Bryce!

Dziękuję Ci za pomoc. Na święta chciałam podarować Ci coś, co wiedziałam, że Ci się spodoba, prezent, który będziesz mógł przekazywać do końca życia.

Ta kartka daje Ci dostęp do:

1) sekretnego przepisu mojej ciotki na bułeczki oraz

2) warsztatów pieczenia dla nas dwojga, żebyś potrafił upiec je sam.

Oczywiście jest to prezent ode mnie i od ciotki Lindy, ale pomysł był mój.

Maggie

PS Ciotka Linda chciałaby, żeby przepis pozostał tajemnicą!

Zerknęłam na nią i zobaczyłam, że oczy jej błyszczą. Kiedy Bryce skończył czytać, najpierw spojrzał na mnie, a potem na nią i uśmiechnął się od ucha do ucha.

– Super! – zawołał. – Dziękuję! Nie mogę uwierzyć, że pamiętałaś.

– Nie miałam pomysłu na inny prezent.

– Ten jest idealny – zapewnił mnie, po czym zwrócił się do ciotki Lindy: – Nie chcę robić kłopotu, więc może lepiej będzie, jeśli wpadniemy do sklepu i zobaczymy, jak pieczecie je na miejscu.

– W środku nocy? – spytałam zdumiona. – Nie sądzę.

Ciotka Linda i Gwen się roześmiały.

– Coś wymyślimy – powiedziała ciotka.

Następnie przyszła kolej na prezenty od Bryce'a. Gdy ciotka ostrożnie rozpakowywała ten, który podarował jej i Gwen, kątem oka dostrzegłam ramkę i wiedziałam, że to fotografia.

195

Widząc, że obie patrzą na nią w milczeniu, wstałam z kanapy i wyciągając szyję, spojrzałam ponad ich ramionami. Nagle zrozumiałam, dlaczego nie mogą oderwać od niej oczu.

Było to kolorowe zdjęcie sklepu zrobione wczesnym rankiem. Bryce chyba musiał położyć się na drodze, żeby zrobić ujęcie pod takim kątem. Wychodzący ze sklepu mężczyzna – rybak, sądząc po ubraniu – z niewielką torbą w dłoni, mijał się z wchodzącą do środka kobietą. Oboje byli ciepło opatuleni, a z ich ust ulatywały białe obłoczki pary. W oknie wystawowym odbijały się chmury, a za szybą widziałam profil ciotki Lindy oraz Gwen stawiającą na ladzie filiżankę kawy. Niebieskoszare niebo podkreślało spłowiały siding i podniszczony okap. Chociaż widziałam sklep tyle razy, nigdy dotąd nie wydał mi się tąki uderzająco… piękny.

– Jest… niesamowite – wydusiła z siebie Gwen. – Nie mogę uwierzyć, że nie widziałyśmy, jak je robisz.

– Ukrywałem się. Tak naprawdę chodziłem tam rano przez trzy dni z rzędu, żeby uzyskać zamierzony efekt. Zużyłem dwie rolki filmu.

– Powiesisz je w salonie? – spytałam.

– Żartujesz? – prychnęła ciotka Linda. – Powiesimy je na honorowym miejscu w sklepie. Wszyscy powinni je zobaczyć.

Ponieważ prezent dla mnie był podobnej wielkości i kształtu, wiedziałam, że ja również dostanę zdjęcie. Rozpakowując paczkę, modliłam się w duchu, żeby nie było to zdjęcie, które zrobił mi ukradkiem, kiedy nie patrzyłam. Generalnie nie lubiłam swoich zdjęć, nie mówiąc już o takich, na których byłam w workowatych dresach, paskudnych spodniach i z włosami sterczącymi na wszystkie strony.

Ale to nie ja byłam na zdjęciu. Bryce podarował mi fotografię, która tak bardzo mi się podobała, tę z latarnią morską i wiszącym nad nią ogromnym księżycem. Podobnie jak ja, ciotka Linda i Gwen były nią zachwycone i zgodnie uznały, że powinnam powiesić ją w swoim pokoju, tak żebym widziała ją, leżąc w łóżku.

Kiedy wszystkie prezenty zostały już rozpakowane, Gwen oznajmiła, że ma ochotę na krótki spacer. Ciotka Linda postanowiła pójść z nią, i oboje z Bryce'em patrzyliśmy, jak szykują się do wyjścia.

– Na pewno nie wybierzecie się z nami? – spytała ciotka. – Niedługo znowu zacznie padać, a spacer jest dobry na trawienie.

– Ja dziękuję – odparłam. – Wolę zostać i spokojnie sobie posiedzieć.

Owinęła szyję szalikiem.

– Niedługo wrócimy.

Kiedy wyszły, spojrzałam na zdjęcie, na choinkę i świeczki, a w końcu na Bryce'a. Siedział obok mnie na kanapie, nie tuż obok, ale na tyle blisko, że gdybym nachyliła się w jego stronę, zetknęlibyśmy się ramionami. W radiu nadal grała muzyka, a zza okna dobiegał delikatny chlupot fal rozbijających się o brzeg. Bryce milczał; podobnie jak ja wydawał się zadowolony. Przypomniałam sobie pierwsze tygodnie w Ocracoke – strach, smutek, samotność, którą czułam, leżąc w łóżku, obawę, że przyjaciółki o mnie zapomną, i przeświadczenie, że bycie w święta z dala od domu jest krzywdą, której nie da się naprawić.

Tymczasem, gdy tak siedziałam obok Bryce'a, ze zdjęciem na kolanach, wiedziałam, że nigdy w życiu nie zapomnę tych świąt. Myślałam o ciotce Lindzie i Gwen, o rodzinie Bryce'a i o tym, jak życzliwie mnie przyjęli. Ale przede wszystkim myślałam o nim. Zastanawiałam się, co chodzi mu po głowie, a kiedy nagle na mnie spojrzał, chciałam mu powiedzieć, że chyba nawet nie wyobraża sobie, jak bardzo mnie zainspirował.

– Coś chodzi ci po głowie – zauważył, a ja poczułam, że moje myśli się rozpierzchły.

Wszystkie poza jedną.

– Tak – przyznałam.

– Mogę wiedzieć co?

Zerknęłam na fotografię, którą mi podarował, a potem na niego.

– Myślisz, że mógłbyś nauczyć mnie robić zdjęcia?

CHOINKA

Kiedy kelnerka przyniosła im menu z deserami i zaproponowała kawę, Maggie wykorzystała okazję, żeby trochę odetchnąć. Opowiadała swoją historię przy kolacji i nawet nie zauważyła, że jej talerz z prawie nietkniętym jedzeniem zniknął ze stolika. Mark zamówił kawę bezkofeinową, ona jednak podziękowała i nadal sączyła wino. W restauracji zajętych było już tylko kilka stolików, rozmowy przycichły.

– To Bryce nauczył cię robić zdjęcia? – spytał ze zdziwieniem Mark.

Maggie pokiwała głową.

– I pokazał mi podstawy pracy z Photoshopem, który był wtedy czymś dosyć nowym. Jego mama nauczyła mnie pracy w ciemni: maskowania, doświetlania, przycinania, i uświadomiła mi, jak ważny jest czas przy wywoływaniu zdjęć. W zasadzie nauczyła mnie staroświeckiego sposobu robienia odbitek. Przeszłam coś w rodzaju przyspieszonego kursu. Bryce przewidział, że fotografia cyfrowa zastąpi tę tradycyjną, a internet zmieni świat. Była to lekcja, którą wzięłam sobie do serca.

– Imponujące. – Mark uniósł brwi.

– Był niezwykle mądry.

– Od razu zaczęłaś robić zdjęcia?

– Nie. Bryce, jak to Bryce, chciał, żebym uczyła się tak jak on, dlatego dzień po świętach przyniósł książkę na temat fotografii i trzydziestopięciomilimetrową leicę z instrukcją obsługi i światłomierzem – powiedziała. – Właściwie wciąż miałam ferie, musiałam tylko dokończyć niektóre zadania domowe. Zresztą wyprzedziłam już nieco materiał, dzięki czemu mogłam więcej czasu przeznaczyć na naukę fotografii. Bryce pokazał mi, jak wkładać film i jak różne ustawienia potrafią zmienić zdjęcie, i nauczył mnie używać światłomierza. Razem przejrzeliśmy instrukcję obsługi. Z książki dowiedziałam się, czym jest kompozycja fotograficzna oraz kadrowanie i co należy brać pod uwagę, robiąc zdjęcia. Było tego bardzo dużo, ale tłumaczył mi wszystko krok po kroku. A później, oczywiście, mnie przepytywał.

Mark się uśmiechnął.

– Kiedy zrobiłaś swoje pierwsze prawdziwe zdjęcie?

– Tuż przed Nowym Rokiem. A potem następne, wszystkie czarno-białe. Dużo łatwiej było je wywołać i zrobić odbitki w ciemni Bryce'a. Nie musieliśmy wysyłać filmu do Raleigh, co było dobrym rozwiązaniem, bo nie miałam pieniędzy oprócz tych, które mama dała mi na lotnisku.

– Co sfotografowałaś pierwszego dnia?

– Ocean, kilka starych kutrów rybackich zacumowanych na przystani. Bryce kazał mi ustawić przesłonę i czas naświetlania, a kiedy zobaczyłam odbitki, byłam… – przez chwilę szukała właściwego słowa – oniemiała z wrażenia. Różnice zwaliły mnie z nóg. Wtedy pojęłam, co miał na myśli Bryce, mówiąc, że w fotografii wszystko zależy od uchwycenia właściwego światła. Potem przepadłam na dobre.

– Tak szybko?

– Nie wiesz, jak to bywa – odparła. – Najzabawniejsze jest to, że im bardziej fascynowała mnie fotografia, tym lepiej radziłam sobie w szkole i tym szybciej szła mi nauka. Nie dlatego, że nagle stałam się mądrzejsza, ale dlatego, że kończąc szybciej lekcje, mogłam poświęcić więcej czasu na fotografowanie. Zaczęłam nawet odrabiać lekcje nocami, a gdy Bryce przychodził rano, wręczałam mu dwa albo trzy gotowe zadania. Szaleństwo, prawda?

– Nie. Po prostu odnalazłaś swoją pasję. Czasami zastanawiam się, czy ja odnajdę swoją.

– Będziesz pastorem. Jeśli to nie wymaga pasji, to nie wiem, co jej wymaga.

– Pewnie masz rację. To powołanie, ale nie sądzę, żebym czuł to samo co ty, kiedy zobaczyłaś swoje pierwsze zdjęcia. Dla mnie nie było to żadne wielkie odkrycie, nie wykrzyknąłem: „Eureka!”. Takie uczucie siedziało we mnie od zawsze, miałem je we krwi od najmłodszych lat.

– To nie znaczy, że jest mniej rzeczywiste. A co na to Abigail?

– Wspiera mnie. Oczywiście nie omieszkała mi uświadomić, że w tej sytuacji to ona będzie musiała zostać głównym żywicielem rodziny.

– Jak to? Nie marzysz o byciu teleewangelistą albo stworzeniu megakościoła?

– Myślę, że każdy odbiera powołanie inaczej. Jakoś żadna z tych rzeczy do mnie nie przemawia.

Maggie ucieszyła ta odpowiedź. Była przekonana, że telewizyjni kaznodzieje to obłudni akwizytorzy, bardziej zainteresowani swoim gwiazdorskim stylem życia niż pomaganiem ludziom zbliżyć się do Boga. Jednocześnie musiała przyznać, że jej wiedza w tej materii ograniczała się do tego, co pisano w gazetach. Nigdy nie poznała żadnego teleewangelisty ani pastora megakościoła.

Do stolika podeszła kelnerka i zaproponowała Markowi dolewkę kawy, ale podziękował machnięciem ręki. Kiedy się oddaliła, pochylił się nad stolikiem.

– Mogę zapłacić rachunek?

– Nie ma mowy – odparła Maggie. – Ja cię zaprosiłam. A poza tym wiem dokładnie, ile zarabiasz, panie „Przed wyjściem na kolację zjem kawałek pizzy".

Roześmiał się.

– Dziękuję – powiedział. – Było super. Fantastyczny wieczór, zwłaszcza że to pora świąt.

Maggie przypomniała sobie święta w Ocracoke, piękno tkwiące w ich prostocie, w tym, że spędzała czas z ludźmi, którzy stali się jej bliscy.

W swoje ostatnie święta nie chciała być sama. Spojrzała na Marka i poczuła nagle, że nie chce też, żeby on był sam. Następne słowa wypowiedziała niemal odruchowo.

– Myślę, że potrzebujemy czegoś więcej, by poczuć magię świąt.

– To znaczy?

– Nie sądzisz, że w tym roku przydałaby się choinka w galerii? Może zamówimy drzewko i dekoracje? Ubierzemy jutro po zamknięciu?

– Brzmi fantastycznie.

*

Późna kolacja wprawiła Maggie w radosny nastrój, ale i zmęczyła, tak że następnego dnia spała prawie do południa. Mimo że ból był znośny, połknęła tabletki i popiła filiżanką herbaty. Zmusiła się do zjedzenia tostu, zdumiona, że nawet z masłem i dżemem ma słony smak.

Wzięła kąpiel i ubrała się, po czym usiadła przed komputerem. Zamówiła choinkę i zapłaciła trzykrotnie więcej za przyspieszoną dostawę, tak by drzewko dotarło do galerii przed siedemnastą. Z dekoracji wybrała cały zestaw o nazwie Zimowa Kraina Czarów, który składał się z białych światełek, srebrnej lamety i srebrno-białych ozdób. Szybka dostawa również kosztowała małą fortunę, ale jakie znaczenie miały teraz pieniądze? Chciała zapamiętać te święta i tylko to się liczyło. Następnie wysłała wiadomość do Marka; poprosiła, żeby odebrał zamówienie, i poinformowała go, że przyjedzie do galerii.

Kiedy wszystko zostało załatwione, usiadła na kanapie i otuliła się kocem. Zastanawiała się, czy nie zadzwonić do rodziców, ale uznała, że zaczeka do jutra. Wiedziała, że w niedzielę oboje będą w domu. Powinna też zadzwonić do siostry, ale tę rozmowę również postanowiła odłożyć na później. Ostatnio Morgan nie była najlepszą rozmówczynią. Podczas gdy Maggie była szczera z samą sobą – poza kilkoma wyjątkami – rozmowy z Morgan nigdy nie należały do łatwych.

Kolejny raz zastanawiała się, co jest tego powodem. Kiedy wróciła z Ocracoke, stało się jeszcze bardziej oczywiste, że Morgan jest ukochaną córeczką rodziców. Miała średnią cztery, została królową balu, a w końcu wyjechała na katolicki Uniwersytet Gonzaga, gdzie trafiła do właściwego stowarzyszenia. Rodzice pękali z dumy i dokładali starań, by Maggie zawsze o tym wiedziała. Po college'u Morgan zaczęła uczyć muzyki w miejscowej szkole i umawiać się z facetami, którzy pracowali w bankach albo firmach ubezpieczeniowych i codziennie chodzili do pracy w garniturach. W końcu poznała Jima, który pracował w banku Merrill Lynch; po dwóch latach znajomości oświadczył się jej. Mieli niewielkie, ale idealnie zorganizowane wesele, po czym od razu zamieszkali w domu, który kupili razem i w którym nie brakowało niczego, łącznie z grillem w ogrodzie. Kilka lat później Morgan urodziła Tię. Trzy lata później przyszła na świat Bella, a rodzinne zdjęcia stały się tak idealne, że można by je sprzedawać.

Tymczasem Maggie opuściła dom rodzinny, próbowała zrobić karierę i korzystała z życia, a to znaczyło, że ich siostrzane relacje nie uległy zmianie. Zarówno Maggie, jak i Morgan znały swoje role – gwiazdy i wojowniczki – o czym świadczyły ich regularne, choć niezbyt częste rozmowy telefoniczne.

Potem jednak w karierze Maggie nastąpił przełom i zaczęła powoli zyskiwać renomę, która umożliwiała jej podróżowanie po świecie. W końcu została właścicielką galerii. Z czasem jej życie towarzyskie również się ustabilizowało. Morgan czuła się skonsternowana takim obrotem spraw i zdarzało się, że w rozmowie z nią Maggie wyczuwała zazdrość. Nie była ona jawna i najczęściej przybierała formę złośliwych uwag. „Mam nadzieję, że ten nowy facet, z którym się umawiasz, jest lepszy od poprzedniego?". Albo: „Ty to masz szczęście, co?". Albo: „Widziałaś zdjęcia w ostatnim numerze »National Geographic«? Są naprawdę niesamowite".

Im większe sukcesy odnosiła Maggie, tym bardziej Morgan próbowała skupić na sobie uwagę. Zwykle opowiadała o ogromie wyzwań, z jakimi przyszło jej się zmierzyć – z dziećmi, domem, pracą – i jak poradziła sobie z nimi dzięki inteligencji i wytrwałości. W tych rozmowach Morgan była zarówno ofiarą, jak i bohaterką, a Maggie zawsze miała „szczęście".

Przez długi czas Maggie starała się ignorować te... przytyki. W głębi duszy wiedziała, że siostra ją kocha, a praca na pełen etat, wychowywanie dwójki dzieci i prowadzenie domu muszą być stresujące. Egocentryzm Morgan nie był niczym nowym, a poza tym Maggie czuła, że Morgan – zazdrosna czy nie – jest z niej dumna.

Dopiero gdy zachorowała, zaczęła mieć co do tego wątpliwości. Niedługo po tym, jak poznała diagnozę – kiedy wciąż jeszcze miała nadzieję – małżeństwo Morgan zaczęło przeżywać kryzys, który stał się głównym tematem ich rozmów. Zamiast pozwolić, by Maggie opowiedziała jej o swoich lękach i wątpliwościach, Morgan niemal natychmiast zmieniała temat. Skarżyła się, że Jim traktuje ją jak służącą, że zamknął się w sobie, że nie chce słyszeć o terapii dla par i twierdzi, że to ona potrzebuje pomocy. Żaliła się, że od miesięcy nie uprawiali seksu albo że Jim trzy, cztery razy w tygodniu zostaje dłużej w pracy. Problemom nie było końca, a gdy Maggie próbowała jej coś tłumaczyć, Morgan wpadała w złość i oskarżała ją, że bierze stronę Jima. Nawet teraz Maggie nie bardzo wiedziała, co właściwie w tym małżeństwie poszło nie tak – oprócz banału, że Morgan i Jim po prostu się od siebie oddalili.

Ponieważ Morgan sprawiała wrażenie tak nieszczęśliwej – w rozmowach zaczęło pojawiać się słowo „rozwód" – Maggie była zaskoczona wściekłością siostry, kiedy pewnego dnia Jim spakował się i wyniósł. Jeszcze bardziej zdumiało ją, że złość i zgorzknienie Morgan, zamiast słabnąć, przybierały na sile. I chociaż wiedziała, że rozwód to dość przykre doświadczenie, nie mogła pojąć, dlaczego siostra robi wszystko, żeby jeszcze pogorszyć sytuację. Dlaczego nie mogli dojść do porozumienia bez prawników, którzy dolewali oliwy do ognia, celowo spowalniając proces, by wyciągać od nich pieniądze?

Maggie wiedziała, że prawdopodobnie jest naiwna. Nigdy się nie rozwodziła, ale przekonanie Morgan, że została zdradzona, i jej wiara, że to ona ma rację, znajdowały odbicie w przeświadczeniu, że Jim zasługuje na karę. On pewnie również czuł się skrzywdzony, przez co rozwód uzyskali dopiero po koszmarnie długich siedemnastu miesiącach.

I to nie był koniec. Latem Morgan przy każdej rozmowie skarżyła się na Jima i jego nową – młodszą – dziewczynę albo wściekała się, że kiepski z niego ojciec. Mówiła Maggie, że Jim spóźnia się na wywiadówki albo że chciał zabrać dziewczynki w Góry Kaskadowe, chociaż miały spędzić weekend z nią. Albo że zapomniał wstrzykiwacza z adrenaliną, kiedy zabrał córki na farmę, chociaż wie, że Bella jest uczulona na jad pszczeli.

Maggie słuchała tego wszystkiego i miała ochotę powiedzieć: „A tak na marginesie, chemioterapia jest straszna. Wypadają mi włosy i bez przerwy wymiotuję. Dzięki, że pytasz".

Trzeba przyznać, że Morgan pytała ją, jak się czuje. Po prostu Maggie była pewna, że nawet jeśli odpowie, że bardzo źle, Morgan i tak uzna, że jej sytuacja jest gorsza.

Wszystko to oznaczało, że rozmawiały ze sobą coraz rzadziej, zwłaszcza przez ostatnie półtora roku. Ostatni raz w urodziny Maggie, przed Halloween, i oprócz krótkiego SMS-a i równie krótkiej odpowiedzi, nie miały ze sobą kontaktu od Święta Dziękczynienia. Maggie nie wspomniała o tym, gdy mówiła Markowi, dlaczego woli na razie nie informować rodziny o ostatniej diagnozie. Nie chciała psuć Morgan świąt, głównie ze względu na Tię i Bellę. Doszła też do wniosku, że jeśli tam nie pojedzie, święta Morgan będą spokojniejsze.

*

Maggie złapała taksówkę do galerii i dotarła na miejsce pół godziny po zamknięciu. Chociaż nic dzisiaj właściwie nie robiła i wzięła kolejną dawkę leków przeciwbólowych, czuła się oszołomiona, jakby ktoś przypadkiem wrzucił ją do suszarki razem z praniem. Bolały ją mięśnie i stawy, jak po nadmiernym wysiłku, a żołądek podchodził jej do gardła. Jej nastrój nieco się poprawił, kiedy ujrzała stojącą na prawo od wejścia choinkę. Była gęsta i prosta. Ponieważ to nie ona ją wybierała, obawiała się, że przywiozą drzewko podobne do tego, które kupił Charlie Brown w starej kreskówce. Weszła do galerii akurat w chwili, gdy Mark wychodził z biura.

– Cześć. – Twarz mu pojaśniała. – A więc dotarłaś. Już myślałem, że nie dasz rady.

– Straciłam poczucie czasu – skłamała. Tak naprawdę nie miała siły wstać z kanapy, ale po co malować wszystko w czarnych barwach? – Jak było dzisiaj?

– Umiarkowany ruch. Przyszło mnóstwo twoich fanów, chociaż sprzedałem tylko kilka fotografii. Ale mamy sporo zamówień internetowych.

– A Trinity?

– Kilka maili z pytaniami o jego prace. Wysłałem już odpowiedzi, więc zobaczymy, co z tego wyniknie. Przyszedł też mail z galerii w Newport Beach z pytaniem, czy Trinity zechce zorganizować tam wystawę swoich prac.

– Nie zechce – odparła Maggie. – Ale zakładam, że przesłałeś tę informację jego agentowi?

– Tak. Wysłałem też wszystkie twoje zdjęcia zamówione przez internet.

– Nie obijałeś się. O której przywieźli choinkę?

– Około szesnastej. Ozdoby przyjechały wcześniej. Domyślam się, że były naprawdę drogie.

– Drzewko jest ładne. Aż dziw bierze, że jeszcze takie mieli. Myślałam, że już wszystkie się sprzedały.

– Drobne cuda – zauważył. – Podlałem choinkę i skoczyłem do sklepu po przedłużacz, na wypadek gdyby był potrzebny.

– Dzięki. – Westchnęła. Nawet stanie okazywało się większym wysiłkiem, niż sądziła. – Byłbyś tak miły i przyniósł krzesło z mojego gabinetu? Żebym mogła usiąść?

– Jasne.

Zniknął na zapleczu, a chwilę później pojawił się, pchając przed sobą fotel na kółkach, który ustawił naprzeciw choinki. Maggie usiadła, krzywiąc się z bólu. Mark zmarszczył brwi, wyraźnie zatroskany.

– Dobrze się czujesz?

– Nie, ale przecież nie powinnam się dobrze czuć. Nie z rakiem, który zżera mnie od środka.

Widząc, że spuścił wzrok, pożałowała, że nie była delikatniejsza, ale ta choroba nie pozostawiała miejsca na delikatność.

– Przynieść ci coś jeszcze?

– Na razie nie – odparła. – Dziękuję.

Spojrzała na choinkę i pomyślała, że trzeba ją trochę obrócić. Mark podążył za jej wzrokiem.

– Nie podoba ci się ta przerwa na dole, tak?

– Z zewnątrz jej nie widziałam.

Podszedł do choinki.

– Hm... – Chwycił ją, podniósł i obrócił nieco. – Lepiej?

– Idealnie.

– Przygotowałem dla ciebie niespodziankę – oznajmił. – Mam nadzieję, że sprawi ci przyjemność.

– Uwielbiam niespodzianki.

– Daj mi chwilę, dobrze?

Znowu zniknął na zapleczu i zaraz wrócił, niosąc pod pachą przenośny głośnik i świece, a w dłoniach dwa kieliszki z czymś kremowym. W pierwszej chwili pomyślała, że to smoothie, ale gdy się zbliżył, zrozumiała, co to jest.

– Likier?

– Uznałem, że to odpowiednia okazja.

Gdy wręczył jej kieliszek, upiła łyk, licząc, że nie poczuje palenia w żołądku. Na szczęście nie poczuła nawet nieprzyjemnego posmaku. Upiła kolejny łyk i uświadomiła sobie, jak bardzo jest głodna.

– Na zapleczu jest tego jeszcze dużo – powiedział Mark.

On również upił łyk i odstawił kieliszek na niski drewniany postument. Ustawił głośnik obok kieliszka i wyjął z kieszeni telefon. Kilka sekund później słuchali *All I Want for Christmas Is You* Mariah Carey. Mark zapalił świece i wyłączył większość świateł, zostawiając tylko te, które oświetlały tył galerii.

Usiadł na postumencie.

– Spodobała ci się moja historia, co? – spytała.

– Opowiedziałem ją Abigail, kiedy wczoraj wieczorem rozmawialiśmy na FaceTimie. Uznała, że skoro mamy razem ubierać choinkę, mógłbym spróbować odtworzyć atmosferę świąt z Ocracoke. Pomogła mi ułożyć playlistę, a likier i świece kupiłem razem z przedłużaczem.

Maggie uśmiechnęła się. Zdjęła rękawiczki, ale ponieważ wciąż było jej chłodno, została w kurtce i szaliku.

– Nie wiem, czy mam dość sił, żeby pomóc ci ubierać choinkę – wyznała.

– To nic. Będziesz mówiła mi, co mam robić, zupełnie jak mama Bryce'a. Chyba że wolisz spróbować jutro...

– Nie. Zróbmy to teraz. – Upiła łyk likieru. – Ciekawe, kiedy ludzie zaczęli ubierać choinki.

– Jestem prawie pewien, że gdzieś w połowie albo pod koniec szesnastego wieku na terenie dzisiejszych Niemiec. Długo uważano to za zwyczaj protestancki. Pierwsza choinka pojawiła się w Watykanie w tysiąc dziewięćset osiemdziesiątym drugim roku.

– I tak po prostu o tym wiesz, tak?

– W liceum pisałem o tym pracę.

– Ja nie pamiętam nic z prac, które pisałam w liceum.

– Nawet o sędzim Thurgoodzie Marshallu?

– Nawet o nim. I musisz wiedzieć, że chociaż byliśmy katolikami, też ubieraliśmy choinkę.

– Nie wiń posłańca – zażartował. – Jesteś gotowa mówić mi, co mam robić?

– Tylko jeśli nie będziesz miał nic przeciwko temu.

– Żartujesz? Już nie mogę się doczekać. Nie mam choinki w mieszkaniu, więc w tym roku to jedyna taka okazja.

Znalazł pudełko, wyciągnął z plastikowego opakowania lampki i podpiął do przedłużacza. Podobnie jak dawno temu Bryce, wysunął choinkę z kąta, żeby zawiesić na niej lampki, a następnie poprawiał je pod dyktando Maggie. Później przyszedł czas na jedwabne kokardki i dużą kokardę w tym samym kolorze, którą zatknął na szczycie zamiast gwiazdy. Na koniec pozawieszał ozdoby w miejscach, które wskazywała mu Maggie. Wsunął drzewko z powrotem w kąt, stanął obok niego i oboje w milczeniu podziwiali choinkę.

– I jak, dobrze? – zapytał w końcu.

– Jest idealna.

Mark jeszcze przez chwilę patrzył na drzewko, po czym wyjął z kieszeni telefon. Zrobił kilka zdjęć i zaczął wodzić palcem po ekranie.

– Abigail? – spytała Maggie.

Zarumienił się.

– Chciała, żebym wysłał jej zdjęcie ubranego drzewka. Chyba nie do końca wierzyła, że dobrze się spiszę. Wyślę też zdjęcia rodzicom.

– Rozmawiałeś dziś z nimi?

– Przysłali mi zdjęcia z Nazaretu i znad Jeziora Galilejskiego. Byłaś w Izraelu, prawda?

– To niesamowity kraj. Będąc tam, nie przestawałam myśleć, że może właśnie idę śladami Chrystusa. Dosłownie.

– Co fotografowałaś?

– Wzgórze Tel Megiddo, groty Kumran i kilka innych stanowisk archeologicznych. Spędziłam tam jakiś tydzień i zawsze chciałam wrócić, ale było tyle innych miejsc, których jeszcze nie widziałam.

Mark pochylił się do przodu, oparł łokcie na kolanach i wbił w nią wzrok.

– Gdybym mógł odwiedzić tylko jedno miejsce na świecie, gdzie, twoim zdaniem, powinienem pojechać? – W jego oczach pojawił się błysk, przez co wyglądał jak dziecko.

– Wiele osób zadawało mi to pytanie, ale nie potrafię na nie odpowiedzieć. Wszystko zależy od tego, gdzie akurat jesteś we własnym życiu.

– Chyba nie do końca rozumiem.

– Jeśli jesteś zestresowany i przepracowany, najlepszym miejscem może być jakaś tropikalna plaża. Jeśli poszukujesz sensu życia, może powinieneś udać się do Bhutanu, odwiedzić Machu Picchu albo iść na mszę w Bazylice Świętego Piotra. Chyba że chcesz zobaczyć zwierzęta, wtedy najlepszym kierunkiem będzie Botswana albo północna Kanada. Ja postrzegam każde z tych miejsc inaczej, zależnie od własnych doświadczeń w danym czasie. I każde inaczej fotografowałam.

– Już łapię. A przynajmniej tak mi się zdaje.

– A ty, dokąd chciałbyś pojechać? Gdybyś mógł zobaczyć tylko jedno jedyne miejsce?

Mark sięgnął po kieliszek i upił łyk likieru.

– Podoba mi się pomysł z Botswaną. Chciałbym pojechać na safari, zobaczyć dzikie zwierzęta. Może nawet wziąłbym aparat, chociaż trzymałbym się automatycznych ustawień.

– Mogę udzielić ci kilku porad. Kto wie? Być może kiedyś będziesz miał własną galerię.

Roześmiał się.

– Nie ma mowy.

– Wyjazd na safari to dobry wybór. Mógłbyś zaplanować miesiąc miodowy w Botswanie.

– Słyszałem, że to sporo kosztuje. Ale jestem pewien, że kiedyś tam pojadę. Dla chcącego nie ma nic trudnego i takie tam.

– Jak w przypadku twoich rodziców i ich wycieczki do Izraela?

– Właśnie – przytaknął.

Odchyliła się na oparcie fotela; w końcu zaczynała się czuć w miarę normalnie. Nie było jej jeszcze na tyle ciepło, żeby mogła zdjąć kurtkę, ale minęło już wrażenie przenikającego ją do kości chłodu.

– Wiem, że twój ojciec jest pastorem, ale chyba nigdy nie pytałam cię o mamę.

– Jest psychologiem dziecięcym. Ona i tata poznali się, kiedy robili doktorat w Indianie.

– Wykłada czy praktykuje?

– Kiedyś robiła jedno i drugie, ale teraz głównie praktykuje. Pomaga też policji. Dyżuruje pod telefonem i wzywają ją, kiedy jakiś dzieciak ma kłopoty, a ponieważ pracuje w charakterze biegłego sądowego, często uczestniczy w procesach.

– Musi być mądra. I bardzo zajęta.

– Tak.

Chociaż wymagało to nieco wysiłku, Maggie podciągnęła kolano pod brodę, starając się usiąść wygodniej.

– Pewnie rzadko na siebie krzyczeliście, skoro twój tata jest pastorem, a mama psychologiem?

– Nigdy – odparł. – Myślę, że nie słyszałem, by którekolwiek z nich podniosło kiedyś głos. No, chyba że dopingowali mnie na meczu hokeja albo baseballu. Wolą rozmawiać, co brzmi świetnie, choć w praktyce bywa irytujące. Niefajnie jest być jedynym, który krzyczy.

– Jakoś nie wyobrażam sobie ciebie krzyczącego.

– Bo rzadko to robiłem, ale jeśli już się zdarzyło, rodzice prosili, abym zniżył głos, żebyśmy mogli normalnie porozmawiać. Albo kazali mi iść do pokoju i zaczekać, aż ochłonę, po czym i tak przeprowadzali ze mną rozsądną rozmowę. Dość szybko zrozumiałem, że krzykiem nic nie zwojuję.

– Jak długo twoi rodzice są małżeństwem?

– Trzydzieści jeden lat.

Maggie dokonała w głowie szybkich obliczeń.

– Czyli mają już swoje lata, tak? Skoro poznali się, kiedy robili doktorat?

– W przyszłym roku oboje skończą sześćdziesiąt lat. Czasami przebąkują coś o pójściu na emeryturę, ale nie wiem, czy ten dzień w ogóle kiedyś nadejdzie. Za bardzo kochają to, co robią.

Maggie znów pomyślała o Morgan.

– Żałowałeś kiedyś, że nie masz rodzeństwa?

– Dopiero niedawno – wyznał. – Byłem jedynakiem i nie znałem innego życia. Myślę, że rodzice chcieli mieć więcej dzieci, ale się nie udało. Zresztą bycie jedynakiem ma też swoje plusy. Tylko ode mnie zależało, jaki film zobaczę i na czym pojadę w pierwszej kolejności w Disney Worldzie. Ale teraz, kiedy jestem z Abigail i widzę, jak bardzo jest zżyta z rodzeństwem, czasami zastanawiam się, jak by to było.

Mark zamilkł i przez chwilę żadne z nich się nie odzywało. Maggie miała wrażenie, że chciałby usłyszeć nieco więcej o jej życiu w Ocracoke, ale uświadomiła sobie, że nie czuje się gotowa mówić dalej.

– Jak to jest dorastać w Indianie? – spytała. – To jeden ze stanów, których nigdy nie odwiedziłam.

– Wiesz cokolwiek na temat Elkhart?

– Nic a nic.

– To północna część stanu. Mieszka tam około pięćdziesięciu tysięcy ludzi i jak w większości miast Środkowego Zachodu wciąż panuje tam małomiasteczkowy klimat. Sklepy zamyka się o osiemnastej, restauracje pracują do dwudziestej pierwszej, a rolnictwo, w naszym przypadku hodowla bydła mlecznego, stanowi główną część gospodarki. Myślę, że ludzie tam są autentycznie dobrzy. Pomagają chorym sąsiadom, a kościoły mają kluczowe znaczenie dla społeczności. Ale kiedy jesteś dzieckiem, nie myślisz o takich rzeczach. Dla mnie liczyło się to, że dookoła jest pełno parków i pól, gdzie można się bawić, boisk do gry w baseball i w koszykówkę, a nawet lodowisko do gry w hokeja. W liceum prosto po szkole szedłem grać z przyjaciółmi, bo zawsze gdzieś ktoś w coś grał. To pamiętam najlepiej. Granie popołudniami w... koszykówkę, w baseball, w piłkę nożną albo w hokeja.

– A ja myślałam, że całe wasze pokolenie siedzi tylko z nosami w iPadach – powiedziała Maggie z udawanym zdziwieniem.

– Rodzice nie pozwolili mi mieć iPada. Pierwszego iPhone'a miałem w wieku siedemnastu lat i musiałem go kupić za własne pieniądze. Pracowałem na niego całe wakacje.

– Są przeciwnikami technologii?

– Nie. Miałem w domu komputer, a oni mieli telefony komórkowe. Myślę, że chcieli, żebym dorastał tak jak oni.

– Pielęgnując dawne wartości?

– Pewnie tak.

– Coraz bardziej lubię twoich rodziców.

– To dobrzy ludzie. Czasami nie wiem, jak oni to robią.

– Co masz na myśli?

Zajrzał do kieliszka, jak gdyby szukał w nim odpowiednich słów.

– Moja mama słyszy czasem w pracy różne okropne rzeczy, zwłaszcza kiedy współpracuje z policją. Przemoc fizyczna, molestowanie, przemoc emocjonalna, porzucenie... A tata... cóż, jest pastorem, więc często doradza ludziom, którzy przychodzą do niego, kiedy nie układa się im w małżeństwie, walczą z nałogami, nie radzą sobie w pracy, mają kłopoty z dziećmi, a nawet wtedy, gdy przechodzą kryzys wiary. Dużo czasu spędza też w szpitalu, bo rzadko bywa taki tydzień, żeby ktoś nie zachorował, nie miał wypadku albo nie potrzebował pocieszenia. Dla nich obojga jest to wycieńczające. Kiedy dorastałem, zdarzało się, że jedno albo drugie siedziało w milczeniu przy kolacji, i wiedziałem, że to musiał być wyjątkowo ciężki dzień.

– Ale i tak kochają swoją pracę?

– Tak. Myślę, że w głębi duszy czują, że ich obowiązkiem jest pomaganie innym.

– Najwyraźniej masz to po nich, bo kolejny raz siedzisz w pracy po godzinach.

– To przyjemność – powiedział. – Nie obowiązek.

Spodobały jej się te słowa.

– Chciałabym poznać twoich rodziców. Jeśli kiedyś przyjadą do Nowego Jorku.

– Oni na pewno też chcieliby cię poznać. A ty? Jacy są twoi rodzice?

– Zwyczajni, jak to rodzice.

– Byli kiedykolwiek w Nowym Jorku?

– Dwa razy. Raz, kiedy miałam dwadzieścia kilka lat, i drugi, kiedy byłam już po trzydziestce. – Nagle uświadomiła sobie, jak to zabrzmiało, i dodała: – To długi lot, a oni nie przepadają za Nowym Jorkiem, więc najczęściej to ja odwiedzałam ich w Seattle. W zależności od tego, gdzie robiłam sesję, czasami planowałam lot powrotny przez Seattle i zatrzymywałam się u nich na weekend. Do niedawna zdarzało się tak raz, dwa razy w roku.

– Twój tata nadal pracuje?

Pokręciła głową.

– Kilka lat temu przeszedł na emeryturę. Teraz bawi się kolejką elektryczną.

– Poważnie?

– Uwielbiał to, kiedy był dzieckiem, i po tym, jak przeszedł na emeryturę, wrócił do swojej pasji. Zbudował w garażu wielką makietę – stare miasteczko rodem z westernu, kaniony i porośnięte drzewami wzgórza i ciągle dodaje nowe budynki, krzewy albo znaki. I wciąż dokłada nowe tory. Trzeba przyznać, że całość robi wrażenie. W zeszłym roku pisali o tym w gazecie, nawet zamieścili zdjęcia. Dzięki temu ojciec ma się czym zająć i spędza czas poza domem. Inaczej rodzice chybaby się pozabijali.

– A twoja mama?

– Kilka dni w tygodniu pracuje jako wolontariuszka w kościele, ale głównie pomaga mojej siostrze, Morgan, opiekować się dziećmi, Tią i Bellą. Odbiera je ze szkoły, zajmuje się nimi latem, odwozi je na zajęcia, jeśli Morgan pracuje do późna.

– Co robi Morgan?

– Uczy muzyki, ale prowadzi też kółko teatralne. Po lekcjach zawsze odbywają się próby do jakiegoś koncertu albo przedstawienia.

– Założę się, że twoja mama uwielbia spędzać czas z wnuczkami.

– Tak. Nie wiem, jak bez niej Morgan by sobie poradziła. Rozwiodła się i jest jej naprawdę ciężko.

Pokiwał głową i spuścił wzrok. Przez chwilę oboje milczeli. W końcu Mark wskazał na choinkę.

– Dobrze, że zdecydowałaś się na nią. Jestem pewien, że klientom się spodoba.

– Tak naprawdę zrobiłam to z myślą o sobie.

– Mogę cię o coś zapytać?

– Jasne.

– Czy święta w Ocracoke to były twoje najprzyjemniejsze święta?

W tle słyszała muzykę, którą wybrał Mark.

– Jak wiesz, trafiłam do Ocracoke w trudnym dla mnie czasie. Nie czułam już magii świąt. Ale tamto Boże Narodzenie było takie… prawdziwe. Flotylla, ubieranie choinki z Bryce'em, wolontariat w Wigilię, pasterka, no i same święta. Byłam zachwycona, ale z czasem to wspomnienie stało się jeszcze bardziej wyjątkowe. To jedyne święta, które chciałabym przeżyć jeszcze raz.

Mark się uśmiechnął.

– Cieszę się, że masz takie wspomnienie.

– Ja też. A nawiasem mówiąc, wciąż mam tamto zdjęcie latarni morskiej. Wisi na ścianie w sypialni, gdzie mam swoją pracownię.

– Udało się wam upiec razem bułeczki?

– Rozumiem, że chcesz w ten sposób zapytać, co było dalej. Czy może się mylę?

– Umieram z ciekawości, co wydarzyło się później.

– Myślę, że mogłabym ci o tym opowiedzieć. Ale mam jeden warunek.

– Jaki?

– Będę potrzebowała więcej likieru.

– Załatwione – rzucił Mark.

Wziął kieliszki i zniknął na zapleczu, po czym wrócił z butelką likieru. Niesamowite, ale gęsty, słodki napój zdawał się łagodzić ból i sprawiał, że czuła się pełna. Upiła kolejny łyk.

– Mówiłam ci o burzy?

– Masz na myśli tę w święta? Kiedy lało jak z cebra?

– Nie – odparła. – Inną. Tę w styczniu.

Mark pokręcił głową.

– Mówiłaś o tym, jak tydzień po świętach zabrałaś się do nauki, a Bryce uczył cię podstaw fotografowania.

– No tak. Masz rację. – Wbiła wzrok w sufit, jak gdyby w odsłoniętych rurach szukała utraconych wspomnień. W końcu spojrzała na Marka i podjęła opowieść: – Tak na marginesie, pod koniec pierwszego semestru uzyskałam całkiem niezłe oceny. Przynajmniej jak na mnie. Kilka piątek i reszta czwórek. Jeszcze nigdy nie miałam tak wysokiej średniej.

– Była wyższa niż w wiosennym semestrze?

– Tak.

– Dlaczego? Bo byłaś zafascynowana fotografią?

– Nie, nie w tym rzecz. Myślę… – Poprawiła szalik, próbując zyskać na czasie i zdecydować, od czego zacząć. – Myślę, że dla Bryce'a i dla mnie wszystko zaczęło się zmieniać, kiedy w Ocracoke uderzyła potężna burza…

DRUGI TRYMESTR

Ocracoke
1996

Burza nadciągnęła w drugim tygodniu stycznia, po trzech dniach wyjątkowo słonecznej i ciepłej jak na tę porę roku pogody, osobliwej po szarawym mroku grudnia. Nie byłam w stanie przewidzieć, że oto nadciąga gigantyczna wichura.

Tak jak nie byłam w stanie przewidzieć zmian, które dokonają się w mojej relacji z Bryce'em. W sylwestra nadal traktowałam go jak przyjaciela, chociaż postanowił spędzić ten wieczór ze mną, w domu mojej ciotki, podczas gdy reszta jego rodziny wyjechała z miasteczka. Gwen przyniosła telewizor i oglądaliśmy show Dicka Clarka z Times Square, a przed północą razem z całą Ameryką odliczaliśmy ostatnie sekundy starego roku. Kiedy kula opadła, Bryce odpalił na werandzie kilka fajerwerków, które z hukiem i snopami iskier eksplodowały nad wodą. Nasi sąsiedzi uderzali łyżkami w donice, ale kilka minut później miasteczko na powrót pogrążyło się w sennej ciszy, a światła w oknach pobliskich domów zaczęły gasnąć. Zadzwoniłam do rodziców z noworocznymi życzeniami, a oni przypomnieli mi, że zobaczymy się pod koniec miesiąca, kiedy przylecą w odwiedziny.

Chociaż miałam ferie, niespełna osiem godzin później Bryce był już z powrotem. Tym razem po raz pierwszy zabrał ze sobą Daisy. Pomógł nam rozebrać choinkę, która stanowiła już zagrożenie pożarowe, i wyciągnął ją na drogę. Kiedy spakowałam ozdoby choinkowe i zmiotłam igły z podłogi, usiedliśmy przy kuchennym stole i zabraliśmy się do nauki. Daisy węszyła po kuchni, a gdy Bryce ją zawołał, położyła się przy jego krześle.

– Wczoraj Linda, kiedy ją o to zapytałem, powiedziała, że mogę przyprowadzić Daisy – wyjaśnił. – Mama mówi, że wciąż za często ucieka.

Zerknęłam na suczkę, która patrzyła na mnie z miną niewiniątka i radośnie merdała ogonem.

– Na moje oko wygląda dobrze. No i popatrz tylko na ten słodki pyszczek.

Daisy jakby wiedziała, o czym rozmawiamy, bo usiadła i szturchnęła nosem dłoń Bryce'a. Kiedy ją zignorował, znów zaczęła dreptać po kuchni.

– Widzisz? O tym właśnie mówię – rzucił. – Daisy? Do nogi.

Udała, że go nie słyszy, i dopiero kiedy powtórzył komendę, wróciła i z pomrukiem niezadowolenia ułożyła się obok na podłodze. Zauważyłam, że bywa uparta, i gdy kolejny raz próbowała odejść, Bryce wziął ją na smycz i przywiązał do krzesła, skąd patrzyła na nas z wyraźną pretensją.

Ten tydzień był podobny do poprzedniego: lekcje i fotografowanie. Bryce pozwolił mi zrobić mnóstwo zdjęć, a poza tym przytaszczył segregator ze zdjęciami, które on i jego mama zrobili przez lata. Na odwrocie każdej fotografii były zapisane informacje dotyczące techniki i ustawień – pora dnia, światło, przesłona, czułość filmu – i powoli zaczęłam rozumieć, jak zmiana jednego elementu może całkowicie odmienić zdjęcie. Spędziłam swoje pierwsze popołudnie w ciemni, obserwując, jak Bryce i jego mama wywołują czarno-białe zdjęcia, które zrobiłam w centrum miasteczka. Krok po kroku tłumaczyli mi, jak przygotowywać kąpiele – wywoływacz, kąpiel płuczącą, utrwalacz – i jak wyczyścić negatyw. Pokazali mi, jak używać powiększalnika i w jaki sposób uzyskać równowagę między światłem a cieniem. Chociaż nie rozumiałam większości z tych rzeczy, patrzyłam urzeczona na pojawiające się widmowe obrazy.

Ciekawe, że chociaż wciąż byłam nowicjuszką w robieniu i wywoływaniu zdjęć, okazało się, że mam naturalny talent do posługiwania się Photoshopem. Ładowanie obrazów wymagało wysokiej klasy skanera i iMaca. Rok wcześniej Porter kupił żonie jedno i drugie. Od tamtej pory matka Bryce'a edytowała swoje ulubione zdjęcia. Pokazała mi, jak się to robi, co było dla mnie idealnym wprowadzeniem do programu, bo mogłam zobaczyć zarówno oryginalne, jak i edytowane zdjęcia i próbować dokonać podobnych przeróbek. Nie mówię, że byłam mistrzynią komputera jak Richard, nie miałam też takiego doświadczenia jak Bryce i jego mama, ale uczenie się przychodziło mi z łatwością. Intuicyjnie wiedziałam, które z parametrów należy zmienić, czym zaskoczyłam ich oboje.

Chodzi jednak o to, że między lekcjami i wszystkimi rzeczami związanymi z fotografowaniem Bryce i ja byliśmy razem od rana do wieczora, praktycznie codziennie, od Bożego Narodzenia do dnia, w którym rozpętała się burza. Gdy w styczniu dołączyła do nas Daisy – uwielbiała chodzić za nami, kiedy robiliśmy zdjęcia – miałam wrażenie, że moje życie stało się nienormalnie normalne, jeśli te słowa w ogóle mają jakiś sens. Miałam Bryce'a, psa i nowo odkrytą pasję. Myśli o domu wydawały się dziwnie odległe i cieszyłam się, kiedy rankiem wstawałam z łóżka. Było to dla mnie zupełnie nowe uczucie i bałam się myśleć, że coś mogłoby się zmienić.

Nie zastanawiałam się nad tym, co może oznaczać dla mnie i dla Bryce'a spędzanie tyle czasu razem. Tak naprawdę właściwie w ogóle o nim nie myślałam. Zwykle po prostu był, zupełnie jak moja ciotka, rodzina w Seattle, a nawet powietrze, którym oddychałam. Kiedy robiłam zdjęcia, przeglądałam fotografie albo bawiłam się Photoshopem, nie zauważałam już chyba nawet jego dołeczków. Myślę, że dopiero kilka dni przed wichurą dotarło do mnie, jak bardzo jest dla mnie ważny. Stał na werandzie po kolejnym długim, wspólnie spędzonym dniu, kiedy w końcu dał mi aparat, światłomierz i nową rolkę czarno-białego filmu.

– Po co to? – spytałam.

– Na wypadek gdybyś chciała jutro poćwiczyć.

– Bez ciebie? Wciąż nie wiem, co i jak mam robić.

– Wiesz więcej, niż ci się wydaje. Poradzisz sobie. Ja przez kilka najbliższych dni będę bardzo zajęty.

Ledwie to powiedział, poczułam ukłucie smutku na myśl, że nie będziemy się widywać.

– Dokąd wyjeżdżasz?

– Będę tutaj, ale muszę pomóc tacie przygotować wszystko na nadejście cyklonu.

Chociaż słyszałam, jak ciotka wspominała coś o tym, myślałam, że chodzi o zwykłą burzę, jakie od czasu do czasu nawiedzały Ocracoke.

– Co to takiego?

– To burza na Wschodnim Wybrzeżu. Czasami, tak jak będzie teraz, zderza się z innym frontem, przez co tworzy się nietypowy jak na tę porę roku huragan.

Słuchałam go i próbowałam zrozumieć, dlaczego jest mi źle na myśl, że nie będziemy się widzieć. Odkąd się poznaliśmy, nasza najdłuższa rozłąka trwała dwa dni, co – dotarło to do mnie teraz – również wydawało się dziwne. Nigdy nie spędzałam z nikim, oprócz rodziny, tak dużo czasu. Pod koniec weekendu z Madison i Jodie zwykle działałyśmy już sobie na nerwy. Ale chcąc zatrzymać Bryce'a na werandzie chociaż na chwilę dłużej, zmusiłam się do uśmiechu.

– Co będziecie robić?

– Musimy zabezpieczyć łódź dziadka i zabić okna deskami w naszym domu i w domu dziadków. I w innych domach w miasteczku, u twojej ciotki i Gwen też. Będziemy potrzebowali całego dnia, żeby to wszystko zrobić, a gdy cyklon osłabnie, drugiego, żeby zdjąć deski.

Za jego plecami widziałam błękitne niebo i byłam pewna, że Bryce i jego ojciec przesadzają.

Ale nie przesadzali.

*

Następnego dnia spałam dłużej niż zwykle, a gdy obudziłam się w pustym domu, pomyślałam od razu: Nie ma Bryce'a.

Szczerze mówiąc, trochę popsuło mi to humor. Wciąż w piżamie, zjadłam tosty, przez chwilę stałam na werandzie, snułam się trochę po domu, posłuchałam muzyki, po czym wróciłam do łóżka. Nie mogłam jednak zasnąć, byłam bardziej znudzona niż zmęczona. Przez chwilę przewracałam się z boku na bok, aż w końcu wstałam i ubrałam się, myśląc: Co teraz?

Mogłabym pouczyć się do egzaminów końcowych albo zacząć pisać prace na kolejny semestr, ale nie byłam w nastroju, więc chwyciłam kurtkę, aparat i światłomierz i wrzuciłam wszystko do koszyka na rowerze. Ponieważ sama właściwie nie wiedziałam, dokąd się wybieram, przez chwilę jeździłam po okolicy; od czasu do czasu zatrzymywałam się, żeby sfotografować to, co już wcześniej uwieczniłam na filmie – ulice, budynki gospodarcze i domy. Jednak za każdym razem, zanim zrobiłam zdjęcie, odsuwałam aparat od oka. Podświadomie wiedziałam, że żadna z tych rzeczy nie jest na tyle wyjątkowa, by tracić na nią kliszę.

Mniej więcej wtedy wyczułam, że atmosfera w miasteczku uległa zmianie. Ocracoke nie było już widmową, senną mieściną – nagle zapanowało tu dziwne ożywienie. Praktycznie na każdej ulicy słyszałam dźwięki wiertarek i młotków, a gdy przejeżdżałam obok sklepu spożywczego, zauważyłam, że parking jest pełen, a samochody stoją nawet przy ulicy. Mijały mnie ciężarówki załadowane drewnem, a na dachu sklepiku, w którym sprzedawano koszulki i latawce, zobaczyłam mężczyznę przybijającego brezentową płachtę. Cumujące w przystani łodzie były przywiązane dziesiątkami lin, inne stały na kotwicy. Gdziekolwiek spojrzałam, ludzie przygotowywali się na nadciągający cyklon i nagle uświadomiłam sobie, że oto mam okazję zrobić serię zdjęć tematycznych, coś, co mogłabym nazwać „Ludzie przed burzą".

Obawiam się, że trochę mnie poniosło, chociaż miałam tylko film dwunastoklatkowy. Ponieważ w ludziach dookoła nie było wesołości – widziałam jedynie ponurą determinację – starałam się nie rzucać w oczy, przez cały czas mając w pamięci, czego uczyli mnie Bryce i jego mama. Na szczęście było jasno, choć niebo zasnuły gęste szarawoczarne chmury, więc dokonawszy pomiaru natężenia światła, spojrzałam przez wizjer, szukając właściwej perspektywy i ujęcia. Przypomniałam sobie fotografie, które oglądałam z Bryce'em, wstrzymałam oddech i starając się nie poruszyć aparatem, wcisnęłam spust migawki. Wiedziałam, że nie wszystkie zdjęcia będą dobre, ale miałam nadzieję, że chociaż jedno albo dwa naprawdę się udadzą.

Zwłaszcza że pierwszy raz fotografowałam ludzi podczas ich codziennych zajęć... rybaka, który krzywiąc się, cumował łódź; kobietę z dzieckiem na ręku, idącą pod wiatr; chudego, pomarszczonego mężczyznę, palącego papierosa przed sklepem, którego okna były już zabite deskami.

Pracowałam przez całe przedpołudnie i dopiero gdy pogoda zaczęła się pogarszać, wpadłam do sklepu na kanapkę. Kiedy szłam już do domu, miałam jedną wolną klatkę. Ciotka Linda wróciła wcześniej, samochód stał na podjeździe, ale jej nie widziałam. Niemal równo ze mną pod dom podjechał Bryce. Pomachał mi na powitanie, a ja poczułam, że serce bije mi mocniej. Na siedzeniu pasażera siedział jego ojciec, a na platformie pick-upa dostrzegłam Richarda i Roberta. Wyjęłam aparat z koszyka. Bryce wysiadł z samochodu i ruszył w moją stronę. Koszulka i spłowiałe dżinsy, które miał na sobie, podkreślały jego szerokie ramiona i wąskie biodra, podobnie jak skórzany pas na narzędzia, z wiszącą na nim bezprzewodową wiertarką i skórzanymi rękawiczkami. Posłał mi ten swój szczery uśmiech.

– Jak ci poszło? – zapytał. – Zrobiłaś jakieś ciekawe zdjęcia?

Opowiedziałam mu o „Ludziach przed burzą".

– Mam nadzieję – dodałam – że ty albo twoja mama będziecie mogli niedługo je wywołać.

– Mama na pewno chętnie się tym zajmie. Ciemnia to jej ulubione pomieszczenie w domu, jedyne, w którym naprawdę może być sobą. Nie mogę się doczekać, kiedy je zobaczę.

Za jego plecami pan Trickett zdejmował z platformy drabinę.

– A co u ciebie? – rzuciłam.

– Bez przerwy pracujemy. Mamy do obskoczenia jeszcze kilka miejsc. W następnej kolejności jedziemy do sklepu twojej ciotki.

Smugi brudu, które dostrzegłam z bliska na jego koszulce, nie zmieniały faktu, że wyglądał świetnie.

– Nie jest ci zimno? – spytałam. – Przydałaby ci się kurtka.

– Nie miałem czasu, żeby o tym pomyśleć – odparł i ku mojemu zdziwieniu dodał: – Tęskniłem dziś za tobą.

Wbił wzrok w ziemię, po czym znów spojrzał mi w oczy i przez krótką chwilę miałam wrażenie, że chce mnie pocałować. Zaskoczyło mnie to. Bryce najwyraźniej musiał to zauważyć, bo szybko wskazał kciukiem za siebie, znów stając się Bryce'em, jakiego znałam.

– Powinienem już iść, żebyśmy skończyli przed zmrokiem.

– Nie będę cię zatrzymywać – powiedziałam, czując, że w gardle mam sucho.

Zrobiłam krok do tyłu, zadając sobie pytanie, czy rzeczywiście Bryce zachowuje się jakoś inaczej, czy może tylko mi się zdaje. Odwrócił się, podszedł do ojca i obaj ruszyli w kierunku szopy przy domu.

Tymczasem Richard i Robert taszczyli drabinę w stronę werandy. Odsunęłam się odruchowo, podświadomie zastanawiając się, jak najlepiej wykorzystać ostatnie zdjęcie, które mi zostało. Uznałam, że znalazłam odpowiednią perspektywę, ustawiłam przesłonę i sprawdziłam światło, by mieć pewność, że wszystko jest jak należy.

Bryce i jego ojciec zniknęli w szopie, ale kilka sekund później Bryce wyszedł, trzymając płytę ze sklejki. Oparł ją o ścianę i wrócił po kolejną. Kilka minut później pod ścianą piętrzył się już spory stos. Bryce i jeden z bliźniaków zanieśli płytę do drzwi wejściowych, podczas gdy ich ojciec i drugi bliźniak zrobili to samo z następną. Ciotka Linda otworzyła im drzwi i wszyscy czterej weszli do domu, a kilka sekund później znów pojawili się na werandzie. Podniosłam aparat do oka, gdy przystawiali płytę do szklanych przesuwnych drzwi, ale nie zrobiłam zdjęcia, bo wszyscy stali odwróceni do mnie plecami. Bryce wkręcał śruby, jedną po drugiej. Chwilę później zamontowali następną płytę i wszyscy czterej odstawili drabinę. Znowu opuściłam aparat.

Dwie kolejne płyty zasłoniły frontowe okno, lecz tym razem nie miałam dobrej perspektywy. Czekałam ze zrobieniem zdjęcia do czasu, aż drabina zostanie przeniesiona pod okno sypialni ciotki Lindy.

Bryce pierwszy wszedł na drabinę. Bliźniacy podali mniejszą płytę ojcu, a ten podał ją starszemu synowi. Ustawiłam ostrość i czekałam, a kiedy Bryce, trzymając oburącz płytę, odwrócił się w moją stronę, wcisnęłam spust migawki. Gdy zaraz potem znów obrócił się do mnie plecami, żeby zabezpieczyć okno, przyszło mi do głowy, że mogłam nie zdążyć.

Chwilę później okno było zasłonięte, a ja nie miałam wątpliwości, że nie pierwszy raz przygotowują się na nadejście wichury. Bliźniacy zanieśli drabinę z powrotem do samochodu, podczas gdy Bryce z ojcem wrócili do szopy. Gdy z niej wyszli, dźwigali coś ciężkiego, co przypominało niewielki silnik. Ustawili go tuż przy szopie, w miejscu osłoniętym od wiatru i deszczu. Gdy go uruchomili, rozległ się dźwięk przypominający kosiarkę do trawy.

– To generator! – zawołał Bryce, wiedząc, że nie mam pojęcia, co to takiego. – Raczej na pewno nie będzie prądu.

Wyłączyli generator, wlali do zbiornika benzynę z dużego kanistra, który wieźli na pace pick-upa, i Bryce przeciągnął do domu długi kabel. W zamyśleniu zaczęłam przewijać film – miałam nadzieję, że udało mi się zrobić Bryce'owi moje wymarzone zdjęcie.

Kiedy klisza z kliknięciem się zatrzymała, odwróciłam się w stronę wody, która była teraz morzem spienionych grzywaczy. Czy naprawdę chciał mnie pocałować? – zastanawiałam się, patrząc, jak schodzi z werandy. Jego ojciec i bracia czekali przy samochodzie i po tym, jak pomachaliśmy sobie na do widzenia, wszyscy czterej odjechali.

Już miałam wejść do domu, ale tknięta impulsem, wskoczyłam na rower. Wiedząc, że Bryce'a nie ma w domu, pojechałam tam i odetchnęłam z ulgą, gdy drzwi otworzyła mi jego mama.

– Maggie? – Spojrzała na mnie ze zdziwieniem. – Bryce'a nie ma. Pracuje dziś z tatą.

– Wiem, ale chciałam prosić panią o przysługę. Rozumiem, że jest pani zajęta zabezpieczaniem domu przed cyklonem, ale pomyślałam, że może znalazłaby pani czas, by wywołać dla mnie te zdjęcia. – Wyjaśniłam, co łączy je wszystkie, i widziałam, że przygląda mi się z uwagą.

– Zrobiłaś też zdjęcie Bryce'owi?

– Nie jestem pewna. Ale mam taką nadzieję – odparłam. – To ostatnie zdjęcie.

Przechyliła głowę, jak gdyby wyczuwała, jakie to dla mnie ważne, i wzięła rolkę kliszy.

– Zobaczę, co da się zrobić.

*

Dom ciotki przypominał ciemną jaskinię i nic dziwnego, bo przez zabite okna nie wpadało do środka żadne światło. W kuchni lodówka została odsunięta od ściany, żeby w razie potrzeby można ją było bez trudu podłączyć do generatora. Nigdzie nie widziałam ciotki Lindy, więc usiadłam na kanapie i wróciłam myślami do chwili, kiedy wydało mi się, że Bryce chce mnie pocałować.

Chcąc zająć czymś głowę, sięgnęłam po podręcznik i przez kolejne półtorej godziny uczyłam się i odrabiałam pracę domową. W końcu ciotka wyszła z pokoju i zaczęła przygotowywać kolację. Kroiłam pomidory na sałatkę, gdy usłyszałam charakterystyczny warkot silnika i chrzęst opon na żwirze przed domem. Ciotka Linda uniosła brwi, pewnie zastanawiając się, czy zaprosiłam Bryce'a na kolację.

– Nic nie mówił, że wpadnie – wyjaśniłam, wzruszając ramionami.

– Będziesz tak miła i sprawdzisz, kto to? Mam kurczaka w garnku.

Podeszłam do drzwi i rozpoznałam vana państwa Trickettów. Za kierownicą siedziała mama Bryce'a. Niebo pociem-
niało, a porywy wiatru były tak silne, że musiałam trzymać się
balustrady. Kiedy zbliżyłam się do samochodu, mama Bryce'a
opuściła szybę i podała mi szarą kopertę.

— Miałam wrażenie, że to dla ciebie pilne, więc wywołałam
je zaraz po tym, jak odjechałaś. Zrobiłaś cudowne zdjęcia. Udało ci się uchwycić prawdziwe emocje. Najbardziej podoba mi
się to, na którym mężczyzna pali papierosa przed sklepem.

— Przepraszam, nie chciałam pani poganiać — powiedziałam, usiłując przekrzyczeć wiatr. – Nie trzeba było się spieszyć.

— Wolałam je wywołać, zanim wyłączą prąd – odparła. –
Pewnie nie możesz się doczekać, żeby je zobaczyć. Pamiętam,
jak sama czekałam na swoją pierwszą rolkę.

Z trudem przełknęłam ślinę.

— Czy zdjęcie Bryce'a wyszło?

— To moje ulubione — powiedziała. – No, ale jako matka
jestem nieobiektywna.

— Wrócili już?

— Myślę, że powinni być w domu lada chwila. Ja też będę
jechać.

— Dziękuję jeszcze raz, że wywołała je pani tak szybko.

— To dla mnie czysta przyjemność. Gdybym mogła, całymi
dniami przesiadywałabym w ciemni.

Patrzyłam, jak wycofuje vana, pomachałam jej, gdy odjeż-
dżała, i pospiesznie wróciłam do domu. W pokoju gościnnym
włączyłam lampę i zaczęłam przeglądać zdjęcia.

Tak jak podejrzewałam, tylko parę wyszło naprawdę dobrze. Większość raczej się udała, choć daleko im było do perfekcji. Brakowało im ostrości albo ustawienia nie były idealne. Kadry też mogłyby być lepsze, ale mama Bryce'a miała rację: zdjęcie palacza rzeczywiście robiło wrażenie. Jednak to na widok zdjęcia Bryce'a aż mi zaparło dech.

Ostrość była idealna, a światło przydawało mu dramatyzmu. Uchwyciłam Bryce'a w chwili, gdy górną połowę ciała odwrócił w moją stronę. Jego ramiona zdawały się wyrzeźbione w kamieniu, na twarzy malowało się skupienie. Wyglądał jak Bryce, którego znałam – swobodny i pełen naturalnego wdzięku. Delikatnie wodziłam palcem po jego sylwetce.

Nagle przyszło mi do głowy, że Bryce, zupełnie jak ciotka, pojawił się w moim życiu w okresie, kiedy najbardziej go potrzebowałam. Co więcej, szybko stał się moim najbliższym przyjacielem i wcale nie odczytałam źle jego zamiaru. Gdybyśmy byli sami, mógłby spróbować mnie pocałować, nawet jeśli oboje wiedzieliśmy, że to ostatnie, czego chcę i potrzebuję. On również, tak jak ja, musiał mieć świadomość, że nasz związek nie ma przyszłości. Za kilka miesięcy wyjadę z Ocracoke i znowu stanę się kimś nowym, kimś, kogo jeszcze nie znałam. Nasz związek był skazany na niepowodzenie i chociaż doskonale to rozumiałam, w głębi serca, podobnie jak Bryce, pragnęłam, by wydarzyło się między nami coś więcej.

*

Podczas kolacji moje myśli wirowały jak ubrania w suszarce i nie przestały, nawet kiedy nadciągnęła wichura. Wiatr zawodził i z każdą godziną na zewnątrz robiło się coraz ciemniej. Strugi deszczu chłostały dom, który trząsł się i skrzypiał. Ciotka i ja siedziałyśmy w salonie; żadna nie chciała być sama. I kiedy zdawało mi się, że nie może być już gorzej, kolejny podmuch wiatru zatrząsł domem, a krople deszczu zaczęły tłuc o dach z taką siłą, że brzmiało to jak wybuchające petardy. Niebawem, zgodnie z przewidywaniami, wysiadł prąd i pokój pogrążył się w ciemności. Opatuliłyśmy się, wiedząc, że musimy wyjść i uruchomić generator. Gdy ciotka Linda nacisnęła klamkę, wiatr niemal wyrwał drzwi z zawiasów. Deszcz siekł mnie w twarz, kiedy schodziłyśmy z werandy. Obie trzymałyśmy się kurczowo balustrady, w obawie że silniejszy podmuch przewróci nas na ziemię.

Chwiejnym krokiem szłam pod wiatr, ale na dole przynajmniej tak nie padało. Patrzyłam, jak ciotka próbuje uruchomić generator. Zastąpiłam ją i przy trzeciej próbie urządzenie zaskoczyło. Po powrocie do domu ciotka zapaliła kilka świec i podłączyła lodówkę. Pełgające płomienie prawie nie rozpraszały mroku.

Było już po północy, kiedy w końcu zasnęłam na kanapie. Burza szalała przez całą noc, aż do świtu. Wciąż jeszcze wiało, ale ulewa przeszła w mżawkę, która ustała późnym rankiem. Dopiero wtedy wyszłyśmy na zewnątrz, żeby oszacować straty.

Drzewo na posiadłości sąsiadów zostało wyrwane z korzeniami i wszędzie walały się połamane gałęzie, a wiatr pozrywał z dachu część dachówek. Na drodze stało prawie pół metra wody; wichura zniszczyła pobliską przystań, ciskając deski pod sam dom. Powietrze było lodowate, a podmuchy wiatru miały w sobie arktyczny chłód.

O jedenastej przyjechali Bryce i jego ojciec. Do tego czasu wiatr ucichł już niemal całkowicie. Ciotka Linda wyniosła torbę bułeczek, a ja ruszyłam w stronę Bryce'a. Próbowałam przekonać samą siebie, że to, co poczułam wczoraj, było jak wspomnienie snu po przebudzeniu. Nierzeczywiste. Niczym iskra, która zapłonęła tylko po to, by chwilę później zgasnąć. Ale kiedy zobaczyłam, jak Bryce sięga po leżącą na platformie drabinę, przypomniałam sobie, jak zatrzymał się przede mną i jak na mnie spojrzał – i wiedziałam, że okłamuję samą siebie.

Powitał mnie tym swoim szczerym uśmiechem, jak zawsze. Znów miał na sobie tę seksowną oliwkową kurtkę, a do tego bejsbolówkę, dżinsy i pas z narzędziami. Miałam wrażenie, że unoszę się nad ziemią, ale siliłam się na swobodę, jakby to był kolejny zwykły dzień.

– I jak tam burza? – spytał.

– Wczoraj wieczorem to było istne szaleństwo. – Zdawało mi się, że moje słowa dobiegają z jakiegoś innego miejsca. – Jak wygląda reszta miasteczka?

Postawił drabinę na ziemi.

– Mnóstwo poprzewracanych drzew i nigdzie nie ma prądu. Liczymy, że służby dotrą do nas po południu, ale kto to wie? Woda zalała jeden z moteli i kilka sklepów, a połowa budynków w centrum ma uszkodzone dachy. Wiatr był tak silny, że jedna z łodzi zerwała się z cum i woda zmyła ją na drogę niedaleko hotelu.

Ponieważ zachowywał się tak jak zawsze, ja również się odprężyłam.

– Czy sklep mojej ciotki ucierpiał?

– Raczej nie – odparł. – Zdjęliśmy płyty, ale nie byliśmy w stanie sprawdzić, czy woda nie wdarła się do środka.

– A wasz dom?

– Kilka połamanych gałęzi na podwórku. U Gwen i moich dziadków też wszystko dobrze. Ale jeśli zamierzasz robić dziś jakieś zdjęcia, uważaj na zerwane linie energetyczne. Zwłaszcza w miejscach, gdzie stoi woda. Mogą zabić.

Do głowy mi to nie przyszło i na myśl o tym, że mógłby porazić mnie prąd, przeszył mnie dreszcz.

– Posiedzę z ciocią i może pouczę się trochę. Ale chciałabym jednak zobaczyć zniszczenia po burzy i jeśli się da, zrobić kilka zdjęć.

– To może wpadnę po ciebie później i pojeździmy po okolicy? Wezmę kilka klisz.

– Będziesz miał czas?

– Zdejmowanie płyt idzie szybciej niż ich zakładanie, a mój dziadek zajął się już łodzią.

Wziął drabinę i ruszył z nią w stronę werandy. Chwilę później razem z ojcem zdemontowali płyty i wypełnili otwory po śrubach uszczelniaczem. Podczas gdy oni pracowali, ciotka i ja zaczęłyśmy sprzątać podwórko; gałęzie i nawiane przez wiatr śmieci składałyśmy przy drodze. Wciąż pracowałyśmy, gdy Bryce i jego ojciec wyjechali z podjazdu.

Po uprzątnięciu podwórka ciotka Linda i ja weszłyśmy do domu, mrużąc oczy w świetle, które wlewało się przez okna. Ciotka od razu udała się do kuchni i zaczęła robić kanapki z masłem orzechowym i galaretką winogronową.

– Bryce mówił, że w sklepie wszystko w porządku – powiedziałam.

– Jego tata mówił to samo, ale wolę tam zajrzeć i sama się upewnić.

– Zapomniałam spytać, ale czy w sklepie jest generator?

Pokiwała głową.

– Uruchamia się automatycznie, kiedy nie ma prądu. A przynajmniej powinien. To kolejna rzecz, którą muszę sprawdzić. Jutro ludzie będą chcieli bułeczek, zwłaszcza że sami nie mogą nic ugotować, dopóki nie włączą nam prądu. Będziemy z Gwen miały prawdziwe urwanie głowy.

Zastanawiałam się, czy nie zaproponować, że im pomogę, ale ponieważ ja i Bryce wciąż jeszcze nie nauczyliśmy się piec bułeczek, uznałam, że tylko bym spowalniała pracę.

– Bryce wpadnie później – powiedziałam. – Pojedziemy zobaczyć, jakie szkody wyrządził cyklon.

Ułożyła kanapki na talerzu i postawiła go na stole.

– Uważajcie na zerwane linie.

Najwyraźniej wszyscy oprócz mnie wiedzieli o tym potencjalnym zagrożeniu.

– Dobrze.

– Na pewno miło spędzisz z nim czas.

– Myślę, że będziemy robić zdjęcia.

Musiała zauważyć ten mój unik, ale nie naciskała. Uśmiechnęła się tylko.

– No to kiedyś zostaniesz prawdopodobnie świetną fotografką.

*

Po lunchu uczyłam się, a przynajmniej próbowałam się uczyć. Wciąż jednak rozpraszał mnie widok brązowej koperty, która aż się prosiła, żebym do niej zajrzała i znów popatrzyła na zdjęcie Bryce'a.

Do jego przyjazdu zostało jeszcze kilka godzin. Gdy tylko usłyszałam warkot silnika pracującego na jałowym biegu, chwyciłam aparat i zbiegłam z werandy, uśmiechając się na widok Daisy siedzącej na pace. Kiedy podeszłam, zaskomlała i machnęła ogonem, więc zatrzymałam się, żeby ją pogłaskać. Tymczasem Bryce wysiadł z samochodu i otworzył mi drzwi, a mnie aż serce podskoczyło z radości. Podał mi rękę, żeby pomóc mi wsiąść – najwidoczniej niedawno brał prysznic, bo z włosów skapywały mu jeszcze kropelki wody – po czym zamknął drzwi, a głos w mojej głowie nakazał mi wziąć się w garść.

Jechaliśmy przez miasteczko, rozmawiając i zatrzymując się od czasu do czasu, żeby zrobić zdjęcia. Niedaleko hotelu, gdzie na środku drogi leżała przewrócona łódź, spędziłam mnóstwo czasu, szukając idealnego ujęcia. W końcu podałam aparat Bryce'owi, żeby spróbował, a gdy szedł, obserwowałam jego pełne gracji płynne ruchy. Wiedziałam, że przygotowuje się do West Point, ale miał w sobie naturalny wdzięk i koordynację, które sprawiały, że byłby dobry w każdym sporcie. Zresztą nie powinno mnie to dziwić. Z tego, co wiedziałam, był dobry we wszystkim. Idealny syn i starszy brat, mądry i wysportowany, przystojny i empatyczny. A przede wszystkim miał w sobie swobodę. Nawet zachowywał się inaczej niż wszyscy, których znałam, zwłaszcza chłopaki z mojej szkoły. Wielu z nich było miłych, kiedy rozmawiałam z nimi sam na sam, ale w towarzystwie kumpli popisywali się i gadali takie głupoty, że zastanawiałam się, kim są tak naprawdę.

Skoro jednak Madison i Jodie podobały się te ich szczeniackie umizgi – a wiedziałam, że tak jest – ciekawe, co pomyślałyby o Brysie. Byłam pewna, że od razu zauważyłyby, jaki jest przystojny, ale czy zaimponowałaby im jego inteligencja, cierpliwość i zainteresowanie fotografią? Albo to, że szkolił psa przewodnika, który miał pomagać osobie na wózku? Albo że był nastolatkiem, który przed wichurą pomagał ojcu zabijać okna deskami w domach takich ludzi jak ciotka Linda czy Gwen?

Coś czułam, że dla Madison i Jodie liczyłoby się tylko to, jak Bryce wygląda, a cała reszta stanowiłaby wyłącznie średnio ciekawy dodatek. Zresztą to, co wydarzyło się między mną a J., świadczyło o tym, że byłam taka jak one, zanim przyjechałam do Ocracoke i poznałam chłopaka, który dał mi powód, żebym zmieniła zdanie.

Tylko dlaczego tak się stało? Kiedyś uważałam, że jestem dojrzała jak na swój wiek, ale dorosłość wydawała się mirażem i pomyślałam, czy poniekąd nie wiąże się to ze szkołą. Patrząc z perspektywy czasu, miałam wrażenie, że robiłam wszystko, żeby ludzie mnie lubili, choć sama nie dbałam o to, czy ja ich lubię. Bryce nie chodził do szkoły i nie musiał się mierzyć z tą idiotyczną presją, więc może dla niego nigdy nie był to problem. Mógł być sobą i świadomość tego sprawiła, że zaczęłam się zastanawiać, kim bym była, gdybym tak rozpaczliwie nie próbowała upodobnić się do przyjaciółek.

Przytłoczyło mnie to i pokręciłam głową, próbując odegnać od siebie te myśli. Bryce wszedł na kubeł do śmieci, żeby mieć lepszy widok na przewróconą łódź. Daisy, która chodziła za nim krok w krok, patrzyła na niego, aż w końcu przypomniała sobie o mnie. Podreptała w moją stronę, machając ogonem, i zwinęła się w kłębek u moich stóp. Jej brązowe oczy były tak poczciwe, że pochyliłam się, ujęłam w dłonie jej pysk i pocałowałam ją w nos. W tym samym momencie usłyszałam trzask spustu migawki. Kiedy podniosłam wzrok, Bryce, który wciąż stał na kuble, spojrzał na mnie zmieszany i opuścił aparat.

– Przepraszam! – zawołał. Zeskoczył z gracją gimnastyka i ruszył w moją stronę. – Wiem, że powinienem był zapytać, ale nie mogłem się powstrzymać.

Chociaż nie lubiłam, kiedy robiono mi zdjęcia, zbagatelizowałam sprawę.

– W porządku. Ja zrobiłam tobie wczoraj.

– Wiem – rzucił. – Widziałem.

– Tak?

Wzruszył ramionami.

– Co teraz? Jest coś, co chciałabyś zobaczyć albo zrobić?

Milion myśli przebiegło mi przez głowę.

– Może posiedzimy trochę u mojej ciotki?

*

Ciotka Linda pojechała do sklepu, zostawiając nas samych. Usiedliśmy na sofie. Ja w jednym końcu, z kolanami podciągniętymi pod brodę, a Bryce w drugim. Przeglądał zdjęcia, które zrobiłam dzień wcześniej, i komplementował mnie, nawet jeśli ewidentnie coś było nie tak. Na chwilę przed tym, zanim zobaczył swoje zdjęcie, poczułam w brzuchu coś dziwnego, jakby gdzieś w środku mnie motyl zatrzepotał skrzydełkami. Odruchowo położyłam dłonie na brzuchu, ale poza tym się nie poruszyłam. Bryce chyba o coś zapytał, byłam jednak tak skupiona, że umknęły mi jego słowa.

– Co się stało? Wszystko w porządku?

Zdumiona tym, co właśnie poczułam, nie odpowiedziałam. Zamknęłam oczy. Chwilę później znów poczułam to samo, coś jak zmarszczki rozchodzące się po powierzchni wody. Chociaż nigdy wcześniej nie doświadczyłam niczego podobnego, wiedziałam, co to jest.

– Dziecko się poruszyło.

Odczekałam chwilę, ale nic już się nie wydarzyło, więc usiadłam nieco wygodniej. Z książki, którą dała mi mama, wiedziałam, że w niedalekiej przyszłości to delikatne łaskotanie przerodzi się w kopanie, a mój brzuch będzie falował jak w tej przerażającej scenie z *Obcego*. Bryce milczał, ale nieco pobladł, co trochę mnie rozbawiło, bo zwykle był niewzruszony.

– Wyglądasz, jakbyś zobaczył ducha – zażartowałam.

Mój głos wyrwał go z zamyślenia.

– Przepraszam – bąknął. – Wiem, że jesteś w ciąży, ale na co dzień w ogóle o tym nie myślę. Nawet nie przytyłaś.

Nagrodziłam jego kłamstwo uśmiechem wdzięczności. Przytyłam sześć kilogramów.

– Myślę, że twoja mama wie, że jestem w ciąży.

– Ja nic jej nie mówiłem…

– Nie musiałeś. Mamy wiedzą takie rzeczy.

Uświadomiłam sobie, że rozmawiamy o mojej ciąży pierwszy raz od dnia, kiedy ubieraliśmy choinkę. Widziałam, że jest ciekawy, ale nie wie, jak to wyrazić.

– W porządku, możesz mnie pytać – powiedziałam. – Nie mam nic przeciwko temu.

Odłożył zdjęcia na stolik i popatrzył na mnie z namysłem.

– Wiem, że właśnie poczułaś, że dziecko się poruszyło, ale jak to jest być w ciąży? Czujesz się jakoś inaczej?

– Przez długi czas miałam poranne mdłości, więc tak, wtedy zdecydowanie czułam się inaczej, ale teraz różnice są niewielkie. Jestem bardziej wyczulona na zapachy i czasami koniecznie muszę się zdrzemnąć. No i dużo sikam, chociaż o tym już wiesz. Poza tym nie zauważyłam niczego szczególnego. Ale to się pewnie zmieni, kiedy brzuch urośnie mi jeszcze większy.

– Na kiedy masz termin?

– Dziewiątego maja.

– Dokładnie tego dnia?

– Tak mówi lekarz. Ciąża trwa dwieście osiemdziesiąt dni.

– Nie wiedziałem.

– Skąd miałbyś wiedzieć?

Roześmiał się, ale zaraz znowu spoważniał.

– Przeraża cię to? Myśl, że oddasz dziecko do adopcji?

Zastanawiałam się przez chwilę.

– Tak i nie. To znaczy... mam nadzieję, że trafi do cudownych ludzi, ale nigdy nic nie wiadomo. Tego się boję, kiedy o tym myślę. Z drugiej strony, wiem, że nie jestem gotowa, żeby być mamą. Wciąż się uczę i nie miałabym jej za co utrzymać. Nawet nie umiem jeździć samochodem.

– Nie masz prawa jazdy?

– W listopadzie miałam zacząć naukę, ale przyjazd tutaj wszystko skomplikował.

– Mogę cię nauczyć. Oczywiście jeśli moi rodzice się zgodzą. No i twoja ciotka.

– Naprawdę?

– Czemu nie? W drugim końcu wyspy prawie nie ma ruchu na drogach. To tam tata mnie uczył.

– Dzięki.

– Mogę zapytać cię o coś jeszcze?

– Jasne.

– Nadasz dziecku imię?

– Raczej nie. Kiedy poszłam do lekarza, jedyne, o co zapytał, to czy po porodzie będę chciała je potrzymać.

– I co odpowiedziałaś?

– Nic, ale sądzę, że nie. Boję się, że jeśli to zrobię, trudniej mi będzie ją oddać.

– Zastanawiałaś się nad imieniem? To znaczy... gdybyś mogła je wybrać?

– Zawsze podobało mi się imię Chloe. Albo Sofia.

– Są piękne. Może powinni pozwolić ci wybrać imię.

Spodobał mi się ten pomysł.

– Muszę przyznać, że wcale nie spieszy mi się do porodu. Przy pierwszym dziecku może trwać nawet dłużej niż dzień. I nie wyobrażam sobie, że całe dziecko...

Nie dokończyłam, ale nie było to konieczne. Kiedy zamrugał, wiedziałam, że zrozumiał.

– Jeśli to cię pocieszy, moja mama nigdy nie wspominała o tym, jak trudny był poród. Za to do tej pory wypomina nam, że nie dawaliśmy jej spać i że dlatego wciąż próbuje odespać te wszystkie zarwane noce.

– No tak. Ja lubię sobie pospać.

Złączył dłonie i zobaczyłam, jak mięśnie jego przedramion się napięły.

– Jak wyjedziesz w maju, wrócisz od razu do szkoły?

– Nie wiem – odparłam. – Pewnie wszystko zależy od tego, czy zdążę nadrobić materiał, czy nawet go wyprzedzę. Może będę musiała przyjść tylko na egzaminy, a może będę mogła napisać je w domu. Moi rodzice na pewno będą wiedzieli. – Przeczesałam palcami włosy. – Pod koniec miesiąca mają mnie odwiedzić.

– Pewnie cieszysz się, że ich zobaczysz.

– Tak – potwierdziłam, choć, szczerze mówiąc, miałam mieszane uczucia; w przeciwieństwie do ciotki, bywali trudni.

– Masz jakieś dziwne zachcianki?

– Uwielbiam strogonowa, którego robi ciocia. Jest najlepszy. A teraz mam ochotę na kanapkę z grillowanym serem, ale nie wiem, czy to się liczy jako zachcianka.

– Mam ci zrobić?

– To miłe, ale dziękuję. Ciocia niedługo będzie szykowała obiad.

Rozejrzał się po pokoju, jakby szukał, o co jeszcze mógłby zapytać.

– Jak idzie ci nauka?

– Tylko nie to. Nie psuj rozmowy – jęknęłam. – Nie chcę myśleć teraz o szkole.

– Dobra, przyznaję, że fajnie jest skończyć liceum.

– Kiedy wyjeżdżasz do West Point?

– W lipcu.

– Cieszysz się?

– Na pewno będzie inaczej – powiedział. – To nie to samo co nauka w domu. Tam wszystko ma swoje struktury i liczę, że się w nich odnajdę. Chcę tylko, żeby rodzice byli ze mnie dumni.

Zabrzmiało to tak absurdalnie, że mało nie parsknęłam śmiechem. Jacy rodzice nie byliby dumni z takiego dziecka? Dopiero po chwili dotarło do mnie, że mówi poważnie.

– Oni są z ciebie dumni.

Sięgnął po aparat, wziął go, po czym zaraz z powrotem odłożył.

– Pamiętam, jak mówiłaś, że twoja siostra, Morgan, jest chodzącym ideałem, ale wierz mi, że niełatwo jest mieć takich braci jak Richard i Robert. – Mówił tak cicho, że musiałam bardzo się starać, by go słyszeć. – Wiesz, że we wrześniu podchodzili do egzaminu SAT*? Mają dopiero po dwanaście lat, a obaj uzyskali niemal komplet punktów. Jeden tysiąc pięćset siedemdziesiąt, a drugi tysiąc pięćset osiemdziesiąt. To dużo więcej, niż zdobyłem ja. Nie wiadomo nawet, czy Richard będzie musiał iść do college'u. Mógłby od razu zacząć karierę w programowaniu. Słyszałaś o internecie, prawda? Uwierz mi, to coś, co zmieni świat, a Richard już wyrabia sobie nazwisko w tej dziedzinie. Zarabia więcej niż mój dziadek i pracuje jako wolny strzelec. W moim wieku będzie już pewnie milionerem. Robert zresztą też. Myślę, że trochę zazdrości mu pieniędzy, więc przez ostatnie kilka miesięcy programował razem z Richardem, a jednocześnie konstruował swój samolot. Dla niego jedno i drugie jest śmiesznie łatwe. Jak mogę rywalizować z takimi braćmi?

Kiedy umilkł, nie wiedziałam, co powiedzieć. Jego brak pewności siebie nie miał najmniejszego sensu... no, chyba że pochodziło się z takiej rodziny.

– Nie wiedziałam – odparłam.

– Nie zrozum mnie źle. Jestem dumny z tego, że są tacy mądrzy, ale przez to czuję, że ja również powinienem zrobić coś

---

* Egzamin, którego wyniki decydują o przyjęciu na studia.

wyjątkowego. A West Point będzie wyzwaniem, chociaż nie łudzę się, że powtórzę sukces ojca.

– Jaki sukces?

– Każdy absolwent West Point otrzymuje ocenę końcową. Decydują o niej osiągnięcia w nauce oraz takie czynniki, jak charakter, zdolności przywódcze, honor i tym podobne. Mój tata osiągnął czwarty najlepszy wynik w historii West Point, zaraz za Douglasem MacArthurem.

Nigdy nie słyszałam o Douglasie MacArthurze, ale sądząc po tym, jak Bryce wymówił to nazwisko, domyśliłam się, że był kimś niezwykle ważnym.

– No i jest jeszcze mama, która w wieku szesnastu lat rozpoczęła studia na MIT…

Im dłużej o tym myślałam, tym lepiej zaczynałam rozumieć jego brak pewności siebie, nawet jeśli standardy w jego rodzinie wydawały mi się kosmiczne.

– Jestem pewna, że ukończysz West Point w stopniu generała.

– To niemożliwe. – Roześmiał się. – Ale dzięki, że we mnie wierzysz.

Usłyszałam samochód ciotki, wjeżdżający na zryty koleinami podjazd, i głośny pisk silnika przy hamowaniu.

Bryce również musiał to usłyszeć.

– To pasek klinowy. Pewnie trzeba go naciągnąć. Mogę się tym zająć.

Słyszałam, jak ciotka wchodzi na werandę, i po chwili otworzyła drzwi. Spojrzała na nas i chociaż nic nie powiedziała, byłam

pewna, że ucieszyła się, widząc, że siedzimy na przeciwnych koń-
cach kanapy.

– Cześć – rzuciła.

– Jak poszło? – spytałam.

– Nic nie przecieka, a generator chodzi jak należy – odparła, zdejmując kurtkę.

– To dobrze. Bryce mówi, że może naprawić twój samochód.

– A co jest nie tak z moim samochodem?

– Trzeba naciągnąć pasek klinowy.

Wydawała się zaskoczona, że powiedziałam to ja, a nie
Bryce. Kiedy na niego zerknęłam, widziałam, że wciąż myśli
o tym, co mówił mi przed chwilą.

– Czy Bryce może zostać na obiedzie? – spytałam.

– Ależ oczywiście. Tylko uprzedzam, że to nie będzie nic
wymyślnego.

– Grillowane kanapki z serem?

– Masz na nie ochotę? Może jeszcze zupa?

– Cudownie.

– Mnie też pasuje. Za godzinkę?

Mój apetyt eksplodował jak popcorn w mikrofalówce.

– Nie mogę się doczekać.

*

Po obiedzie odprowadziłam Bryce'a do drzwi. Stojąc już na
werandzie, odwrócił się w moją stronę.

– Zobaczymy się jutro? – spytałam.

– Będę u ciebie o dziewiątej. Dzięki za obiad.

– Podziękuj ciotce Lindzie, nie mnie. Ja tylko zmywam naczynia.

– Już jej podziękowałem. – Wsunął rękę do kieszeni. – Fajnie się dziś rozmawiało – dodał. – Cieszę się, że mogłem cię lepiej poznać.

– Ja też się cieszę. Chociaż mnie okłamałeś.

– Niby kiedy cię okłamałem?

– Kiedy powiedziałeś, że nie wyglądam, jakbym była w ciąży.

– Bo nie wyglądasz. Ani trochę.

– Taaa, jasne… – Uśmiechnęłam się kpiąco. – Zobaczymy, co powiesz za miesiąc.

*

Przez kolejne półtora tygodnia przygotowywałam się do egzaminów, pisałam prace na następny semestr i fotografowałam. Gwen zbadała mnie i stwierdziła, że ja i dziecko mamy się dobrze. Sama zaczęłam płacić za klisze i papier fotograficzny. Mama Bryce'a zamawiała je hurtowo, więc było taniej. Bryce wahał się, czy wziąć ode mnie pieniądze, ale zużywałam tyle filmów, że musiał się zgodzić. Najważniejsze jednak, że z każdą kolejną rolką robiłam coraz większe postępy.

Bryce zwykle wywoływał moje zdjęcia nocą, kiedy ja odrabiałam dodatkowe zadania domowe. Następnego dnia rano przeglądaliśmy odbitki próbne i wspólnie decydowaliśmy, które zdjęcia wywołać. Pomagał mi też robić fiszki, kiedy ich potrzebowałam, odpytywał mnie i generalnie przygotowywał mnie do egzaminów końcowych. Nie powiem, żebym poradziła sobie wybitnie dobrze, ale zważywszy na to, jak wcześniej wyglądały moje oceny, mogłam być z siebie naprawdę dumna. Poza tym – i patrzeniem, jak Bryce naciąga pasek klinowy w samochodzie ciotki – czekałam już tylko na wspólną lekcję pieczenia bułeczek w sklepie.

Poszliśmy tam w sobotę, kilka dni przed przyjazdem moich rodziców. Ciotka kazała nam włożyć fartuchy i krok po kroku tłumaczyła, co mamy robić.

Jeśli chodzi o sekrety, tak naprawdę ograniczały się do tego, że należało użyć mąki samorosnącej firmy White Lily – tej i żadnej innej – i przesiać ją, bo dzięki temu bułeczki były bardziej puszyste. Dodać maślanki Crisco i odrobinę cukru pudru (tajny składnik), co niektórzy południowcy mogliby uznać za bluźnierstwo. Później trzeba już było tylko uważać, żeby nie przedobrzyć z zagniataniem ciasta. Aha, i nigdy, przenigdy, nie należało obracać foremek do wykrawania bułeczek, tylko wciskało się je w rozwałkowane ciasto. A świeże, jeszcze ciepłe wypieki smarowało się z obu stron roztopionym masłem.

Rzecz jasna, Bryce miał milion pytań i podszedł do lekcji znacznie poważniej niż ja. Kiedy skosztował swojego wypieku, zamruczał z rozkoszy, a gdy ciotka Linda powiedziała, że może zdradzić przepis mamie, wyglądał na oburzonego.

– Nie ma mowy. To był prezent dla mnie!

*

Po południu tego samego dnia Bryce w końcu pokazał mi zdjęcie, które zrobił mnie i Daisy, kiedy oglądaliśmy szkody, jakie poczyniła w miasteczku burza.

– Zrobiłem też jedną odbitkę dla ciebie – powiedział i podał mi fotografię. Siedzieliśmy w jego samochodzie, zaparkowanym nieopodal latarni morskiej. Cyknęłam właśnie kilka zdjęć zachodu słońca i zaczynało się ściemniać. – Prawdę mówiąc, mama pomagała mi je wywołać, ale sama zobacz.

Rozumiałam, dlaczego chciał zachować jedno zdjęcie dla siebie. Było naprawdę urocze, nawet jeśli tak się składało, że byłam na nim ja. Przyciął je tak, że przedstawiało nasze, moje i Daisy, profile dokładnie w chwili, gdy dotykałam ustami jej nosa. Ja miałam zamknięte oczy, a oczy Daisy wyrażały bezbrzeżne uwielbienie. Najważniejsze jednak, że na zdjęciu nie widać było mojej sylwetki, dzięki czemu łatwo mogłam sobie wyobrazić, że cała ta wpadka w ogóle się nie wydarzyła.

– Dziękuję – powiedziałam, nie odwracając wzroku od fotografii. – Chciałabym robić takie zdjęcia jak ty. Albo twoja mama.

– Radzisz sobie dużo lepiej niż ja, kiedy zaczynałem. A niektóre z twoich zdjęć są naprawdę świetne.

Może, pomyślałam. A może nie.

– Chciałam cię spytać, czy twoim zdaniem mogę przebywać w ciemni. No wiesz, w ciąży i tak dalej.

– Pytałem o to mamę – odparł. – Nie martw się, nie wspomniałem, że chodzi o ciebie. Powiedziała, że ona też pracowała w ciemni, kiedy była w ciąży. Jeśli tylko używasz gumowych rękawiczek i nie przesiadujesz tam codziennie, nic ci nie grozi.

– To dobrze. Uwielbiam patrzeć, jak zdjęcia wyłaniają się na papierze. W jednej chwili nie ma nic, a zaraz potem zaczynają pojawiać się obrazy.

– Doskonale cię rozumiem. Dla mnie to najważniejsza część procesu – dodał. – Ciekawe tylko, co się stanie, kiedy upowszechni się fotografia cyfrowa. Podejrzewam, że nikt już nie będzie wywoływał zdjęć.

– Co to jest fotografia cyfrowa?

– Zamiast na kliszy, obrazy są przechowywane na dysku w aparacie, który można podłączyć do komputera, tak że skaner jest niepotrzebny. Są nawet aparaty z małymi ekranami z tyłu, na których można od razu zobaczyć zdjęcia.

– Poważnie?

– Jestem pewien, że kiedyś tak będzie. Teraz takie aparaty są strasznie drogie, ale tak jak z komputerami, ich ceny wkrótce zaczną spadać. Myślę, że z czasem większość ludzi będzie chciała używać takiego sprzętu. Ja również.

– Trochę to smutne – powiedziałam. – Zabija cząstkę magii.

– To przyszłość – zauważył. – I nic nie trwa wiecznie.

Mimo woli zaczęłam się zastanawiać, czy miał na myśli także nas dwoje.

*

W miarę jak zbliżał się dzień wizyty moich rodziców, zaczynałam się denerwować. W środę mieli przylecieć do New Bern, a w czwartek przed południem przypłynąć promem do

Ocracoke. Nie zamierzali zostać długo – tylko do niedzieli po południu – i plan był taki, że wszyscy razem pójdziemy do kościoła, a po mszy pożegnamy się na przykościelnym parkingu.

W czwartek rano obudziłam się wcześniej niż zwykle, żeby wziąć prysznic i przygotować się, ale gdy przyszedł Bryce, nie mogłam skupić się na nauce. Nie żebym miała wyjątkowo dużo pracy; teraz, kiedy zdałam egzaminy semestralne, brnęłam przez materiał z drugiego semestru w tempie, które nawet Morgan uznałaby za imponujące. Bryce wyczuł moje zdenerwowanie i jestem pewna, że Daisy również je czuła. Co najmniej dwa razy w ciągu godziny podchodziła do mnie, szturchała nosem moją dłoń i skomlała gardłowo. Chociaż starała się mnie uspokoić, na widok ciotki, która przyjechała, by zawieźć mnie na przystań, nogi się pode mną ugięły.

– Będzie dobrze – zapewnił mnie Bryce, układając moje książki w równych stosikach na kuchennym stole.

– Mam nadzieję. – Byłam tak rozkojarzona, że nawet nie myślałam o tym, jaki jest przystojny i jak bardzo polegałam na nim w ostatnim czasie.

– Na pewno chcesz, żebym jutro przyszedł?

– Rodzice mówili, że chcieliby cię poznać.

Nie wspomniałam, że przerażała mnie myśl, że pod nieobecność ciotki zostanę z nimi sama w domu.

W tej chwili ciotka zajrzała do kuchni.

– Gotowa? Prom przypływa za dziesięć minut.

– Prawie – odparłam. – Właśnie sprzątaliśmy.

Zaniosłam książki do sypialni, chwyciłam kurtkę i oboje z Bryce'em wyszliśmy. Wskakując do swojego pick-upa, puścił do mnie oko, dzięki czemu znalazłam w sobie siłę, by mimo zdenerwowania wsiąść do samochodu ciotki. Dzień był zimny i szary. Auto, które wypożyczyli moi rodzice, zjechało z promu jako drugie. Kiedy nas zobaczyli, tata zatrzymał wóz, a my podeszłyśmy do nich.

Po szybkiej wymianie całusów, uścisków i zapewnieniach o tym, „jak dobrze cię widzieć" – słowem nie wspomnieli o moim brzuchu, bo woleli pewnie udawać, że wcale nie jestem w ciąży – wróciłam do samochodu ciotki Lindy. Od czasu do czasu zerkałam w lusterko boczne na jadące za nami auto. W końcu zaparkowali obok nas, wysiedli i spojrzeli na dom. W gęstniejącym mroku wydał mi się bardziej lichy niż zwykle.

– A więc jesteśmy na miejscu, tak? – spytała mama, szczelniej otulając się kurtką. – Teraz rozumiem, dlaczego musieliśmy wynająć pokój w hotelu. Trochę mało tu miejsca.

– Ale dom jest wygodny i ma piękny widok na wodę – odezwałam się.

– Prom wlókł się w nieskończoność. Zawsze tak jest?

– Chyba tak – potwierdziłam. – Z czasem można się jednak przyzwyczaić.

– Hm – mruknęła.

Tata milczał, a mama nie dodała już nic więcej.

– Macie ochotę na lunch? – spytała ciotka z wymuszoną wesołością. – Przygotowałam sałatkę z kurczakiem i można zrobić kanapki.

– Mam alergię na majonez – rzuciła mama.

Ciotka Linda szybko wzięła się w garść.

– Chyba została nam jeszcze pieczeń rzymska. Mogę z nią zrobić kanapki.

Mama pokiwała głową, ojciec milczał. Gdy wszyscy czworo ruszyliśmy w stronę drzwi wejściowych, czułam, że żołądek podchodzi mi do gardła.

*

Jakoś przetrwaliśmy lunch, ale rozmowa się nie kleiła. Za każdym razem, gdy przy stole zapadała niezręczna cisza, ciotka Linda zaczynała mówić o sklepie i trajkotała, jakby ich wizyta nie była niczym wyjątkowym. Po lunchu wszyscy wsiedliśmy do jej samochodu i wybraliśmy się na małą przejażdżkę po okolicy. Ciotka powtórzyła mniej więcej to samo, co mówiła, kiedy pokazywała mi Ocracoke, i jestem prawie pewna, że moi rodzice byli równie nieprzekonani jak ja na początku. Siedząca z tyłu mama wyglądała na zszokowaną.

Najwyraźniej jednak spodobał im się sklep. Na miejscu była Gwen i chociaż rodzice byli najedzeni, uparła się, że poczęstuje ich jagodziankami z lukrem. Natychmiast wyczuła panującą między nami napiętą atmosferę i postanowiła ją rozładować. W kąciku z książkami wskazała swoje ulubione, na wypadek gdyby któreś z moich rodziców było zainteresowane. Nie byli – nie czytali książek – ale pokiwali głowami, a ja poczułam się, jakbyśmy grali w jakiejś sztuce, w której każdy z bohaterów marzy o tym, żeby znaleźć się gdzieś indziej.

Po powrocie do domu, gdy ciotka Linda i tata zaczęli rozmawiać o rodzinie, pozostałych siostrach i moich kuzynkach, mama odchrząknęła i zwróciła się do mnie:

– Może przejdziemy się po plaży?

Zabrzmiało to tak, jakbym nie miała wyboru. Ich wypożyczonym samochodem pojechałyśmy na plażę i zaparkowałyśmy przy wydmach.

– Myślałam, że plaża będzie bliżej – odezwała się mama.

– Miasteczko znajduje się po bezpieczniejszej stronie wyspy.

– Jak się tu dostajesz? – spytała.

– Przyjeżdżam rowerem.

– Masz rower?

– Ciocia kupiła go na wyprzedaży garażowej przed moim przyjazdem.

– Aha – mruknęła. W domu mój rower stał w garażu nieużywany, sflaczałe opony parciały, a siodełko pokrywała warstwa kurzu. – Przynajmniej od czasu do czasu wychodzisz na zewnątrz. Jesteś zbyt blada.

Wzruszyłam tylko ramionami. Gdy wysiadłyśmy z samochodu, zapięłam kurtkę pod samą szyję i schowałam ręce do kieszeni. Ominęłyśmy wydmę i skierowałyśmy się nad wodę. Przy każdym kroku nasze stopy ślizgały się i grzęzły w piasku. Dopiero gdy dotarłyśmy na plażę, mama znowu się odezwała.

– Morgan prosiła, by ci przekazać, że chciała przyjechać, ale gra główną rolę w szkolnym przedstawieniu i musi brać udział w próbach. Stara się też o stypendium rotariańskie, chociaż uzbierała już dość, żeby opłacić większość czesnego.

– Na pewno je dostanie – mruknęłam i chociaż poczułam znajome ukłucie żalu, uświadomiłam sobie, że nie czuję się tak podle jak kiedyś.

Przez chwilę szłyśmy w milczeniu.

– Mówiła, że nie rozmawiałyście od kilku tygodni – przerwała je w końcu mama.

Zastanawiałam się, czy ciotka Linda wspominała, że wychodząc do pracy, zabiera kabel od telefonu.

– Byłam zajęta nauką. Zadzwonię do niej w przyszłym tygodniu.

– Dlaczego w ogóle narobiłaś sobie takich zaległości? Ciotka martwiła się o ciebie, twoi nauczyciele też.

Przygarbiłam się.

– Chyba potrzebowałam czasu, żeby się tutaj zadomowić.

– W domu niczego ci nie brakuje.

Nie znalazłam na to odpowiedzi.

– Masz jakieś wieści od Madison albo Jodie? – spytałam.

– Nie dzwoniły do nas, jeśli to masz na myśli.

– A wiesz może, co u nich słychać?

– Nie mam pojęcia. Ale po powrocie do domu mogę zapytać Morgan.

– Nie trzeba – odparłam, wiedząc, że i tak tego nie zrobi; jej zdaniem, im mniej ludzie o mnie mówili, tym lepiej.

– Jeśli chcesz, napisz do nich listy. Przekażę je – zaproponowała. – Oczywiście nie możesz wspomnieć nic o tym, co się naprawdę dzieje.

– Może napiszę – bąknęłam.

Nie chciałam okłamywać przyjaciółek, a skoro nie mogłam powiedzieć prawdy, wolałam w ogóle się nie odzywać.

Postawiła kołnierz, żeby osłonić szyję od wiatru.

– Co sądzisz o lekarzu, którego znalazła ci ciotka? Wiem, że Gwen mogłaby odebrać poród, ale jak mówiłam Lindzie, wolałabym, żebyś urodziła w szpitalu.

Natychmiast stanęły mi przed oczami ogromne dłonie doktora Chinowitha.

– Jest starszy, ale wydaje się miły i Gwen często z nim pracuje. A tak przy okazji, urodzę dziewczynkę.

– Ten lekarz jest mężczyzną?

– A to jakiś problem?

Tylko pokręciła głową.

– Tak czy inaczej, za kilka miesięcy wrócisz do domu i wszystko będzie po staremu.

– Jak tata? – spytałam, nie wiedząc, co powiedzieć.

– Ostatnio miał nadgodziny, bo dostali duże zamówienie na nowe samoloty. Ale poza tym nic się nie zmieniło.

Pomyślałam o rodzicach Bryce'a i ich wzajemnej czułości.

– Nadal wychodzicie na kolację dwa razy w miesiącu?

– Ostatnio nie – odparła. – W domu pękła rura, a naprawa, święta i przyjazd tutaj trochę nas kosztowały.

Chociaż pewnie nie miała takiej intencji, zabolało mnie to. Właściwie cały ten spacer sprawił, że czułam się bardziej przygnębiona niż przed ich przyjazdem. Ale zaczęłam się zastanawiać…

– Prywatne lekcje też są chyba drogie – powiedziałam.

– To zostało załatwione.

– Przez ciocię?

– Nie. – Po chwili namysłu westchnęła i w końcu oznajmiła: – Niektóre z twoich wydatków pokrywają przyszli rodzice. Robią to za pośrednictwem agencji. Opłacają szkołę, część rachunków za wizyty lekarskie, których nie obejmuje nasze ubezpieczenie, twój przelot tutaj i z powrotem. Dają nawet trochę pieniędzy na drobne przyjemności dla ciebie.

Teraz już wiedziałam, skąd się wzięła koperta, którą dała mi na lotnisku.

– Poznałaś ich? Są mili?

– Nie, nie poznałam. Ale jestem pewna, że będą kochającymi rodzicami.

– Skąd możesz wiedzieć, skoro ich nie poznałaś?

– Twoja ciotka i jej przyjaciółka Gwen już wcześniej współpracowały z tą agencją. Znają kobietę, która ją prowadzi, i to ona osobiście prześwietliła kandydatów. Ma w tej materii duże doświadczenie i jestem pewna, że sprawdziła wszystko w najdrobniejszych szczegółach. To wszystko, co wiem, i ty też nie powinnaś wiedzieć niczego więcej. Im mniej będziesz się martwić, tym łatwiej będzie ci później.

Chyba miała rację. Chociaż regularnie czułam teraz ruchy dziecka, chwilami nadal nie mogłam uwierzyć, że jestem w ciąży. Mama wiedziała, że lepiej o tym nie mówić, więc zmieniła temat.

– Odkąd wyjechałaś, w domu jest dziwnie cicho.

– Tutaj też jest cicho.

– Na to wygląda. Myślałam, że miasteczko jest większe. A to kompletne odludzie. Co ci ludzie w ogóle tutaj robią?

– Łowią ryby i dbają o turystów. Poza sezonem naprawiają łodzie i sprzęt i przygotowują się do nadejścia zimy. Albo tak jak ciocia Linda, prowadzą interesy, dzięki którym to miejsce się utrzymuje. Nie jest to łatwe życie. Ludzie ciężko pracują, żeby związać koniec z końcem.

– Chyba nie mogłabym tu mieszkać.

Ale mnie tu wysłałaś, tak? Chociaż…

– Nie jest tu tak źle.

– Dzięki Bryce'owi?

– To mój nauczyciel.

– Uczy cię też fotografii, tak?

– Jego mama zaraziła go swoją pasją. Lubię to i po powrocie do domu chciałabym dalej fotografować.

– Odwiedzasz go?

Wciąż się zastanawiałam, dlaczego nie wydaje się zainteresowana moją nową pasją.

– Czasami.

– Jego rodzice są wtedy w domu?

Nagle zrozumiałam, o co jej chodzi.

– Jego mama zawsze jest w domu. Bracia zazwyczaj też.

– Och – rzuciła, ale w tej jednej sylabie słychać było wyraźną ulgę.

– Chcesz zobaczyć zdjęcia, które zrobiłam?

W milczeniu uszła kilka kroków.

– Cieszę się, że znalazłaś hobby, ale nie sądzisz, że zamiast tego powinnaś skupić się na szkole? Wykorzystać wolny czas na samodzielną naukę?

– Uczę się sama – odparłam nieco ostrzej, niż zamierzałam. – Oglądałaś moje oceny. Zresztą już zaczęłam przerabiać materiał z następnego semestru. – Kątem oka widziałam fale przetaczające się w stronę brzegu, jak gdyby chciały zmazać z piasku nasze ślady.

– Zastanawiam się tylko, czy nie spędzasz za dużo czasu z tym całym Bryce'em, zamiast samej się pouczyć.

– O co ci chodzi? W szkole idzie mi dobrze, odkryłam fajne hobby, znalazłam przyjaciół…

– Przyjaciół? Czy przyjaciela?

– Gdybyś nie zauważyła, nie ma tu zbyt wielu ludzi w moim wieku.

– Po prostu martwię się o ciebie, Margaret.

– Maggie – poprawiłam ją, wiedząc, że używa mojego pełnego imienia tylko wtedy, gdy coś ją niepokoi. – I nie musisz się o mnie martwić.

– Nie pamiętasz, dlaczego tu jesteś?

Zabolały mnie jej słowa. Przypomniały mi, że niezależnie od tego, co zrobię, już zawsze będę córką, która sprawiła jej zawód.

– Wiem, dlaczego tu jestem.

Pokiwała głową w milczeniu i wbiła wzrok w ziemię.

– Prawie nic po tobie nie widać.

Odruchowo dotknęłam brzucha.

– Sweter, który mi kupiłaś, wiele maskuje.

– To spodnie ciążowe?

– Musiałam je kupić miesiąc temu.

Uśmiechnęła się, ale nie potrafiła ukryć smutku.

– Tęsknimy za tobą, wiesz?

– Ja za wami też. – I w tamtej chwili naprawdę za nimi zatęskniłam, choć czasami tak bardzo mi to utrudniała.

*

Moje relacje z ojcem były równie niezręczne. Niemal całe czwartkowe popołudnie spędził z ciotką. We dwoje siedzieli przy kuchennym stole, stali za domem albo nad brzegiem wody. Nawet przy kolacji jedyne, co do mnie powiedział, to: „Możesz podać mi kukurydzę?". Nie wiem, czy rodzice byli zmęczeni podróżą, czy raczej zestresowani, w każdym razie niedługo po kolacji udali się do hotelu.

Kiedy wrócili następnego dnia rano, zastali mnie i Bryce'a siedzących przy kuchennym stole. Po krótkiej prezentacji – Bryce był jak zwykle czarujący, podczas gdy moi rodzice przyglądali mu się nieufnie – rozsiedli się w salonie i rozmawiali ściszonymi głosami, a my wróciliśmy do nauki. Chociaż wyprzedzałam materiał, ich obecność rozpraszała mnie i wprawiała w zakłopotanie. Powiedzieć, że wszystko to było dziwne, to jak nic nie powiedzieć.

Bryce'owi udzieliło się moje zdenerwowanie i postanowiliśmy zakończyć naukę przed lunchem. Oprócz sklepu ciotki w Ocracoke było niewiele miejsc, gdzie można było coś zjeść, więc razem z rodzicami pojechałam do restauracji Pony Island. Nigdy wcześniej tam nie byłam i chociaż serwowano tam wyłącznie śniadaniowe menu, rodzicom to nie przeszkadzało. Obie z mamą zamówiłyśmy francuskie tosty, a tata jajecznicę na bekonie. Po lunchu zajrzeli do sklepu ciotki, podczas gdy ja wróciłam do domu, by się zdrzemnąć. Kiedy wstałam, mama rozmawiała z ciotką Lindą, która zdążyła już wrócić, a tata pił kawę na werandzie. Dołączyłam do niego i usiadłam w fotelu na biegunach. Od razu przyszło mi do głowy, że nigdy nie widziałam go w gorszym nastroju.

– Co słychać, tato? – spytałam, udając, że niczego nie zauważyłam.

– W porządku – rzucił. – A u ciebie?

– Jestem trochę zmęczona, ale to normalne. Przynajmniej według książki.

Zerknął na mój brzuch, ale zaraz podniósł wzrok. Przez chwilę wierciłam się na fotelu, szukając wygodniejszej pozycji.

– Co w pracy? Mama mówi, że ostatnio masz dużo nadgodzin.

– Dostajemy mnóstwo zamówień na nowego siedemset siedemdziesiąt siedem trzysta – powiedział, jakby każdy był znawcą boeingów tak jak on.

– To chyba dobrze, prawda?

– Takie życie – mruknął i upił łyk kawy.

Znowu zmieniłam pozycję. Zastanawiałam się, czy zachce mi się siku i będę miała pretekst, żeby wrócić do domu. Tak się jednak nie stało.

– Uczę się fotografii – zagaiłam.

– O! To dobrze.

– Chcesz zobaczyć kilka moich zdjęć?

Odczekał parę sekund, zanim odpowiedział.

– Nie wiedziałbym, na co patrzę. – W ciszy, która nastała po jego słowach, obserwowałam parę, która ulatywała z jego kubka, a zaraz potem rozpływała się w powietrzu. Chwilę później, jakby wiedział, że teraz jego kolej, żeby się odezwać, westchnął. – Linda mówi, że bardzo jej pomagasz.

– Staram się. Mówi mi, co mam robić, ale to dobrze. Lubię twoją siostrę.

– To dobra kobieta. – Najwyraźniej usiłował na mnie nie patrzeć. – Wciąż nie wiem, dlaczego tu zamieszkała.

– Pytałeś ją o to?

– Powiedziała, że po tym, jak ona i Gwen odeszły z klasztoru, chciały wieść spokojne życie. Myślałem, że w klasztorze jest spokój.

– W dzieciństwie byliście sobie bliscy?

– Jest jedenaście lat ode mnie starsza, więc kiedy byłem mały, opiekowała się mną i naszymi siostrami. Miałem dziewiętnaście lat, gdy się wyprowadziła, i przez długi czas jej nie widziałem. Ale pisała do mnie listy. Zawsze je lubiłem. Po tym, jak ożeniłem się z twoją mamą, kilka razy przyjechała nas odwiedzić.

Chyba nigdy nie wypowiedział tylu słów naraz i trochę mnie to zdumiało.

– Pamiętam tylko jedną jej wizytę, kiedy byłam mała.

– Rzadko opuszczała klasztor. A po przeprowadzce do Ocracoke nie mogła podróżować.

Patrzyłam na niego uważnie.

– Na pewno wszystko w porządku, tato?

Odpowiedział dopiero po dłuższej chwili.

– Jest mi po prostu smutno. Smutno z twojego powodu, z powodu naszej rodziny.

Wiedziałam, że jest szczery, ale zabolało mnie to, podobnie jak wcześniej słowa mamy.

– Przepraszam, robię, co mogę, żeby to naprawić.

– Wiem.

Z trudem przełknęłam ślinę.

– Nadal mnie kochasz?

Spojrzał na mnie, wyraźnie zaskoczony.

– Zawsze będę cię kochał. Zawsze będziesz moją małą córeczką.

Zerknęłam przez ramię i zobaczyłam mamę i ciotkę siedzące przy stole.

– Myślę, że mama się o mnie martwi.

Znów się odwrócił.

– Żadne z nas nie chciało dla ciebie czegoś takiego.

Siedzieliśmy jakiś czas w milczeniu, aż w końcu tata wstał z krzesła i wszedł do domu po kolejny kubek kawy, zostawiając mnie samą.

*

Wieczorem, kiedy rodzice wrócili już do hotelu, ciotka Linda i ja usiadłyśmy w salonie. Kolacja upłynęła w niezręcznym milczeniu, przerywanym od czasu do czasu komentarzami na temat pogody. Ciotka siedziała w fotelu na biegunach, popijając herbatę, podczas gdy ja usadowiłam się na kanapie i wsunęłam stopy pod poduszkę.

– Zupełnie jakby nie cieszyli się, że mnie widzą.

– Cieszą się – zapewniła mnie. – Ale spotkanie z tobą jest dla nich trudniejsze, niż się tego spodziewali.

– Dlaczego?

– Bo nie jesteś tą samą dziewczynką, która w listopadzie wyjeżdżała z domu.

– Właśnie że jestem – obruszyłam się, ale już w chwili, gdy mówiłam te słowa, wiedziałam, że to nieprawda. – Nie chcieli zobaczyć moich zdjęć – dodałam.

Ciotka Linda odstawiła kubek.

– Mówiłam ci, że kiedy pracowałam z młodymi kobietami, takimi jak ty, miałyśmy specjalne pomieszczenie, w którym mogły malować? Używały akwareli. Było tam duże okno z widokiem na ogród i niemal wszystkie dziewczęta próbowały swych sił w malowaniu. Niektóre z nich naprawdę to polubiły, a gdy odwiedzali je rodzice, chciały pochwalić się swoimi pracami. Ale większość rodziców odmawiała.

– Dlaczego?

– Bo obawiali się, że zobaczą odbicie artystki zamiast swojego własnego.

Nie wyjaśniła nic więcej i wieczorem, kiedy przytulając Maga, leżałam już w łóżku, zastanowiłam się nad jej słowami. Wyobraziłam sobie ciężarne dziewczyny w jasnym, przestronnym klasztornym pokoju, z kwitnącymi kwiatami za oknem. Pomyślałam, jak maczały pędzle w farbie, wodziły nimi po płótnie i przez krótką chwilę czuły się tak jak inne dziewczęta w ich wieku, nieobarczone błędami przeszłości. Wiedziałam, że czuły to samo co ja, kiedy patrzyłam w obiektyw, szukając piękna, które można odnaleźć nawet w najmroczniejszych chwilach.

Wówczas zrozumiałam, co próbowała przekazać mi ciotka Linda, i wiedziałam, że rodzice wciąż mnie kochają. Pragnęli dla mnie wszystkiego, co najlepsze, zarówno teraz, jak i w przyszłości. Ale na zdjęciach chcieli zobaczyć własne uczucia, nie moje. Chcieli, żebym widziała siebie tak, jak widzieli mnie oni.

Chcieli zobaczyć rozczarowanie.

*

Moje objawienie nie poprawiło mi nastroju, nawet jeśli pomogło mi zrozumieć, co czują rodzice. Szczerze mówiąc, ja również byłam rozczarowana sobą, ale próbowałam zepchnąć tę myśl na dno umysłu, bo nie miałam czasu zadręczać się tak jak kiedyś. Ani tego nie chciałam. Według rodziców wszystko, co robiłam, wynikało z mojego błędu. Za każdym razem, gdy siadali do stołu, przy którym było jedno puste miejsce, za każdym razem, gdy przechodzili obok mojego pustego teraz pokoju i dostawali wykaz ocen, na które pracowałam w drugim końcu kraju, przypominali sobie, że chwilowo zniszczyłam rodzinę, bo rozwiałam ich złudzenie, że – jak ujął to tata – wciąż jestem ich małą dziewczynką.

Ich wizyta nadal wyglądała tak samo. Sobota nie różniła się niczym od piątku, poza tym, że Bryce się nie pojawił. Znowu wybraliśmy się na wycieczkę po okolicy, która znudziła ich tak bardzo, jak się tego spodziewałam. Zdrzemnęłam się i chociaż czułam, że dziecko kopie za każdym razem, gdy się kładę, nie wspomniałam o tym ani słowem. Czytałam i odrabiałam pracę domową w swoim pokoju, za zamkniętymi drzwiami. Nosiłam też najbardziej workowate bluzy i kurtkę, starając się udawać, że wyglądam tak samo jak zawsze.

Dzięki Bogu, ciotka Linda podtrzymywała rozmowę za każdym razem, gdy wyczuwało się między nami napięcie. Gwen także. Zjadła z nami kolację w sobotni wieczór i przy nich dwóch praktycznie w ogóle nie musiałam nic mówić. Zauważyłam też, że starały się nie wspominać o Brysie i robieniu zdjęć. Ciotka Linda skupiała się na rodzinie i ze zdumieniem odkryłam, że wie o moich pozostałych ciotkach i kuzynkach więcej niż moi rodzice. Jak się okazało, do nich również pisała regularnie listy. Była to kolejna rzecz, której o niej nie wiedziałam. Nigdy nie zauważyłam, żeby pisała jakiekolwiek listy, więc przypuszczałam, że robiła to w sklepie.

Tata i ciotka Linda wymieniali się opowieściami o dorastaniu w Seattle, w czasach, gdy w mieście wciąż było jeszcze wiele niezagospodarowanych terenów. Od czasu do czasu Gwen mówiła coś o swoim życiu w Vermoncie, dzięki czemu dowiedziałam się, że jej rodzina miała sześć krów, z których mleka wyrabiano masło używane przez ekskluzywne restauracje w Bostonie.

Doceniałam starania ciotki Lindy i Gwen, złapałam się jednak na tym, że chociaż ich słuchałam, nie przestawałam myśleć o Brysie. Słońce chyliło się ku zachodowi i gdyby nie było tu rodziców, chodzilibyśmy po okolicy z aparatem, próbując uchwycić idealne światło. Uświadomiłam sobie, że w takich chwilach mój świat kurczył się do konkretnego zadania, a zarazem wykładniczo się powiększał.

Pragnęłam tylko, żeby rodzice dzielili ze mną tę pasję; by byli ze mnie dumni. Już chciałam powiedzieć im, że zaczęłam myśleć o karierze fotografki, ale wtedy rozmowa zeszła na Morgan. Zaczęli mówić o jej ocenach, o tym, jak bardzo jest lubiana, jak świetnie gra na skrzypcach, i o stypendiach, które dostała na Uniwersytecie Gonzaga. Widząc, jak rozbłysły im oczy, spuściłam wzrok i zaczęłam się zastanawiać, czy kiedykolwiek będą z taką dumą mówili o mnie.

*

W niedzielę wreszcie wyjechali. Lot mieli po południu, ale rankiem wsiedliśmy na prom, poszliśmy na mszę, a potem zjedliśmy lunch i pożegnaliśmy się na parkingu. Rodzice przytulili mnie, ale żadne z nich nie uroniło nawet łzy, chociaż mnie zbierało się na płacz. Wysunęłam się z ich objęć, otarłam policzki

272

i po raz pierwszy, odkąd przyjechali, poczułam z ich strony coś w rodzaju współczucia.

– Ani się obejrzysz, jak znów będziesz w domu – zapewniła mnie mama i choć tata pokiwał tylko głową, przynajmniej na mnie spojrzał.

Minę miał posępną jak zawsze, ale teraz na jego twarzy malowała się bezsilność.

– Poradzę sobie – powiedziałam, ocierając oczy, i chociaż naprawdę tak myślałam, nie sądzę, by którekolwiek z nich mi uwierzyło.

*

Bryce zjawił się wieczorem tego dnia. Zaprosiłam go do środka, ale chociaż było mroźno, usiedliśmy na werandzie, w tym samym miejscu, gdzie dwa dni wcześniej rozmawiałam z tatą.

Opowiedziałam mu przebieg tej wizyty. Niczego nie pominęłam, a on mi nie przerywał. Na koniec, gdy się rozpłakałam, przysunął swój fotel do mojego.

– Przykro mi, że nie było tak, jak to sobie wyobrażałaś – szepnął.

– Dzięki.

– Mogę coś zrobić, żebyś poczuła się lepiej?

– Nie.

– Mógłbym podrzucić Daisy, żebyś w nocy miała się do kogo przytulić.

– Myślałam, że Daisy nie wolno spać na łóżku.

– Bo nie wolno. To może zamiast tego zrobię ci gorącej czekolady?

– Byłoby super.

Po raz pierwszy, odkąd się poznaliśmy, nakrył dłonią moją rękę i delikatnie uścisnął. Przeszedł mnie dreszcz.

– Może to nic nie znaczy, ale uważam, że jesteś wspaniała – powiedział. – Mądra, zabawna, no i oczywiście sama wiesz, jaka jesteś śliczna.

Dzięki Bogu, że było już ciemno, bo poczułam, że się czerwienię. Jego ręka wciąż spoczywała na mojej, emanując przyjemnym ciepłem, które wędrowało w górę mojego ramienia. Najwyraźniej nie zamierzał jej cofnąć.

– Wiesz, o czym myślałam? – odezwałam się. – Tuż zanim przyjechałeś?

– Nie mam pojęcia.

– Pomyślałam, że chociaż rodzice spędzili tutaj zaledwie trzy dni, mam wrażenie, jakby byli tu cały miesiąc.

Roześmiał się i spojrzał mi w oczy. Delikatnie wodził kciukiem po wierzchu mojej dłoni.

– Mam jutro wpaść na lekcje? Zrozumiem, jeśli powiesz, że potrzebujesz dnia, żeby ochłonąć.

Wiedziałam, że bez niego poczuję się jeszcze gorzej.

– Nie, chcę mieć normalne zajęcia – odparłam, czym zaskoczyłam samą siebie. – Muszę się tylko wyspać.

Jego twarz złagodniała.

– Wiesz, że cię kochają, prawda? Mam na myśli twoich rodziców. Nawet jeśli nie potrafią tego okazać.

– Wiem – przyznałam, ale o dziwo, zaczęłam się zastanawiać, czy mówił tylko o nich, czy także o sobie.

*

Z nadejściem lutego Bryce i ja wróciliśmy do naszej rutyny. Chociaż nie wszystko było tak jak dawniej. Przede wszystkim coś, co zapuściło korzenie, kiedy wyczułam, że chciał mnie pocałować, zapuściło je jeszcze głębiej, gdy wziął mnie za rękę. I mimo że nie dotknął mnie ponownie – a tym bardziej nie próbował pocałować – wyczuwało się między nami napięcie, coś jak bezustanne niskie buczenie, którego nie sposób zignorować. Rozwiązując zadanie z geometrii, przyłapywałam go na tym, że mi się przygląda, a gdy podawał mi aparat, przytrzymywał go, zmuszając mnie, żebym delikatnie wyszarpnęła mu go z ręki. Miałam wrażenie, że stara się opanować swoje emocje.

Tymczasem ja próbowałam dojść do ładu z własnymi uczuciami zwykle wtedy, gdy kładłam się spać. Docierałam do miejsca, z którego nie było odwrotu – tego krótkiego mglistego okresu, gdzie świadome miesza się z nieświadomym, a wszystko wydaje się idealne – lecz nagle widziałam go stojącego na drabinie albo przypominałam sobie, jak bardzo rozpalił mnie jego dotyk, i natychmiast się budziłam.

Ciotka Linda również zauważyła, że moja relacja z Bryce'em... ewoluowała. Wciąż jadał z nami obiad dwa, trzy razy w tygodniu, ale zamiast potem wracać do domu, siadywał z nami w salonie. Mimo braku prywatności, a może z tego właśnie powodu, zaczęliśmy tworzyć własny sekretny język bez słów. Kiedy unosił brwi, wiedziałam, że myśli to samo co ja, a gdy niecierpliwie przeczesywałam palcami włosy, domyślał się, że chcę zmienić temat. Sądziłam, że robimy to subtelnie, ale niełatwo było oszukać ciotkę Lindę. Gdy w końcu wychodził, mówiła coś, co sprawiało, że zastanawiałam się nad tym, co naprawdę próbowała mi przekazać.

„Kiedy wyjedziesz, będzie mi ciebie brakowało", rzucała mimochodem. Albo: „Jak sypiasz? Ciąża różnie wpływa na hormony".

Jestem pewna, że w ten sposób chciała mi przypomnieć, że zakochując się w Brysie, sama sobie wyrządzam krzywdę, chociaż nigdy nie powiedziała tego wprost. Efekt był taki, że zastanawiałam się nad jej słowami, już po tym, jak w duchu przyznałam jej rację: moje hormony szalały i niedługo miałam stąd wyjechać.

Serce bywa jednak przewrotne, bo chociaż wiedziałam, że ja i Bryce nie mamy przed sobą wspólnej przyszłości, nocami, gdy leżąc w łóżku, nasłuchiwałam chlupotu fal, czułam, że właściwie wcale mnie to nie obchodzi.

*

Gdybym miała wskazać jedną istotną zmianę, jaka dokonała się we mnie, odkąd przyjechałam do Ocracoke, byłaby to gorliwość, z jaką zaczęłam podchodzić do nauki. W drugim tygodniu lutego przerabiałam materiał zaplanowany na marzec i zaliczyłam wszystkie testy. Jednocześnie coraz pewniej czułam się w roli fotografki, a mój warsztat stale się poprawiał. I chociaż ogólnie radziłam sobie całkiem nieźle, walentynki były... no, takie sobie.

Nie mówię, że Bryce o nich zapomniał. Tego ranka zjawił się z kwiatami i chociaż zrobiło mi się miło, zauważyłam, że przyniósł dwa bukiety – jeden dla mnie, a drugi dla ciotki Lindy – co w pewnym stopniu ostudziło mój entuzjazm. Dowiedziałam się później, że swojej mamie również dał kwiaty. Wszystko to sprawiło, że zaczęłam się zastanawiać, czy to, co dzieje się między nami, nie jest tylko moim urojeniem, spowodowanym burzą hormonów.

Dwa dni później wynagrodził mi to. Był piątkowy wieczór – spędziliśmy ze sobą dwanaście godzin – i ciotka była w salonie, a my siedzieliśmy na werandzie. Było cieplej niż zwykle, więc zostawiliśmy drzwi nieco rozsunięte. Podejrzewałam, że ciotka może nas usłyszeć, i chociaż trzymała na kolanach otwartą książkę, miałam wrażenie, że od czasu do czasu zerka w naszą stronę. Tymczasem Bryce wiercił się w fotelu i nerwowo przebierał nogami.

– Wiem, że w niedzielę rano musisz wcześnie wstać, ale pomyślałem, że może znajdziesz czas jutro wieczorem.

– A co jest jutro wieczorem?

– Tata, Robert i ja coś zbudowaliśmy i chciałbym ci to pokazać.

– Co to jest?

– Niespodzianka – odparł. Nagle, zupełnie jakby się bał, że obieca mi zbyt wiele, dodał pospiesznie: – To nic takiego i nie ma nic wspólnego z fotografią, ale sprawdzałem prognozę pogody i wygląda na to, że będą idealne warunki. Pewnie mógłbym pokazać ci to w dzień, jednak wieczorem efekt będzie dużo lepszy.

Nie miałam pojęcia, o czym mówi; wiedziałam tylko, że zachowuje się tak samo jak wtedy, gdy zaprosił mnie na przedświąteczną wycieczkę do New Bern ze swoją rodziną. Na coś w rodzaju randki. Był przesłodki, kiedy się denerwował.

– Będę musiała porozmawiać z ciotką.

– Jasne.

Odczekałam chwilę, ale już nic nie dodał.

– Powiesz mi coś więcej? – zapytałam.

– A, tak. Pewnie. Chciałem zabrać cię na kolację do Howard's Pub, a potem pokazać ci niespodziankę. Odwiozę cię do domu przed dziesiątą.

Uśmiechnęłam się w duchu i pomyślałam, że gdyby chłopak zapytał moich rodziców, czy może odstawić mnie do domu przed dziesiątą, nawet oni by się zgodzili. Cóż… na pewno kiedyś, bo teraz raczej nie. Mimo wszystko zabrzmiało to jak zaproszenie na randkę, a nie „coś w rodzaju randki", i chociaż serce zabiło mi mocniej, obróciłam się w fotelu i z udawanym spokojem spojrzałam na ciotkę.

– Ale do dziesiątej – powiedziała, nie odrywając wzroku od książki. – Nie później.

– W porządku. – Znowu spojrzałam na Bryce'a.

Pokiwał głową, zaszurał nogami i znów pokiwał głową.

– Czyli… na którą? – spytałam.

– Na którą co?

– Na którą mam być gotowa?

– Na dziewiątą?

Chociaż wiedziałam, co ma na myśli, udałam głupią, żeby go rozbawić.

– Przyjedziesz po mnie o dziewiątej, pójdziemy na kolację do Howard's Pub, zobaczymy niespodziankę i o dziesiątej odwieziesz mnie do domu?

Spojrzał na mnie szeroko otwartymi oczami.

– Na dziewiątą rano – odparł. – Porobimy zdjęcia i może popracujemy z Photoshopem. Jest też miejsce na wyspie, które chciałbym ci pokazać. Wiedzą o nim tylko miejscowi.

– Jakie miejsce?

– Zobaczysz. Wiem, że brzmi to bez sensu, ale… – Urwał, a ja starałam się ukryć radość, że zaprosił mnie na prawdziwą randkę. Byłam podekscytowana, ale też trochę się tego bałam. – Czyli widzimy się jutro? – dodał w końcu.

– Nie mogę się doczekać.

I naprawdę nie mogłam się doczekać.

*

Kiedy zamknęłam drzwi, ciotka nie odezwała się ani słowem. Ze wzrokiem wciąż utkwionym w książce, doskonale ukrywała, co myśli, i choć darowała sobie komentarze, wyczuwałam jej troskę.

Tej nocy spałam dobrze, lepiej niż przez ostatnie tygodnie, i obudziłam się wypoczęta. Zjadłam śniadanie z ciotką Lindą, a potem przyjechał po mnie Bryce i zrobiliśmy kilka zdjęć nieopodal jego domu. Następnie, razem z jego mamą, obrobiliśmy je na komputerze. Bryce siedział tak blisko mnie, że czułam bijące od niego ciepło, przez co trudniej niż zwykle było mi się skupić.

Zjedliśmy lunch w ich domu, po czym wsiedliśmy do pick-upa. Myślałam, że zawiezie mnie do ciotki, ale on skręcił w ulicę, po której jeździłam dziesiątki razy, choć nigdy właściwie jej się nie przyglądałam.

– Dokąd jedziemy? – spytałam.

– Pojedziemy okrężną drogą do Wielkiej Brytanii.

Zamrugałam zdumiona.

– Masz na myśli Anglię? Kraj?

– Dokładnie. – Puścił do mnie oko. – Zobaczysz.

Minęliśmy niewielki cmentarz po lewej stronie i drugi, po prawej, aż w końcu Bryce zjechał na pobocze. Kiedy wysiedliśmy, zaprowadził mnie do granitowego pomnika stojącego nieopodal czterech prostokątnych grobów otoczonych niskim płotkiem. Między nimi rozsypana była kora sosnowa, a na nich leżały bukiety kwiatów.

– Witamy w Wielkiej Brytanii – powiedział.

– Chyba nie wiem, o co chodzi.

– W roku tysiąc dziewięćset czterdziestym drugim trawler HMT *Bedfordshire* został storpedowany u wybrzeża przez niemiecką łódź podwodną i woda wyrzuciła na brzegi Ocracoke ciała czterech mężczyzn. Dwóch udało się zidentyfikować, a dwóch pozostało nieznanych. Pochowano ich tutaj i miejsce to oddano w wieczyste użytkowanie Brytyjskiej Wspólnocie Narodów.

Na pomniku wyryto jeszcze więcej informacji, łącznie z nazwiskami wszystkich, którzy wtedy znajdowali się na trawlerze. Trudno było uwierzyć, że niemieckie łodzie podwodne patrolowały tak odległe wody. Czy nie powinny były pływać gdzie indziej? Chociaż w podręcznikach do historii omawiano temat drugiej wojny światowej, moje wyobrażenia o niej zostały ukształtowane przez hollywoodzkie filmy i teraz próbowałam sobie wyobrazić, co czuli ludzie będący na pokładzie, gdy nagła eksplozja dosłownie rozerwała kadłub. Wstrząsnęła mną myśl, że z trzydziestu siedmiu członków załogi znaleziono ciała tylko czterech, i zastanawiałam się, co stało się z resztą. Czy poszli na dno razem ze statkiem, na wieki pogrzebani we wraku? A może woda wyrzuciła ich ciała w jakimś innym miejscu albo zniosła je na pełne morze?

Zadrżałam, lecz cmentarze zawsze budziły we mnie niepokój. Po śmierci dziadków – wszyscy czworo zmarli, zanim skończyłam dziesięć lat – gdy rodzice zabierali mnie i Morgan na ich groby, gdzie zostawiałyśmy kwiaty, myślałam wyłącznie o tym, że otaczają mnie martwi ludzie. Wiedziałam, że śmierć jest czymś nieuniknionym, ale i tak wolałam o niej nie myśleć.

– Kto przynosi tu kwiaty? Rodziny?

– Pewnie straż przybrzeżna. To oni dbają o groby, chociaż to terytorium brytyjskie.

– Skąd w ogóle wzięły się tu niemieckie łodzie podwodne?

– Nasza flota handlowa odbierała zapasy w Ameryce Południowej, na Karaibach albo jeszcze gdzieś indziej, po czym płynęła na prądzie zatokowym na północ i do Europy. Wtedy jednak statki handlowe były powolne i nie miały ochrony, więc stanowiły łatwy cel dla łodzi podwodnych. Dziesiątki statków zostało zatopionych tuż u wybrzeży. *Bedfordshire* był tu po to, żeby je chronić.

Gdy przyglądałam się zadbanym mogiłom, dotarło do mnie, że wielu marynarzy z tego trawlera było prawdopodobnie niedużo starszych ode mnie, a ci czterej mężczyźni, którzy tu spoczywali, zostawili swoich bliskich za oceanem. Zastanawiałam się, czy ich rodzice przyjechali kiedykolwiek do Ocracoke, żeby zobaczyć miejsce spoczynku swoich synów, i jakie musiało być to dla nich bolesne.

– Przygnębia mnie to – powiedziałam w końcu, wiedząc, dlaczego Bryce nie zaproponował, żebyśmy wzięli aparat. Miejsca takie jak to lepiej zachować w pamięci.

– Mnie też – przyznał.

– Dziękuję, że mnie tu przyprowadziłeś.

Zacisnął usta i po chwili, wolniej niż zwykle, ruszyliśmy w stronę pick-upa.

*

Po tym, jak Bryce podrzucił mnie do domu, ucięłam sobie długą drzemkę, a następnie zadzwoniłam do Morgan – od wyjazdu rodziców dzwoniłam do niej kilka razy – i rozmawiałyśmy przez piętnaście minut. Czy może raczej to Morgan mówiła, a ja słuchałam. Kiedy się rozłączyłyśmy, zaczęłam szykować się na randkę. W kwestii ubrań byłam ograniczona do ciążowych dżinsów i nowego swetra, który dostałam na Gwiazdkę. Na szczęście nie miałam już problemów z cerą, więc nie potrzebowałam zbyt dużo podkładu i pudru. Nie przesadziłam też z różem i cieniem do powiek, ale użyłam błyszczyka. Po raz pierwszy naprawdę było widać, że jestem w ciąży. Twarz miałam bardziej okrągłą i cała byłam... większa, zwłaszcza w biuście. Zdecydowanie potrzebowałam większych biustonoszy. Postanowiłam, że kupię je w niedzielę po mszy, co wydawało się trochę niestosowne, ale nie miałam wyboru.

Ciotka Linda stała przy kuchence. Robiła strogonowa i wiedziałam, że spodziewa się wizyty Gwen. Zapach jedzenia sprawił, że zaczęło mi burczeć w brzuchu. Ciotka musiała to usłyszeć.

– Masz ochotę na owoce? Żebyś dotrwała do kolacji?

– Nie, dziękuję. Jakoś wytrzymam – odparłam i usiadłam przy stole.

Chociaż odmówiłam, wytarła ręce i sięgnęła po jabłko.

– Jak było dzisiaj?

Opowiedziałam jej o obróbce zdjęć i wizycie na cmentarzu. Pokiwała głową.

– Co roku jedenastego maja, w rocznicę zatopienia statku, Gwen i ja idziemy tam, żeby zanieść kwiaty i pomodlić się za dusze ofiar.

– To miło z waszej strony. Byłaś kiedyś w Howard's Pub?

– Wiele razy. To jedyna restauracja na wyspie, która jest otwarta przez cały rok.

– Oprócz waszej.

– My nie prowadzimy restauracji. Ładnie wyglądasz.

Szybko pokroiła jabłko na ćwiartki i postawiła talerzyk z nimi na stole.

– Wyglądam jak dziewczyna w ciąży.

– Nikt się nie zorientuje.

Wróciła do obierania pieczarek, a ja pogryzałam jabłko. Jak się okazało, właśnie tego potrzebował mój żołądek. W pewnej chwili zaczęłam się zastanawiać…

– Czy poród jest naprawdę aż taki straszny? – spytałam. – Słyszałam tyle okropnych historii.

– Trudno mi odpowiedzieć. Nigdy nie rodziłam, więc nie wiem, jak to jest. A jeśli chodzi o nasze podopieczne, byłam na sali porodowej tylko z kilkoma. Gwen pewnie powiedziałaby ci więcej, bo jest położną, ale z tego, co wiem, skurcze nie są niczym przyjemnym. Mimo wszystko nie może być aż tak strasznie, skoro kobiety decydują się na kolejne dzieci.

Chociaż nie odpowiedziała na moje pytanie, jej słowa miały sens.

– Myślisz, że powinnam przytulić dziecko po porodzie?

Milczała przez chwilę.

– Na to pytanie też nie potrafię odpowiedzieć.

– A ty, co byś zrobiła?

– Szczerze? Nie wiem.

Sięgnęłam po kolejny kawałek jabłka i gryzłam je w zamyśleniu, kiedy światła reflektorów wdarły się przez okna i rozpełzły po suficie. Pick-up Bryce'a, pomyślałam i ogarnęło mnie

dziwne zdenerwowanie. Było to głupie, zwłaszcza że spędziliśmy razem połowę dnia.

– Wiesz, dokąd Bryce zabierze mnie po kolacji?

– Powiedział mi dzisiaj, zanim pojechaliście do niego.

– I?

– Weź kurtkę.

Czekałam, ale nie dodała nic więcej.

– Jesteś zła, że z nim wychodzę?

– Nie.

– Ale uważasz, że to zły pomysł.

– Pytanie, czy ty uważasz, że to dobry pomysł.

– Jesteśmy tylko przyjaciółmi – odparłam.

Nie odezwała się słowem, ale nie musiała. Bo dotarło do
mnie, że podobnie jak ja, ona również jest zdenerwowana.

*

Czas się do czegoś przyznać: pierwszy raz byłam na kolacji
z chłopakiem. To znaczy raz spotkałam się z chłopakiem i przyjaciółmi w pizzerii i później ten sam chłopak zaprosił mnie na
lody, ale poza tym byłam w tej kwestii nowicjuszką, która nie
miała pojęcia, jak się zachowywać i co mówić.

Na szczęście już po dwóch sekundach zorientowałam się,
że Bryce również nigdy nie był na kolacji z dziewczyną, bo
sprawiał wrażenie jeszcze bardziej zdenerwowanego, przynajmniej do momentu, gdy weszliśmy do restauracji. Pachniał
wodą kolońską o zapachu ziemi. Miał na sobie zapiętą na ostatni guzik koszulę z rękawami podwiniętymi do łokci i dżinsy.

Zastanawiałam się, czy nie wybrał ich, wiedząc, że w kwestii garderoby mam ograniczony wybór. Różnica polegała na tym, że on wyglądał jak model, podczas gdy ja przypominałam pełniejszą wersję dziewczyny, którą chciałam być.

Co do restauracji, mniej więcej tak właśnie ją sobie wyobrażałam. Była gwarna i pełna ludzi, z podłogą z desek i ścianami, na których wisiały proporczyki i tablice rejestracyjne. Usiedliśmy przy stoliku i zajrzeliśmy do menu, a niespełna minutę później podeszła do nas kelnerka, żeby przyjąć zamówienie na napoje. Oboje wybraliśmy herbatę – i byliśmy chyba jedynymi osobami, które nie wpadły tutaj na coś mocniejszego.

– Mama mówi, że mają tu pyszne placuszki krabowe – odezwał się Bryce.

– Zamówisz je?

– Chyba zdecyduję się na żeberka – odparł. – Jak zawsze.

– Często tu przychodzicie?

– Raz, dwa razy w roku. Rodzice bywają tu częściej, zawsze kiedy muszą od nas odpocząć. Chyba potrafimy dać im w kość.

Uśmiechnęłam się.

– Myślałam o tym cmentarzu – powiedziałam. – Cieszę się, że nie zrobiliśmy zdjęć.

– Nigdy ich tam nie robię, głównie przez wzgląd na dziadka. Pływał na jednym ze statków marynarki handlowej, które *Bedfordshire* starał się chronić.

– Opowiadał ci kiedyś o wojnie?

– Niewiele, poza tym, że nigdy w życiu nie bał się tak jak wtedy. Nie tylko z powodu łodzi podwodnych, ale też z powodu sztormów na północnym Atlantyku. Widział w swoim życiu wiele huraganów, ale fale na Atlantyku były przerażające. Oczywiście przed wojną jego noga nigdy nie postała na lądzie, więc potem praktycznie wszystko było dla niego nowe.

Próbowałam wyobrazić sobie takie życie, ale nie potrafiłam. W ciszy, która zapadła między nami, poczułam, że dziecko się porusza, i odruchowo położyłam dłonie na brzuchu.

– Dziecko? – zapytał.

– Robi się coraz bardziej ruchliwa.

Odsunął na bok menu.

– Wiem, że to nie moja decyzja ani nawet nie moja sprawa, ale cieszę się, że postanowiłaś oddać je do adopcji, zamiast usunąć ciążę.

– Rodzice by mi nie pozwolili. Pewnie mogłabym zgłosić się do Planned Parenthood albo podobnej organizacji, ale nawet nie przyszło mi to do głowy. To chyba kwestia wiary.

– Chodziło mi o to, że gdybyś to zrobiła, nie przyjechałabyś do Ocracoke i nie miałbym okazji cię poznać.

– Niewiele byś stracił.

– Jestem pewien, że straciłbym wszystko.

Poczułam uderzenie gorąca na szyi, ale na szczęście z odsieczą przyszła mi kelnerka, która przyniosła nam herbatę. Złożyliśmy zamówienie – krabowe placuszki dla mnie i żeberka dla Bryce'a – i popijając herbatę, skierowaliśmy rozmowę na mniej kłopotliwe tematy. Bryce opisywał miejsca w Stanach i Europie, w których mieszkał, a ja opowiedziałam mu o rozmowie z Morgan – która w znacznej mierze kręciła się wokół jej spraw – o Madison i Jodie, naszych piżamowych przyjęciach i makijażowych wpadkach. Dziwne, ale od rozmowy z mamą na plaży nie myślałam o przyjaciółkach. Gdyby ktoś kiedyś powiedział mi, że zapomnę o nich na dzień lub dwa, nie uwierzyłabym. Zastanawiałam się, kim właściwie się staję.

Kelnerka przyniosła sałatki i nasze dania, akurat gdy Bryce opowiadał mi o żmudnym procesie składania aplikacji do West Point. Otrzymał rekomendacje od obu senatorów z Karoliny Północnej, co trochę mnie zdumiało, ale oznajmił, że nawet gdyby się nie dostał, poszedłby na inną uczelnię, a po jej ukończeniu wstąpiłby do wojska ze stopniem oficera.

– A później Zielone Berety?

– Albo Delta Force, co jest kolejnym krokiem w karierze. To znaczy… jeśli spełnię wszelkie wymogi.

– Nie boisz się, że zginiesz? – spytałam.

– Nie.

– Jak możesz się nie bać?

– Nie myślę o tym.

Ja na pewno w kółko bym o tym myślała.

– A później? Zastanawiałeś się, co chciałbyś robić na emeryturze? Będziesz konsultantem jak twój tata?

– Nie ma mowy. Gdyby to było możliwe, poszedłbym w ślady mamy i zajął się fotografią podróżniczą. Fajnie byłoby jeździć w odległe miejsca i zdjęciami opowiadać różne historie.

– Jak w ogóle można dostać taką pracę?

– Nie mam pojęcia.

– Zawsze możesz zająć się tresurą psów. Ostatnio Daisy zachowuje się dużo lepiej i nie oddala się już bez pozwolenia.

– Trudno byłoby mi rozstawać się z kolejnymi psami. Za bardzo się przywiązuję.

Pomyślałam, że mnie też byłoby smutno.

– W takim razie cieszę się, że masz ją w domu. I możesz się nią nacieszyć, zanim ją oddasz.

Obrócił w dłoniach filiżankę.

– Będziesz miała coś przeciwko temu, jeśli po drodze wpadnę po nią?

– Jak to? A co z niespodzianką?

– Myślę, że jej się spodoba.

– Co zaplanowałeś? Może przynajmniej jakaś wskazówka?

Zastanawiał się przez chwilę.

– Nie zamawiaj deseru – powiedział w końcu.

– To żadna wskazówka.

– I dobrze – rzucił z figlarnym błyskiem w oku.

*

Po kolacji pojechaliśmy do domu Bryce'a, gdzie jego rodzice i bracia oglądali dokument o Projekcie Manhattan, co mnie w ogóle nie zaskoczyło. Wzięliśmy zachwyconą Daisy, wsadziliśmy ją na pakę i niedługo po tym, jak znów znaleźliśmy się na drodze, wiedziałam już, dokąd jedziemy. Ta droga prowadziła tylko w jedno miejsce.

– Plaża?

Kiedy pokiwał głową, zerknęłam na niego.

– Nie będziemy wchodzić do wody, prawda? Jak w pierwszej scenie ze *Szczęk*, gdzie kobieta idzie popływać i zostaje pożarta przez rekina? Bo jeśli taki masz plan, możesz od razu zawracać.

– Woda jest za zimna na pływanie.

Zamiast zatrzymać się na parkingu, wjechał między wydmy, po czym skręcił i ruszył w dół plaży.

– To legalne?

– Oczywiście. Nielegalne jest potrącanie ludzi.

– Dzięki. – Przewróciłam oczami. – Nie zgadłabym.

Roześmiał się, kiedy podskakując, jechaliśmy po piasku, a ja złapałam się uchwytu nad drzwiami. Było naprawdę ciemno, bo księżyc przypominał cieniuteńki rogalik i nawet przez szybę widziałam gwiazdy rozsiane po niebie.

Bryce milczał, podczas gdy ja próbowałam rozpoznać rysujący się przed nami ciemny kształt. Nawet w świetle reflektorów nie potrafiłam powiedzieć, co to takiego. Kiedy byliśmy już wystarczająco blisko, Bryce skręcił i w końcu się zatrzymał.

– Jesteśmy na miejscu – oznajmił. – Ale zamknij oczy i zaczekaj w pick-upie, aż wszystko przygotuję. I nie podglądaj, dobrze?

Zamknęłam oczy. Czemu nie? – pomyślałam, słuchając, jak wysiada i zamyka drzwi. Nawet wtedy słyszałam, jak od czasu do czasu upomina Daisy, żeby nie odbiegała, a on chodzi w tę i we w tę.

Po kilku minutach, które zdawały się trwać znacznie dłużej, w końcu usłyszałam przez szybę jego głos.

– Nie otwieraj oczu! – zawołał. – Pomogę ci wysiąść i zaprowadzę cię na miejsce. Otworzysz oczy, kiedy ci powiem, zgoda?

– Tylko nie pozwól mi upaść – uprzedziłam go.

Chwilę później usłyszałam, jak otwiera drzwi, i poczułam, że bierze mnie za rękę. Powoli zsunęłam się z siedzenia i zaczęłam macać stopą powietrze, aż w końcu dosięgłam ziemi. Później było łatwiej. Bryce prowadził mnie po zimnym piasku, a silne podmuchy wiatru rozwiewały mi włosy.

– Przed tobą nic nie ma – uspokoił mnie. – Możesz śmiało iść.

Kilka kroków dalej poczułam ciepło i ciemność pod powiekami nagle jakby się rozjaśniła. Delikatnie pociągnął mnie, żebym się zatrzymała.

– Możesz już otworzyć oczy.

Ciemny kształt, który widziałam wcześniej, okazał się stertą piasku tworzącą półkolistą osłonę wokół głębokiego na pół metra dołu. W dziurze płonął ogień, przed którym zobaczyłam wyłożone kocami dwa krzesła ogrodowe. Między nimi stała mała turystyczna lodówka, a z tyłu trójnóg, na którym coś zamontowano. Może nie był to wielki romantyczny gest rodem z filmów o miłości, ale ja byłam absolutnie zachwycona.

– Jejku – wydusiłam.

Byłam tak oszołomiona, że żadne inne słowa nie przyszły mi do głowy.

– Cieszę się, że ci się podoba.

– Jak zdołałeś tak szybko rozpalić ogień?

– Użyłem brykietów z węgla drzewnego i benzyny do zapalniczek.

– A to co? – spytałam, wskazując trójnóg.

– Teleskop. Tata mi go pożyczył. Jest jego, ale wszyscy z niego korzystamy.

– Pokażesz mi kometę Halleya czy coś w tym stylu?

– Nie – odparł. – To było w tysiąc dziewięćset osiemdziesiątym szóstym roku. Następnym razem będzie ją można zobaczyć w dwa tysiące sześćdziesiątym pierwszym.

– I ty tak przypadkiem o tym wiesz?

– Wie o tym każdy, kto ma teleskop.

No pewnie.

– To na co będziemy patrzeć?

– Na Wenus i Marsa. Na Syriusza, zwanego również „gwiezdnym psem". Na gwiazdozbiór Zająca. Kasjopei. Oriona. I kilka innych konstelacji. Księżyc i Jowisz są prawie w koniunkcji.

– A lodówka?

– Zrobimy s'mores – odparł. – Idealne do pieczenia na ogniu.

Wskazał ręką krzesła, a ja usiadłam na tym bardziej oddalonym od ognia. Pochyliłam się, podniosłam koc i okryłam nim kolana, chociaż piaszczysty kopiec niemal całkowicie osłaniał nas od wiatru. Daisy położyła się obok Bryce'a. Przy ognisku było ciepło i przyjemnie.

– Kiedy to wszystko urządziłeś?

– Wykopałem dół i naniosłem drewna i węgla po tym, jak odwiozłem cię do domu.

Kiedy spałam. To tłumaczyło różnicę między nami – on działał, podczas gdy ja spałam.

– To… niesamowite. Dziękuję, że przygotowałeś to wszystko.

– Przygotowałem też coś na walentynki.

– Przecież dałeś mi już kwiaty.

– Chciałem dać ci coś, co będzie przypominało ci o Ocracoke.

I bez tego czułam, że zapamiętam to miejsce i ten wieczór na zawsze, ale patrzyłam z fascynacją, jak sięgnął do kieszeni, wyjął z niej małe pudełeczko zapakowane w czerwono-zielony papier i wręczył mi je. Prawie nic nie ważyło.

– Przepraszam. W domu mieliśmy jedynie świąteczny papier prezentowy.

– To nic – odparłam. – Mam teraz otworzyć?

– Proszę.

– Ja nie mam nic dla ciebie.

– Wystarczy, że dałaś się zaprosić na kolację.

Na te słowa serce znowu zabiło mi mocniej, co ostatnio zdarzało się zdecydowanie za często. Spuściłam wzrok i zaczęłam rozrywać papier, aż w końcu udało mi się go zdjąć. W środku znalazłam pudełeczko po rozszywaczu.

– Nie było też pudełeczek na prezenty – dodał przepraszająco.

Kiedy otworzyłam je i przechyliłam, na moją dłoń wypadł cienki złoty łańcuszek. Potrząsnęłam nim delikatnie, żeby dostać się do małego złotego wisiorka w kształcie muszli świętego Jakuba. Podniosłam go i zbliżyłam do ognia, zbyt wzruszona, żeby cokolwiek powiedzieć. Pierwszy raz dostałam od chłopaka biżuterię.

– Zobacz, co jest z tyłu – powiedział.

Obróciłam wisiorek w palcach i jeszcze bardziej nachyliłam się w stronę ognia. Grawerunek był trudny do odczytania, ale nie niemożliwy.

Ocracoke
Wspomnienia

Patrzyłam na wisiorek, nie mogąc oderwać od niego wzroku.

– Jest piękny – szepnęłam przez ściśnięte gardło.

– Nigdy nie widziałem, żebyś nosiła łańcuszek z jakąś przywieszką, więc nie wiedziałem, czy ci się spodoba.

– Jest idealny. – W końcu na niego spojrzałam. – Ale teraz jest mi głupio, że nic ci nie dałam.

– Ależ dałaś. – Blask ognia zamigotał w jego ciemnych oczach. – Podarowałaś mi wspomnienia.

W tamtej chwili byłam gotowa uwierzyć, że oprócz nas nie ma na świecie nikogo, i pragnęłam powiedzieć mu, jak wiele dla mnie znaczy. Szukałam odpowiednich słów, te jednak nie chciały się pojawić. Odwróciłam wzrok.

W ciemności, poza kręgiem światła, nie sposób było dostrzec fale, ale słyszałam, jak rozbijają się o brzeg, zagłuszając trzask ognia. Czułam zapach dymu i soli i zauważyłam, że na niebie pojawiło się jeszcze więcej gwiazd. Daisy skuliła się w kłębek u moich stóp. Czując na sobie wzrok Bryce'a, nagle zrozumiałam, że zakochał się we mnie. Nie dbał o to, że noszę dziecko innego chłopaka ani że wkrótce wyjadę. Nie obchodziło go, że nie jestem taka mądra i utalentowana jak on i że nawet w swój najlepszy dzień nie będę wystarczająco ładna dla kogoś takiego jak on.

– Pomożesz mi zapiąć? – spytałam w końcu dziwnie obcym głosem.

– Pewnie – mruknął.

Odwróciłam się, uniosłam włosy i poczułam, jak Bryce muska palcami mój kark. Dotknęłam wisiorka i pomyślałam, że jest taki ciepły w dotyku. Schowałam go pod sweter.

Odchyliłam się na krześle i oszołomiona myślą, że Bryce mnie kocha, zaczęłam się zastanawiać, jak i kiedy do tego doszło. Skrawki wspomnień przelatywały mi przez głowę – spotkanie na promie, ranek, gdy pierwszy raz stanął przed drzwiami domu ciotki, jego reakcja, kiedy powiedziałam mu, że jestem w ciąży. Przypomniałam sobie, jak stojąc u jego boku, podziwiałam świąteczną flotyllę i jak chodził wśród świątecznych ozdób na farmie w Vanceboro. A także jego minę, gdy podarowałam mu sekretny przepis na bułeczki, i wyczekiwanie w jego oczach, kiedy pierwszy raz wręczył mi aparat. Wreszcie zobaczyłam go, jak zabijając okna, stał na drabinie, i wiedziałam, że ten obraz pozostanie ze mną na zawsze.

Gdy spytał, czy chcę popatrzeć przez teleskop, wstałam niczym we śnie, przyłożyłam oko do okularu i słuchałam, jak Bryce opowiada mi, na co patrzę. Obrócił teleskop i kilkukrotnie poprawiał soczewkę, zanim w końcu zaczął mówić o planetach, konstelacjach i odległych gwiazdach. Odwoływał się do legend i mitów, ale byłam tak rozkojarzona jego bliskością i swoim odkryciem, że właściwie nie docierało do mnie to, co mówił.

Nadal czułam się jak zauroczona, gdy pokazał mi, jak robić s'mores. Nadział pianki na zaostrzone patyki i kazał mi trzymać je wysoko nad ogniem, żeby się nie zapaliły. Następnie ułożyliśmy pianki między krakersami, razem z czekoladą Hershey, i jedliśmy, rozkoszując się ich cudownie słodkim smakiem. Patrzyłam, jak przy pierwszym kęsie, pochylony do przodu, walczy z nitką ciągnącej się pianki. Roześmiał się, przypominając mi, że choć jest dobry niemal we wszystkim, nigdy nie traktuje siebie zbyt poważnie.

Kilka minut później wstał z krzesła i poszedł do pick-upa. Daisy potruchtała za nim, kiedy ściągał z paki coś dużego i nieporęcznego; nie wiedziałam, co to jest. Minął miejsce, w którym siedzieliśmy, i zbliżył się do samego brzegu. Rozpoznałam kształt, dopiero gdy puścił latawiec, który poszybował w górę i zniknął w mroku.

Bryce pomachał do mnie, pełen dziecięcej radości, a ja poderwałam się z krzesła i podeszłam do niego.

– Latawiec?

– Robert i tata pomogli mi go zbudować – wyjaśnił.

– Ale go nie widać.

– Możesz przytrzymać to na chwilę?

Chociaż od dzieciństwa nie puszczałam latawców, ten zdawał się przyklejony do nieba. Bryce wyjął z tylnej kieszeni coś, co wyglądało jak pilot do telewizora. Nacisnął guzik i nagle latawiec zmaterializował się na niebie, rozświetlony czymś, co jak się domyślałam, było czerwonymi lampkami choinkowymi. Biegły wzdłuż drewnianego stelaża, dzięki czemu duży trójkąt był widoczny jak na dłoni.

– Niespodzianka – powiedział.

Spojrzałam na jego podekscytowaną twarz i znowu na latawiec. Podskoczył nieznacznie, jak gdyby reagował na każdy, nawet najdrobniejszy, ruch. Rozwinęłam nieco sznurek i jak zahipnotyzowana patrzyłam, jak wznosi się coraz wyżej. Bryce też śledził go wzrokiem.

– Lampki choinkowe? – spytałam zdumiona.

– Tak. A także baterie i odbiornik. Jeśli chcesz, mogę sprawić, że światełka zaczną migać.

– Nie, niech zostanie, jak jest – odparłam.

Staliśmy tak blisko siebie, że mimo wiatru czułam bijące od Bryce'a ciepło. Gdy się skupiłam, poczułam wisiorek dotykający mojej skóry i pomyślałam o kolacji, ognisku, piankach i teleskopie. Patrząc na latawiec, zastanawiałam się, kim byłam, kiedy przyjechałam do Ocracoke, i zdumiewała mnie osoba, którą się stałam.

Wyczułam, że Bryce odwrócił się do mnie, i też odwróciłam się do niego. Zrobił niepewny krok w moją stronę. Wysunął rękę, położył dłoń na moim biodrze i już wiedziałam, co się zaraz wydarzy. Przyciągnął mnie do siebie i lekko przechylił głowę. Zbliżył usta do moich warg, aż w końcu się spotkały.

Był to delikatny, słodki pocałunek. Jakaś część mnie chciała powstrzymać Bryce'a. Pragnęłam przypomnieć mu, że jestem w ciąży i niedługo stąd wyjadę. Powinnam mu powiedzieć, że nie ma dla nas przyszłości.

Tymczasem milczałam, a gdy poczułam, że otoczył mnie ramionami, a jego ciało naparło na moje, nagle zrozumiałam, że ja również tego chcę. Powoli rozchylił wargi, a gdy nasze języki się spotkały, zatraciłam się w świecie, w którym liczył się wyłącznie czas, jaki spędzałam z Bryce'em. W świecie, gdzie pragnęłam tylko całować go i obejmować.

Nie był to mój pierwszy pocałunek „z języczkiem", ale był idealny pod każdym względem i gdy w końcu odsunęliśmy się od siebie, usłyszałam ciche westchnienie Bryce'a.

– Nie masz pojęcia, jak długo na to czekałem – wyszeptał. – Kocham cię, Maggie.

Zamiast odpowiedzieć, przytuliłam się do niego i pozwoliłam się objąć, czując, jak wodzi palcami wzdłuż mojego kręgosłupa. Wyobraziłam sobie, że nasze serce biją zgodnym rytmem, chociaż oddech Bryce'a był spokojniejszy.

Drżałam, a jednak nigdy nie było mi lepiej.

– Och, Bryce – szepnęłam, a kolejne słowa wydały mi się zupełnie naturalne. – Ja też cię kocham.

ŚWIĄTECZNY NASTRÓJ I WIGILIA

Manhattan
Grudzień 2019

W blasku lampek choinkowych wspomnienie tamtego pocałunku było tak żywe. Maggie zaschło w ustach i zastanawiała się, jak długo mówiła. Mark jak zwykle słuchał w milczeniu, gdy przywoływała wydarzenia z tamtego okresu swojego życia. Siedział pochylony do przodu, z łokciami na kolanach i splecionymi dłońmi.

– No, no – odezwał się w końcu. – Idealny pocałunek?

– Tak – potwierdziła. – Wiem, jak to brzmi. Ale... tak właśnie było. Do tego pocałunku porównywałam potem wszystkie inne.

Uśmiechnął się.

– Cieszę się, że mogłaś doświadczyć czegoś takiego, ale przyznam, że trochę się teraz wystraszyłem.

– Dlaczego?

– Bo gdy opowiem o tym Abigail, może będzie się zastanawiać, czy coś jej nie ominęło, i zacznie szukać własnego idealnego pocałunku.

Śmiejąc się, Maggie próbowała sobie przypomnieć, kiedy ostatnio siedziała z kimś godzinami i po prostu... rozmawiała.

Kiedy ostatni raz czuła, że może być naprawdę sobą, bez skrępowania i obaw? Zbyt dawno temu...

– Jestem pewna, że Abigail rozpływa się, gdy ją całujesz – rzuciła przekornie.

Mark zaczerwienił się aż po czubki uszu.

– Naprawdę tak myślałaś – odezwał się po chwili. – Kiedy powiedziałaś mu, że go kochasz.

– Nie wiem nawet, czy kiedykolwiek przestałam go kochać.

– I?

– I będziesz musiał zaczekać, żeby usłyszeć resztę. Dziś nie mam już sił na dalsze opowieści.

– W porządku. Jakoś wytrzymam. Ale mam nadzieję, że nie każesz mi czekać zbyt długo.

Spojrzała na choinkę, przyglądając się jej kształtowi, światełkom i misternie zawiązanym ozdobnym wstążkom.

– Nie mogę uwierzyć, że to moje ostatnie święta – powiedziała z namysłem. – Dziękuję, że pomagasz mi, żeby były jeszcze bardziej wyjątkowe.

– Nie musisz mi dziękować. Jestem zaszczycony, że zechciałaś spędzić je ze mną.

– Wiesz, czego nigdy nie robiłam? Chociaż przez tyle lat mieszkałam w Nowym Jorku?

– Nie widziałaś *Dziadka do orzechów*?

Pokręciła głową.

– Nigdy nie jeździłam na łyżwach przy Rockefeller Center, pod tą ogromną choinką. Właściwie widziałam ją tylko w telewizji, nigdy na żywo.

– No to musimy tam iść! Jutro galeria jest zamknięta, więc czemu nie?

– Nie umiem jeździć na łyżwach – wyznała z żalem.

Zresztą nawet gdybym umiała, nie wiem, czy miałabym dość sił, dodała w duchu.

– Ale ja umiem – odparł. – Grałem w hokeja, pamiętasz? Pomogę ci.

Spojrzała na niego niepewnie.

– Nie masz nic lepszego do roboty w dzień wolny? Nie chcę, żebyś czuł się w obowiązku spełniać szalone zachcianki swojej szefowej.

– Wierz mi, że brzmi to dużo lepiej od tego, co zwykle robię w niedziele.

– Czyli czego?

– Prania. Zakupów. Grania w gry wideo. Jesteśmy umówieni?

– Muszę się wyspać. Będę gotowa dopiero po południu.

– Może spotkamy się w galerii, na przykład o czternastej? Razem pojedziemy uberem do centrum.

– Dobrze – zgodziła się, chociaż miała pewne wątpliwości.

– Później, w zależności od tego, jak będziesz się czuła, może opowiesz mi, co było dalej między tobą a Bryce'em.

– Może… Zobaczymy, jak będę się czuła.

*

Po powrocie do mieszkania Maggie poczuła wszechogarniające zmęczenie, które ściągało ją w dół niczym prąd przydenny.

Zdjęła kurtkę i położyła się, chcąc chwilę odpocząć, zanim przebierze się w piżamę.

Obudziła się nazajutrz o dwunastej trzydzieści, w tym samym ubraniu, które miała na sobie poprzedniego dnia.

Była niedziela, dwudziesty drugi grudnia, trzy dni przed Bożym Narodzeniem.

*

Chociaż Maggie ufała Markowi, obawiała się, że upadnie na lodzie. Mimo że przespała twardo całą noc – chyba nawet nie przewróciła się na drugi bok – czuła się słabsza niż zwykle, nawet jak na nią. Wrócił też czający się tuż pod powierzchnią ból, sprawiający, że nie mogła nawet myśleć o jedzeniu.

Odsłuchała krótką wiadomość, którą mama zostawiła na jej sekretarce. Dzwoniła rano, żeby sprawdzić, co u niej, i upewnić się, że jakoś sobie radzi, ale w jej głosie słychać było niepokój. Maggie już dawno temu uznała, że zamartwiając się, mama okazuje jej, jak bardzo ją kocha.

Ale męczyło ją to. Martwienie się wynikało z dezaprobaty – jak gdyby życie Maggie byłoby lepsze, gdyby od początku słuchała matki – i z czasem stało się dla mamy czymś oczywistym.

Chociaż Maggie chciała zaczekać z telefonem do świąt, wiedziała już, że musi oddzwonić. Gdyby tego nie zrobiła, prawdopodobnie otrzymałaby kolejną, jeszcze bardziej gorączkową wiadomość. Usiadła na skraju łóżka, zerknęła na zegar i uświadomiła sobie, że o tej porze rodzice pewnie są w kościele. Tym

lepiej. Mogła zostawić wiadomość, powiedzieć, że czeka ją ciężki dzień, i uniknąć niepotrzebnego stresu. Niestety, po drugim
sygnale usłyszała w słuchawce głos mamy.

Rozmawiały przez dwadzieścia minut. Maggie wypytywała
o ojca, Morgan i siostrzenice, a matka przekazywała jej najnow-
sze wieści. Na pytanie, jak się czuje, Maggie odparła, że tak jak
może się czuć ktoś w jej stanie. Na szczęście mama nie drążyła
tematu i Maggie odetchnęła z ulgą, że na razie nie musi zdra-
dzać prawdy. Pod koniec rozmowy do telefonu podszedł ojciec.
Był lakoniczny jak zawsze. Rozmawiali o pogodzie w Seattle
i w Nowym Jorku, ojciec opowiedział jej, jak w tym sezonie grają Seahawks – uwielbiał futbol – i napomknął, że na święta kupił sobie lornetkę. Gdy zapytała, po co mu lornetka, odparł, że
mama dołączyła do klubu obserwatorów ptaków. Maggie zastanawiała się, jak długo potrwa zainteresowanie nowym hobby,
i doszła do wniosku, że pewnie skończy się tak samo jak w przypadku innych klubów, do których przez lata wstępowała mama.
Na początku były zachwyty nad członkami klubu i entuzjazm,
kilka miesięcy później stwierdzała, że z niektórymi się nie dogaduje, a w końcu oświadczała, że rezygnuje z członkostwa, bo
większość klubowiczów jest nie do zniesienia. W świecie mamy
zawsze ktoś inny stanowił problem.

Ojciec nie dodał nic więcej i kiedy Maggie się rozłączyła,
po raz kolejny zrobiło jej się przykro, że jej relacje z rodzicami,
zwłaszcza z mamą, nie wyglądają inaczej. Że zamiast narzekań
nie ma w nich więcej śmiechu. Większość jej przyjaciół miała

dobre relacje z matkami. Nawet Trinity dogadywał się ze swoją, a był przecież kapryśny i wybuchowy. Dlaczego więc jej przychodziło to z takim trudem?

Ponieważ – uznała w duchu – to mama wszystko utrudnia i robiła tak, odkąd Maggie sięgała pamięcią. Dla niej młodsza córka była bardziej cieniem niż prawdziwym człowiekiem i kompletnie nie rozumiała jej nadziei i marzeń. Nie cieszyło jej nawet to, że w pewnych kwestiach zgadzają się ze sobą. Mama skupiała się raczej na tym, co je różniło, a z niepokoju i dezaprobaty uczyniła swoją broń.

Maggie wiedziała, że mama nie potrafi inaczej; prawdopodobnie była taka już jako dziecko. Zresztą teraz, gdy o tym myślała, zachowanie mamy było poniekąd dziecinne. Rób, co ci każę, albo… Po prostu z wiekiem zamieniła napady złości w inne, bardziej podstępne, środki sprawowania kontroli.

Lata po powrocie z Ocracoke, zanim przeniosła się do Nowego Jorku, były dla Maggie szczególnie męczące. Mama uważała, że kariera fotografki jest równie głupia jak ryzykowna. Jej zdaniem Maggie powinna pójść w ślady siostry i studiować na Uniwersytecie Gonzaga, znaleźć odpowiedniego mężczyznę i ustatkować się. Kiedy Maggie w końcu się wyprowadziła, każda rozmowa z matką budziła w niej przerażenie.

Najsmutniejsze było to, że mama wcale nie była strasznym człowiekiem. Nie była nawet złą matką. Jeśli się nad tym zastanowić, podjęła słuszną decyzję, wysyłając Maggie do Ocracoke. No i nie ona jedna martwiła się o stopnie i o to, czy jej córka nie spotyka się z nieodpowiednimi chłopakami, i uważała, że małżeństwo i dzieci są ważniejsze niż kariera zawodowa. Niektóre z wyznawanych przez nią zasad były bliskie Maggie. Podobnie jak rodzice, piła rzadko i niewiele, stroniła od narkotyków, zawsze płaciła w terminie rachunki, ceniła sobie szczerość i przestrzegała prawa. Nie chodziła już jednak do kościoła; przestała, odkąd po dwudziestce przeszła kryzys wiary. Albo raczej kryzys wszystkiego, który doprowadził do jej spontanicznej przeprowadzki do Nowego Jorku i serii niefortunnych związków, jeśli w ogóle można je było nazwać związkami.

Co do ojca...

Maggie zastanawiała się czasami, czy tak naprawdę go zna. Przyparta do muru, powiedziałaby, że był produktem innej epoki, czasów, kiedy mężczyźni zarabiali na utrzymanie rodziny, chodzili do kościoła i uważali, że narzekanie nie przynosi niczego dobrego. Jednak odkąd przeszedł na emeryturę, jego spokój ustąpił miejsca małomówności, a wręcz niechęci do mówienia. Godzinami przesiadywał sam w garażu, nawet gdy Maggie przyjeżdżała w odwiedziny, a podczas wspólnych obiadów pozwalał mówić żonie.

Teraz jednak rozmowa dobiegła końca i Maggie uświadomiła sobie, że boi się następnej. Mama na pewno będzie nalegać, żeby Maggie wróciła do Seattle, i chcąc postawić na swoim, wzbudzi w niej poczucie winy. Czekała ją ciężka przeprawa.

Odepchnęła od siebie tę myśl i próbowała skupić się na tym, co tu i teraz. Zauważyła, że ból przybrał na sile, i zastanawiała się, czy nie napisać do Marka i nie odwołać spotkania. Krzywiąc się, poszła do łazienki i wyjęła z szafki buteleczkę tabletek, pamiętając, że doktor Brodigan ostrzegała ją, że stosowane niewłaściwie, mogą uzależnić. Cóż za niedorzeczność. Jakie to miało znaczenie, czy w jej obecnym stanie uzależni się od czegokolwiek? I co w tym było niestosownego? Czuła się jak poduszeczka do szpilek i nawet przy dotknięciu wierzchu dłoni robiło jej się ciemno przed oczami. Połknęła dwie tabletki i po chwili namysłu jeszcze jedną, tak na wszelki wypadek. Postanowiła, że zobaczy, jak będzie się czuła za pół godziny, i wtedy podejmie decyzję. Usiadła na kanapie, czekając, aż pigułki zaczną działać. Chociaż wątpiła, żeby zdziałały cuda, czuła, że ból zaczyna słabnąć. Wychodząc z mieszkania, unosiła się na fali optymizmu. Zawsze mogła przecież popatrzeć, jak Mark jeździ na łyżwach; zresztą świeże powietrze na pewno dobrze jej zrobi.

Złapała taksówkę do galerii i dojeżdżając na miejsce, zauważyła Marka stojącego przed wejściem. Trzymał w dłoniach kubek, zapewne z jej ulubionym napojem, a gdy ją zobaczył, uśmiechnął się szeroko. To tylko utwierdziło ją w przekonaniu, że podjęła słuszną decyzję.

*

– Myślisz, że będziemy mogli pojeździć? – spytała, kiedy przyjechali pod Rockefeller Center i zobaczyli tłumy na lodowisku. – Do głowy mi nie przyszło, że potrzebna jest rezerwacja.

– Dzwoniłem do nich dziś rano – powiedział. – Wszystko załatwione.

Znalazł miejsce, gdzie mogła usiąść, a sam poszedł stanąć w kolejce. Maggie popijała napój, myśląc o tym, że trzecia tabletka zrobiła swoje. Czuła się lekko podekscytowana, ale nie tak tryskająca energią jak wcześniej. W każdym razie ból osłabł i stał się niemal znośny. Co więcej, po raz pierwszy od bardzo, bardzo dawna było jej naprawdę ciepło. Chociaż widziała obłoczki pary, które z każdym oddechem ulatywały jej z ust, nie drżała z zimna i nie drętwiały jej palce.

Nie miała też problemów z żołądkiem. Wiedziała, że – paradoksalnie – potrzebuje każdej kalorii. Po latach uważania na to, co je, i martwienia się za każdym razem, gdy przybrała na wadze choćby pół kilograma, teraz, kiedy naprawdę potrzebowała kalorii, praktycznie ich nie przyswajała. Ostatnio bała się stawać na wadze, przerażona tym, jak bardzo schudła. Jej ciało, ukryte pod warstwą ubrań, zmieniało się w szkielet.

Ale dość tego ponuractwa. Zafascynowana ściskiem na lodowisku, ledwie usłyszała dźwięk swojego telefonu. Wyciągnęła go z kieszeni i zobaczyła SMS-a od Marka. Pisał, że wraca, by pomóc jej włożyć łyżwy i razem z nią wejść na lodowisko.

W przeszłości poczułaby się upokorzona tą propozycją pomocy, ale teraz wątpiła, czy sama zdołałaby założyć łyżwy. Kiedy do niej dotarł, podał jej rękę i oboje powoli zeszli po schodach do przebieralni, gdzie założyli łyżwy.

Chociaż ją podtrzymywał, czuła się tak, jakby każdy, nawet najlżejszy podmuch wiatru mógł ją przewrócić.

*

– Chcesz, żebym cię trzymał? – spytał Mark. – Czy myślisz, że dasz sobie radę?

– Nawet nie myśl o tym, żeby mnie puszczać – wycedziła przez zaciśnięte zęby.

Adrenalina, spotęgowana strachem, sprawiła, że Maggie zaczynała panikować i doszła do wniosku, że jazda na łyżwach podobała jej się bardziej w teorii niż w praktyce. W jej stanie próba utrzymania się na lodzie, na dwóch cienkich ostrzach, nie była najlepszym pomysłem. Właściwie można by powiedzieć, że pomysł był zupełnie idiotyczny.

A jednak…

Mark robił wszystko, by czuła się bezpieczna. Zwrócony do niej twarzą, jechał tyłem, z rękami na jej biodrach. Posuwali się wolno, tuż przy bandzie, podczas gdy obok nich śmigali roześmiani łyżwiarze w każdym wieku – od dzieci, które dopiero nauczyły się chodzić, po starsze panie. Z pomocą Marka Maggie przynajmniej sunęła po lodzie. W tłumie było zaledwie kilka osób, które – podobnie jak ona – najwyraźniej nigdy dotąd nie miały na nogach łyżew. Nietrudno było je rozpoznać, bo trzymając się bandy, stawiały ostrożne kroki, a od czasu do czasu ich nogi się rozjeżdżały, wykonując nerwowy taniec.

Chwilę wcześniej Maggie była świadkiem właśnie czegoś takiego.

– Naprawdę nie chcę upaść.

– Nie upadniesz – uspokoił ją Mark, spoglądając na jej łyżwy. – Trzymam cię.

– Ale nie widzisz, gdzie jedziemy – przypomniała mu.

– Używam widzenia obwodowego – wyjaśnił. – Tylko daj mi znać, jeśli ktoś przed nami zaliczy upadek.

– Ile mamy czasu?

– Pół godziny – odparł.

– Chyba nie dam rady tak długo.

– Skończymy, kiedy powiesz, że masz dość.

– Zapomniałam dać ci swoją kartę kredytową. Zapłaciłeś za to?

– To był mój prezent. A teraz przestań gadać i spróbuj się dobrze bawić.

– Strach, że za chwilę wyłożę się jak długa, wcale nie jest fajny.

– Nie wyłożysz się. Trzymam cię mocno.

*

– Ależ było fajnie! – zawołała.

W przebieralni Mark pomógł jej zdjąć łyżwy i włożyć buty, chociaż go o to nie prosiła. W trzynaście minut cztery razy okrążyli lodowisko.

– Cieszę się, że ci się podobało.

– Teraz mogę powiedzieć, że zaliczyłam jedną z nowojorskich atrakcji turystycznych.

– No właśnie.

– Widziałeś choinkę? Czy byłeś zbyt zajęty pilnowaniem, żebym nie skręciła karku?

– Widziałem. Ale ledwo, ledwo.

– Powinieneś iść pojeździć. Masz jeszcze kilka minut.

Ku jej zaskoczeniu, podchwycił ten pomysł.

– Nie będziesz miała nic przeciwko temu?

– Ależ skąd.

Pomógł jej wstać, odprowadził ją na bok i upewniwszy się, że ma się czego trzymać, w końcu ją puścił.

– Wszystko w porządku? – zapytał.

– Zmykaj. Zobaczmy, jak dajesz sobie radę bez spowalniającej cię chorej staruszki.

– Nie jesteś stara.

Puścił do niej oko i wszedł na lód, zrobił trzy, cztery kroki i nabrał szybkości. W pewnej chwili wyskoczył w powietrze, obrócił się i rozpędzony, zaczął jechać tyłem, przemykając pod choinką w drugim końcu lodowiska. Znowu się obrócił, pomknął w stronę łuku, jedną ręką niemal dotykając lodu, i przejechał obok Maggie. Odruchowo sięgnęła do kieszeni po iPhone'a. Zaczekała, aż będzie przejeżdżał obok choinki, i zrobiła mu kilka zdjęć, a przy następnym okrążeniu nagrała krótki filmik.

Kilka minut później, gdy czas się skończył i Mark poszedł do przebieralni, ona, przeglądając zdjęcia, pomyślała o fotografii Bryce'a stojącego na drabinie. Tak jak wtedy, teraz również udało jej się uchwycić istotę młodego mężczyzny. I jak kiedyś Bryce, tak teraz Mark w niedługim czasie stał się dla niej kimś dziwnie ważnym. Myśl, że i tym razem będzie musiała się pożegnać, sprawiła jej ból silniejszy od tego, który czaił się w jej kościach.

*

Gdy oboje stanęli w końcu na pewnym gruncie, wysłała Markowi zdjęcia i nagranie, po czym poprosili kogoś, by ich sfotografował na tle choinki. Mark natychmiast zaczął przesuwać palcami po ekranie swojego telefonu.

– Wysyłasz je Abigail? – spytała Maggie.

– I rodzicom.

– Na pewno za tobą tęsknią.

– Myślę, że świetnie się bawią.

Wskazała na restaurację sąsiadującą z lodowiskiem.

– Może byśmy wpadli do Sea Grill? Chyba mam ochotę na gorącą herbatę przy barze.

– Jak sobie życzysz.

Wzięła go pod rękę i powoli ruszyli w stronę przeszklonej restauracji. Powiedziała barmanowi, co chce zamówić, a Mark poprosił o to samo. Kiedy barman postawił przed nią imbryk, nalała sobie herbaty do filiżanki.

– Jesteś świetnym łyżwiarzem.

– Dzięki. Abigail i ja czasem jeździmy.

– Podobało jej się zdjęcie?

– Wysłała mi trzy czerwone serduszka, więc chyba tak. Ale zastanawiałem się… – Urwał.

– …co było dalej? – dokończyła za niego.

– Wciąż masz ten łańcuszek, który dostałaś od Bryce'a?

Zamiast odpowiedzieć, Maggie sięgnęła do szyi, rozpięła łańcuszek i zdjęła. Podała go Markowi i obserwowała, jak przygląda mu się w milczeniu. Przez chwilę patrzył na muszlę, po czym obrócił wisiorek w palcach, żeby odczytać grawerunek.

– Jest taki delikatny.

– Nie było dnia, żebym go nie nosiła.

– I łańcuszek nigdy się nie zerwał?

– Uważam na niego. Nie śpię w nim i zdejmuję go, kiedy biorę prysznic. Ale poza tym mam go zawsze na szyi.

– I za każdym razem, gdy go zakładasz, wspominasz tamten wieczór?

– Pamiętam go zawsze. Bryce nie był tak po prostu moją pierwszą miłością. Był moją jedyną miłością.

– Pomysł z latawcem był fajny – zauważył Mark. – Ja i Abigail piekliśmy pianki na ognisku nad jeziorem, nie nad oceanem, ale nie słyszałem jeszcze o latawcu ozdobionym świątecznymi lampkami. Ciekawe, czy potrafiłbym skonstruować coś takiego.

– W dzisiejszych czasach pewnie znalazłbyś instrukcję w sieci albo mógłbyś nawet zamówić coś takiego przez internet.

Mark w zamyśleniu wpatrywał się w filiżankę.

– Cieszę się, że przeżyłaś to z Bryce'em – powiedział w końcu. – Myślę, że każdy zasługuje na choć jeden wyjątkowy, idealny wieczór.

– Też tak uważam.

– Ale wiesz przecież, że twoje uczucie do niego zakiełkowało dużo wcześniej, prawda? Nie zaczęło się w dniu, kiedy burza uderzyła w Ocracoke. Miało swój początek na promie, gdy pierwszy raz zobaczyłaś go w tamtej oliwkowej kurtce.

– Czemu to mówisz?

– Bo nie odeszłaś, a przecież mogłaś to zrobić. A kiedy ciotka zapytała, czy Bryce może być twoim korepetytorem, szybko się zgodziłaś.

– Potrzebowałam pomocy w nauce!

– Skoro tak mówisz. – Uśmiechnął się.

– Teraz twoja kolej – rzuciła, zmieniając temat. – Wziąłeś mnie na łyżwy, ale czy jest coś, co naprawdę chciałbyś zrobić, skoro jesteśmy już w centrum miasta?

Zamieszał herbatę w filiżance.

– Pewnie pomyślisz, że to głupie. W końcu mieszkasz tu od tak dawna.

– O co chodzi?

– Chciałbym obejrzeć niektóre okna wystawowe przy Piątej Alei... te udekorowane na święta. Abigail powiedziała, że to coś, co koniecznie muszę zrobić. A za półtorej godziny przed katedrą Świętego Patryka będzie występował chór.

Chór mogła zrozumieć, ale okna wystawowe? I czemu nie dziwiło jej, że chciał zrobić coś takiego?

– Dobra, chodźmy. – Powstrzymała się od przewrócenia oczami. – Nie wiem tylko, ile zdołam przejść. Jestem trochę osłabiona.

– Świetnie. – Rozpromienił się. – Weźmiemy taksówkę albo ubera, zgoda?

– Jedno pytanie – powiedziała. – Skąd wiesz o występie chóru?

– Zajrzałem tu i ówdzie rano.

– Dlaczego mam wrażenie, że robisz wszystko, by te święta były dla mnie wyjątkowe?

Zobaczyła w jego oczach smutek i już niczego nie musiał tłumaczyć.

*

Kiedy dopili herbatę i wyszli na mroźne powietrze, Maggie poczuła w piersi ostry ból, który narastał z każdym oddechem. Mroczki zatańczyły jej przed oczami. Zamarła, zacisnęła powieki i wbiła pięść w miejsce tuż pod piersią. Wolną ręką chwyciła Marka za ramię.

– Wszystko w porządku? – Spojrzał na nią szeroko otwartymi oczami.

Próbowała uspokoić oddech, ale ból nie ustępował. Poczuła, że Mark otoczył ją ramieniem.

– Boli – wydusiła.

– Chcesz wrócić do środka i usiąść? Albo może odwiozę cię do domu?

Zacisnęła zęby i pokiwała głową. Na myśl o tym, że miałaby się poruszyć, zrobiło jej się słabo i skupiła się na oddychaniu. Nie wiedziała, czy to coś da, ale kiedy cierpiała przy porodzie, to właśnie mówiła jej Gwen. Po najdłuższej minucie w jej życiu ból zaczął powoli słabnąć.

– Już dobrze – wychrypiała w końcu, chociaż wciąż kręciło jej się w głowie.

– Nie wyglądasz, jakbyś czuła się dobrze – odparł. – Cała się trzęsiesz.

– Pac-Man – mruknęła.

Wzięła kilka głębokich oddechów i opuściła rękę. Powolnym ruchem sięgnęła do torebki i wyjęła buteleczkę z tabletkami. Wytrząsnęła na dłoń jedną i połknęła. Zaciskając powieki, czekała, aż znowu będzie mogła swobodnie oddychać, a ból nieco ustąpi.

– Często się tak dzieje?

– Częściej niż kiedyś. A ostatnio coraz częściej.

– Bałem się, że zemdlejesz.

– Nie ma mowy – rzuciła. – To by było zbyt proste, bo wtedy nie czułabym bólu.

– Nie żartuj sobie – ofuknął ją. – Już miałem dzwonić po karetkę.

Słysząc ton jego głosu, zmusiła się do uśmiechu.

– Naprawdę. Już wszystko dobrze.

Kłamstwo, pomyślała. Ale jakie to ma znaczenie?

– Może powinienem odwieźć cię do domu.

– Chcę zobaczyć witryny i posłuchać kolęd.

Choć mogło się to wydawać głupie, naprawdę tego chciała. Wiedziała, że jeśli teraz tego nie zrobi, to nie zrobi już nigdy.

Mark przyglądał się jej, jakby próbował wyczytać coś z jej twarzy.

– Zgoda – rzucił w końcu. – Ale jeśli to się powtórzy, odwiozę cię do domu.

Pokiwała głową, wiedząc, że może się tak zdarzyć.

*

Najpierw pojechali do Bloomingdale's, a następnie do Barneys i na Piątą Aleję, gdzie sklepy prześcigały się w dekoracjach wystaw. Widziała Świętego Mikołaja i jego elfy, niedźwiedzie polarne i pingwiny z kołnierzami w świątecznych barwach, sztuczny śnieg w kolorach tęczy, wymyślne oświetlenie, podkreślające wybrane kreacje albo przedmioty, które kosztowały zapewne fortunę.

Na Piątej Alei zaczęła się czuć trochę lepiej i nawet odzyskała dobry humor. Nic dziwnego, że ludzie uzależniają się od pigułek, zwłaszcza takich, które naprawdę działają. Wziąwszy Marka pod rękę, patrzyła na mijające ich tłumy ludzi, którzy spieszyli we wszystkie strony, obładowani torbami z logo wszelkich możliwych marek. Przed wieloma sklepami ustawiły się długie kolejki tych, którzy zwlekali z zakupami do ostatniej chwili, licząc, że znajdą prezent idealny. Teraz, stojąc na mrozie, nie wyglądali na szczęśliwych.

Turyści, pomyślała, kręcąc głową. Ludzie, którzy chcieli wrócić do domu i powiedzieć: „Nie uwierzycie, jaki tłok był w sklepie" albo: „Godzinę czekałem w kolejce, żeby wejść do środka". Zupełnie jakby to była oznaka honoru albo akt odwagi. Zapewne latami będą opowiadali tę samą historię.

A jednak spacer okazał się przyjemny. Może dzięki tabletkom, ale głównie przyczyniło się do tego zdumienie widoczne na twarzy Marka. Chociaż ściskał ją za rękę, bezustannie wyciągał szyję i spoglądał ponad tłumem, patrząc szeroko otwartymi oczami na Świętego Mikołaja reklamującego zegarki Piaget albo uśmiechającego się do renifera w uprzęży z logo Chanel i w okularach przeciwsłonecznych Dolce & Gabbana. Zwykle kręciła nosem na komercjalizację świąt, ale autentyczny zachwyt na twarzy Marka sprawił, że spojrzała na kreatywność sklepów z większym uznaniem. Dotarli do katedry Świętego Patryka mniej więcej w tym czasie co wszyscy, którzy przyszli tu posłuchać kolęd. Tłum był tak duży, że utknęli w połowie przecznicy i choć Maggie nie była w stanie zobaczyć chórzystów, słyszała ich dzięki wystawionym na ulicę dużym głośnikom. Tymczasem Mark był wyraźnie rozczarowany i uświadomiła sobie, że powinna była go uprzedzić, że tak będzie. Wkrótce po przeprowadzce do Nowego Jorku przekonała się, że udział w jakimś wydarzeniu organizowanym w mieście i zobaczenie go na własne oczy to często dwie zupełnie różne rzeczy. W pierwszym roku wybrała się na paradę Macy's z okazji Święta Dziękczynienia. Koniec końców utknęła pod ścianą jakiegoś budynku, otoczona setkami ludzi, i przez kilka godzin oglądała tyły ich głów. Musiała mocno wyciągać szyję, żeby zobaczyć słynne balony, a następnego dnia rano była tak obolała, że musiała iść do kręgarza.

Uroki mieszkania w mieście, co?

Chór, nawet jeśli go nie widzieli, brzmiał zachwycająco i słuchając, Maggie przyłapała się na tym, że ze zdumieniem rozmyśla o wydarzeniach ostatnich kilku dni. Widziała *Dziadka do orzechów*, ubrała choinkę, wysłała rodzinie prezenty, jeździła na łyżwach pod Rockefeller Center, oglądała wystawy przy Piątej Alei, a teraz to. Odhaczała jedyne w swoim rodzaju przeżycia z kimś, kto stał się jej bliski, a opowiadanie mu historii swojego życia podnosiło ją na duchu.

Kiedy jednak euforia zaczęła przygasać, poczuła, że ogarnia ją zmęczenie, i wiedziała, że czas się zbierać. Ścisnęła Marka za ramię, dając mu znać, że chce wracać. Wysłuchali już czterech kolęd i teraz odwrócił się i zaczął torować jej drogę w tłumie, który zgromadził się za ich plecami. Kiedy w końcu mogli swobodnie odetchnąć, przystanął.

– Co powiesz na kolację? – spytał. – Chciałbym usłyszeć dalszą część historii.

– Myślę, że muszę się na chwilę położyć.

Wiedział, że nie ma sensu się sprzeciwiać.

– Mogę pojechać z tobą.

– Nic mi nie będzie – uspokoiła go.

– Myślisz, że dasz radę przyjść jutro do galerii?

– Pewnie zostanę w domu. Tak na wszelki wypadek.

– Zobaczymy się w Wigilię? Chciałbym dać ci prezent.

– Nie musisz mi nic dawać.

– Ależ oczywiście, że muszę. Są święta.

Czemu nie? – pomyślała po chwili zastanowienia.

– Dobrze – rzuciła.

– Chcesz spotkać się w pracy? Czy pójść na kolację? Co wolisz?

– Coś ci powiem. Zamówię kolację do galerii. Zjemy przy choince.

– Będę mógł usłyszeć resztę twojej historii?

– Na pewno tego chcesz? To nie jest opowieść z happy endem. Pod koniec robi się bardzo smutna.

Odwrócił się i pomachał ręką na nadjeżdżającą taksówkę.
Kiedy się zatrzymała, spojrzał na Maggie.

– Wiem – powiedział tylko.

*

Drugą noc z rzędu Maggie spała w ubraniu, które miała na
sobie w ciągu dnia.

Kiedy ostatni raz zerknęła na zegar, było kilka minut przed
szóstą. W wielu amerykańskich domach była to pora kolacji;
natomiast większość nowojorczyków o tej porze siedziała jeszcze w pracy. Obudziła się przeszło osiemnaście godzin później,
słaba i odwodniona, ale na szczęście nie obolała.

Nie chcąc ryzykować, że jej stan się pogorszy, wzięła jedną
tabletkę i chwiejnym krokiem poszła do kuchni, gdzie wmusiła
w siebie banana i kawałek tostu, dzięki czemu poczuła się odrobinę lepiej.

Po kąpieli stanęła przed lustrem i spojrzała na kobietę,
w której ledwie rozpoznała samą siebie. Ręce miała chude jak
patyki, obojczyki wystawały jak stelaż do namiotu, a na jej tu-
łowiu były liczne sińce, niektóre ciemnofioletowe. W wychu-
dzonej twarzy jej zapadnięte oczy przypominały oczy kosmity,
błyszczące i oszołomione.

Z tego, co czytała o czerniakach – a miała wrażenie, że przeczytała o nich wszystko – nie sposób było przewidzieć, jak będą
wyglądały ostatnie miesiące jej życia. Niektórzy chorzy cier-
pieli niewyobrażalnie i trzeba było podawać im morfinę, inni

powoli opadali z sił. Niektórzy pacjenci mieli pogłębiające się objawy neurologiczne, podczas gdy inni do samego końca zachowywali trzeźwość umysłu. Umiejscowienie bólu było różne u różnych pacjentów, co Maggie rozumiała. Przerzuty mogły pojawić się wszędzie, ale ona liczyła na przyjemniejszą wersję śmierci. Mogła znieść utratę apetytu i nadmierną senność, lecz perspektywa potwornego bólu ją przerażała. Wiedziała, że jeśli położy się do łóżka i dostanie morfinę w kroplówce, może już nigdy nie stanąć na nogi.

W tej chwili nie bała się samej śmierci. Walczyła z tyloma rzeczami naraz, że śmierć wydawała się jej czymś hipotetycznym. Zresztą kto wie, jak to naprawdę będzie? Czy zobaczy jasne światło na końcu tunelu? Przekraczając perłowe bramy, usłyszy dźwięk harf? A może po prostu przestanie istnieć? Kiedy o tym myślała, wyobrażała sobie śmierć jako sen bez snów, z którego człowiek się nie obudzi. Jednak tym akurat się nie przejmowała, no bo… ktoś, kto umarł, już niczym nie musi się przejmować.

Jednak wczorajsze wydarzenia uświadomiły jej dobitnie, jak bardzo jest chora. Nie chciała więcej bólu i nie chciała spać osiemnaście godzin na dobę. Nie miała na to dość czasu. Ponad wszystko pragnęła żyć normalnie do samego końca, choć podejrzewała, że nie będzie to możliwe.

W łazience z powrotem zapięła łańcuszek na szyi. Naciągnęła sweter na bieliznę termoaktywną i zastanawiała się, czy nie włożyć dżinsów. Tylko po co? Spodnie od piżamy były dużo wygodniejsze, więc w nich została. Na koniec włożyła ciepłe bambosze i włóczkową czapkę. Termostat był ustawiony na dwadzieścia cztery stopnie, ale ponieważ nadal było jej chłodno, dodatkowo włączyła grzejnik elektryczny. Nie było sensu przejmować się rachunkiem za prąd; nie musiała oszczędzać na emeryturę.

Podgrzała w mikrofalówce szklankę wody i poszła do salonu. Popijając wodę, zastanawiała się, na czym skończyła opowiadać swoją historię. Sięgnęła po telefon i napisała do Marka, wiedząc, że jest już w pracy.

Spotkajmy się w galerii jutro o osiemnastej, dobrze? Opowiem ci resztę swojej historii i będziemy mogli zjeść kolację.

Niemal od razu zobaczyła falujące kropeczki – znak, że Mark odpisuje, a zaraz potem w okienku pojawiła się odpowiedź.

Nie mogę się doczekać! Dbaj o siebie. Czekam na spotkanie. W pracy wszystko dobrze. Urwanie głowy.

Czekała, aż napisze coś jeszcze, ale tego nie zrobił. Wypiła gorącą wodę i zaczęła rozmyślać o tym, w jaki sposób jej ciało zwróciło się przeciwko niej. Czasami wyobrażała sobie, że czerniak przemawia do niej upiornym, udręczonym głosem: „W końcu odbiorę ci życie, ale najpierw... Wypalę twoje wnętrzności i sprawię, że zmarniejesz. Ograbię cię z urody, ukradnę ci włosy i pozbawię świadomości, aż nie zostanie z ciebie nic prócz pustej skorupy...".

Maggie roześmiała się ponuro na myśl o tym wyimaginowanym głosie. Cóż, wkrótce umilknie. To jednak budziło pytanie... Co z pogrzebem?

Po ostatniej wizycie u doktor Brodigan czasami zastanawiała się nad tym. Nie za często. Po prostu taka myśl nieraz wypływała na powierzchnię, bywało, że w najbardziej niespodziewanych momentach. Jak teraz. Robiła, co mogła, żeby ją ignorować – w końcu śmierć wciąż była czymś czysto hipotetycznym – ale wczorajszy ból nie pozwolił jej na to.

Co powinna zrobić? Tak naprawdę chyba nie musiała nic robić. Rodzice i Morgan na pewno się wszystkim zajmą, choć wolałaby nie zrzucać na nich tego obowiązku. A ponieważ chodziło o jej pogrzeb, to przecież ma w tej sprawie coś do powiedzenia. Tylko czego właściwie chciała?

Na pewno nie typowego pogrzebu. Nie miała ochoty na otwartą trumnę, ckliwe piosenki w stylu *Wind Beneath My Wings*, a już z pewnością nie na długą mowę, wygłoszoną przez księdza, który nawet jej nie znał. To nie było w jej stylu. Zresztą nawet gdyby było, to gdzie odbędzie się pogrzeb? Rodzice będą chcieli, żeby została pochowana w Seattle, nie w Nowym Jorku, a to przecież Nowy Jork był teraz jej domem. Nie wyobrażała sobie, że zmusi mamę i tatę, żeby znaleźli miejscowy zakład pogrzebowy i cmentarz albo przygotowali katolickie nabożeństwo w obcym mieście. Nie wiedziała nawet, czy zdołaliby to zrobić, a Morgan była wystarczająco zaabsorbowana własnymi sprawami. W tej sytuacji Maggie nie miała wyboru.

Wstała z kanapy. W kuchennej szufladzie znalazła notesik, w którym spisała pewne uwagi na temat ceremonii. Było to mniej przygnębiające, niż się spodziewała, pewnie dlatego, że odepchnęła od siebie wszelkie ponure myśli. Przejrzała swoje zapiski i chociaż wiedziała, że dla rodziców nie będą one miały sensu, cieszyła się, że mogła wyrazić swoje ostatnie życzenia. Zanotowała w myślach, żeby po Nowym Roku skontaktować się z prawnikiem, który pomoże jej wszystko sfinalizować.

Teraz pozostało jej do zrobienia już tylko jedno.

*

Musiała kupić Markowi jakiś prezent na Gwiazdkę.

Chociaż w grudniu dostał premię, tak jak Luanne, Maggie czuła, że chłopak zasługuje na coś więcej, szczególnie po ostatnich kilku dniach. Tylko co miała mu kupić? Jak większość młodych ludzi, zwłaszcza tych, którzy zamierzali pójść na studia magisterskie, pewnie najbardziej ucieszyłby się z zastrzyku gotówki. Bóg jeden wie, że tego właśnie by chciała, mając dwadzieścia kilka lat. Tak też byłoby prościej – musiałaby jedynie wypisać czek – ale nie wydawało jej się to właściwe. Przeczuwała, że jego prezent dla niej będzie czymś osobistym, a więc powinna odwzajemnić mu się w podobny sposób.

Zadała sobie pytanie: Co takiego lubi Mark? Jednak niewiele jej to pomogło. Kochał Abigail i rodziców, zamierzał prowadzić religijne życie, interesował się sztuką współczesną, dorastał w Indianie i grał w hokeja. Co jeszcze o nim wiedziała? Przypomniała sobie, co mówił podczas rozmowy kwalifikacyjnej, jak dobrze był przygotowany, i nagle ją olśniło. Mark podziwiał jej fotografie. Więcej, uważał je za jej spuściznę. Czemu więc nie podarować mu czegoś, co odzwierciedlało jej pasję?

W szufladach biurka znalazła kilka pendrive'ów, których zawsze miała pod dostatkiem. Przez następnych kilka godzin wybierała swoje ulubione zdjęcia i przerzucała je na pendrive'y. Niektóre z tych fotografii wisiały w galerii i chociaż nie należały do serii limitowanych – a co za tym szło, nie przedstawiały sobą wielkiej wartości materialnej – wiedziała, że Mark wcale się tym nie przejmie. Nie pragnął fotografii ze względów finansowych; chciał je, bo to ona je zrobiła i dlatego, że znaczyły coś dla niej.

*

Kiedy skończyła, zmusiła się, żeby coś zjeść. Jedzenie smakowało jak solona tektura i było ohydne jak nigdy. Zapominając o rozsądku, nalała sobie kieliszek wina. Znalazła w radiu stację ze świąteczną muzyką i słuchała, sącząc wino, aż zrobiła się senna. Zmieniła sweter na bluzę, zamiast kapci włożyła skarpety i wsunęła się do łóżka.

Obudziła się w południe w wigilię Bożego Narodzenia, wypoczęta i – cud nad cudami – kompletnie wolna od bólu.

Na wszelki wypadek wzięła jednak tabletki i popiła je połową filiżanki herbaty.

*

Wiedząc, że prawdopodobnie czeka ją długi wieczór, przez większość dnia leniuchowała. Zadzwoniła do pobliskiej włoskiej restauracji, gdzie jeszcze do niedawna była stałym gościem, i dowiedziała się, że mimo spodziewanego wieczorem ruchu, dostarczenie jedzenia dla dwóch osób nie powinno być żadnym problemem. Właściciel, którego dobrze znała i który, jak sądziła, zdawał sobie sprawę z jej choroby, był wyjątkowo miły. Pamiętając, co zwykle zamawiała, wiedział, co lubi, i zaproponował kilka specjalności dnia, a także ich słynne tiramisu. Podała mu numer karty kredytowej, zamówiła wszystko na dwudziestą i podziękowała mu ciepło. I kto powiedział, że nowojorczycy są bezduszni? – pomyślała z uśmiechem, rozłączając się.

Zamówiła napój i wypiła go, biorąc kąpiel, po czym jeszcze raz przejrzała zdjęcia, które wybrała dla Marka. Jak zawsze kiedy oglądała swoje stare prace, przypominała sobie okoliczności, w jakich zostały zrobione.

Gdy tak oddawała się wspomnieniom z ekscytujących podróży, czas mijał szybko. O szesnastej zdrzemnęła się, chociaż wciąż czuła się całkiem dobrze, a potem, gdy się obudziła, zaczęła powoli szykować się do wyjścia. Podobnie jak dawno temu w Ocracoke, teraz też zdecydowała się na czerwony sweter, pod który włożyła kilka warstw ubrań. Na rajstopy wciągnęła czarne wełniane spodnie i całość uzupełniła czarnym beretem. Oprócz wisiorka nie miała żadnej biżuterii, zrobiła jednak makijaż, żeby nie przestraszyć taksówkarza. Chudą szyję okręciła kaszmirowym szalikiem i na wszelki wypadek wrzuciła do torby buteleczkę tabletek. Nie miała czasu, żeby zapakować prezent dla Marka, więc opróżniła puszkę cukierków Altoids i schowała do niej pendrive'y. Żałowała, że nie ma wstążki, ale uznała, że Markowi nie zrobi to różnicy. W końcu, z uczuciem narastającego lęku, wyjęła ze szkatułki jeden z listów, które napisała do niej ciotka Linda.

Na zewnątrz było zimno i wilgotno, a zaciągnięte chmurami niebo zapowiadało śnieg. Podczas krótkiej jazdy taksówką do galerii minęła Świętego Mikołaja, który podzwaniał dzwonkiem i prosił o datki na Armię Zbawienia. W oknie jednego z mieszkań dostrzegła menorę. Taksówkarz słuchał rozgłośni radiowej nadającej muzykę z Indii lub Pakistanu. Boże Narodzenie na Manhattanie.

Drzwi do galerii były zamknięte na klucz i kiedy weszła do środka, zamknęła je z powrotem. Nigdzie nie widziała Marka, ale lampki na choince były zapalone i Maggie się uśmiechnęła, gdy ujrzała stojący przy drzewku mały rozkładany stolik, nakryty czerwonym papierowym obrusem, i dwa krzesła. Na stoliku zobaczyła zapakowany świątecznie prezent, wazon z czerwonym goździkiem i dwa kieliszki likieru jajecznego.

Mark musiał usłyszeć, że weszła, bo wyłonił się z zaplecza, akurat gdy podziwiała stolik. Kiedy się odwróciła, zauważyła, że on także ma na sobie czerwony sweter i czarne spodnie.

– Powiedziałabym, że wyglądasz świetnie, ale wyszłoby na to, że kadzę samej sobie – odezwała się, zdejmując kurtkę.

– Gdybym cię nie znał, pomyślałbym, że zajrzałaś tu wcześniej, żeby zobaczyć, co mam na sobie – odparł.

– Nie próżnowałeś. – Wskazała dłonią stolik.

– Pomyślałem, że przyda nam się miejsce do jedzenia.

– Wiesz, że jeśli wypiję likier, nie będę w stanie nic zjeść.

– W takim razie potraktuj go jako dekorację stołu. Pozwolisz, że wezmę twoją kurtkę?

Podała mu ją, a on zniknął na zapleczu, podczas gdy Maggie rozglądała się. Nie ulegało wątpliwości, że Mark chciał, żeby przypominało jej to święta, które spędziła w Ocracoke.

Zadowolona, usiadła przy stoliku, a chwilę później pojawił się Mark, niosąc filiżankę. Postawił ją przed nią.

– To tylko gorąca woda – wyjaśnił. – Ale na wszelki wypadek przyniosłem torebkę herbaty ekspresowej.

– Dziękuję. – Ponieważ brzmiało to dobrze, a zastrzyk kofeiny jeszcze lepiej, wrzuciła torebkę do wrzątku. – Skąd wziąłeś to wszystko? – Wskazała ręką dokoła.

– Krzesła i stolik przyniosłem od siebie z mieszkania. To mój tymczasowy komplet do jadalni. A tani obrus kupiłem w Duane Reade. Ale powiedz mi lepiej, jak się czujesz. Od naszego ostatniego spotkania martwiłem się o ciebie.

– Dużo spałam. Czuję się lepiej.

– Dobrze wyglądasz.

– Jak chodzące zwłoki. Ale i tak dziękuję.

– Mogę cię o coś zapytać?

– Myślałam, że ten etap mamy już za sobą i nie potrzebujesz mojego pozwolenia, żeby o coś zapytać.

Wbił wzrok w kieliszek likieru i lekko ściągnął brwi.

– Po jeździe na łyżwach, no wiesz, kiedy… poczułaś się źle. Powiedziałaś coś, co zabrzmiało jak… Pac-Man? Albo Packmin? Albo…

– Pac-Man.

– Co to znaczy?

– Nie wiesz, co to jest Pac-Man? Gra wideo.

– Nie.

Boże jedyny, on naprawdę jest młody. Albo to ja się starzeję, pomyślała. Wyciągnęła komórkę, otworzyła YouTube'a, wybrała filmik i podała mu telefon. Mark zaczął oglądać.

– Czyli ten cały Pac-Man porusza się po labiryncie i zjada po drodze kropki?

– Tak.

– Jaki to miało związek z twoim samopoczuciem?

– Czasami tak właśnie myślę o raku. Jest jak Pac-Man. Krąży po labiryncie mojego ciała i zjada zdrowe komórki.

Spojrzał na nią szeroko otwartymi oczami.

– Och… Przepraszam, że poruszyłem ten temat. Nie powinienem był pytać…

Machnęła ręką.

– To nic takiego. Zapomnijmy o tym, dobrze? Jesteś głodny? Mam nadzieję, że nie weźmiesz mi tego za złe, ale zamówiłam już wcześniej jedzenie z mojej ulubionej włoskiej restauracji. Powinni je przywieźć o ósmej. – Chociaż wiedziała, że nie zje więcej niż kilka kęsów, liczyła na to, że będzie mogła rozkoszować się zapachem.

– Brzmi świetnie. Dzięki. Aha, zanim zapomnę, Abigail życzy ci wesołych świąt. Żałuje, że nie ma jej tu z nami, i nie może się doczekać, żeby cię poznać, kiedy za kilka dni przyleci do Nowego Jorku.

– Wzajemnie. – Maggie wskazała leżący na stole prezent. – Mam otworzyć go teraz, skoro za chwilę przywiozą jedzenie?

– Może potem, kiedy już zjemy?

– A do tego czasu... niech no zgadnę... Chcesz, żebym opowiedziała ci resztę mojej historii.

– Nie mogę przestać o niej myśleć.

– Lepiej, żeby skończyła się na idealnym pocałunku.

– Jeśli nie masz nic przeciwko temu, wolałbym usłyszeć wszystko.

Upiła łyk herbaty, poczuła, jak ciepło spływa jej do żołądka, a czas się cofa. Zamknęła oczy, pragnąc zapomnieć i wiedząc, że nie zapomni nigdy.

– Tamtej nocy, po tym, jak Bryce odwiózł mnie do domu, prawie nie zmrużyłam oka...

TRZECI TRYMESTR

Ocracoke
1996

Moja bezsenność była po części związana z ciotką. Kiedy wróciłam do domu, nadal siedziała na kanapie, z tą samą książką otwartą na kolanach, ale wystarczyło, że spojrzała na mnie, i już nie musiała o nic pytać. Zapewne cała promieniałam, bo nieznacznie uniosła brwi i westchnęła. Było to westchnienie w stylu: „Wiedziałam, że tak będzie", jeśli rozumiesz, co mam na myśli.

– Jak było? – spytała, udając, że nic nie zauważyła.

Nie pierwszy raz zadałam sobie pytanie, jak ktoś, kto spędził kilkadziesiąt lat za murami klasztoru, może mieć taką mądrość życiową.

– Fajnie. – Wzruszyłam ramionami, próbując zachować obojętność, chociaż obie wiedziałyśmy, że to bezcelowe. – Zjedliśmy kolację i pojechaliśmy na plażę. Bryce zbudował latawiec ozdobiony lampkami świątecznymi, ale pewnie o tym wiedziałaś. Jeszcze raz dziękuję, że mnie puściłaś.

– Nie wiem, czy mogłam zrobić coś, żeby cię zatrzymać.

– Mogłaś się nie zgodzić.

– Hm – mruknęła tylko, a ja nagle pojęłam, że to, co wydarzyło się między mną a Bryce'em, było nieuniknione.

Kiedy tak stałam przed ciotką Lindą, nagle poczułam się, jakbym znów była na plaży, w objęciach Bryce'a. Zrobiło mi się gorąco i zaczęłam zdejmować kurtkę, z nadzieją że ciotka nic nie zauważy.

– Nie zapomnij, że rano idziemy do kościoła.

– Pamiętam – zapewniłam ją. Idąc już do swojego pokoju, zerknęłam na nią i zauważyłam, że wróciła do czytania książki. – Dobranoc, ciociu.

– Dobranoc, Maggie.

*

Leżąc w łóżku z Magiem, byłam zbyt podekscytowana, żeby zasnąć. Raz za razem odtwarzałam w głowie wieczorne wydarzenia; myślałam o tym, jak Bryce patrzył na mnie podczas kolacji, i przypominałam sobie jego ciemne oczy, rozświetlone blaskiem ognia. Przede wszystkim pamiętałam jednak smak jego ust i łapałam się na tym, że uśmiecham się w ciemności jak szalona. Jednak z upływem godzin moja euforia ustąpiła miejsca zakłopotaniu, które też nie pozwalało mi zasnąć. Choć w głębi duszy wiedziałam, że Bryce mnie kocha, wszystko to nadal nie miało sensu. Czy nie wiedział, jak bardzo jest wyjątkowy? Czy zapomniał, że jestem w ciąży? Mógł mieć dowolną dziewczynę, podczas gdy ja byłam zwyczajna pod każdym względem, a pod jednym okazałam się totalną frajerką. A może jego uczucia do mnie miały więcej wspólnego z tym, że znajdowałam się blisko, niż z tym, że było we mnie coś szczególnie wyjątkowego. Obawiałam się, że nie jestem ani dość mądra, ani dość ładna, i przez chwilę zaczęłam się nawet zastanawiać, czy nie wymyśliłam sobie tego wszystkiego. Kiedy tak przewracałam się z boku na bok, uświadomiłam sobie, że miłość to najpotężniejsze z uczuć, bo sprawia, że człowiek jest narażony na utratę wszystkiego, co dla niego ważne.

Mimo nadmiaru emocji, a może z jego powodu, zmęczenie w końcu wzięło nade mną górę. Rankiem z lustra spoglądała na mnie zupełnie obca osoba. Miałam worki pod oczami, skóra na twarzy jakby mi obwisła, włosy były bardziej strąkowate niż zwykle. Prysznic i makijaż pozwoliły mi doprowadzić się do porządku na tyle, że mogłam wyjść z pokoju. Ciotka, która najwyraźniej znała mnie lepiej niż ja sama siebie, zrobiła pankejki i nie owijając w bawełnę, zapytała o przebieg randki. Opowiedziałam jej niemal wszystko, z wyjątkiem najważniejszych rzeczy, chociaż moje rozanielone spojrzenie zdradzało całą resztę.

Taka swobodna rozmowa była właśnie tym, czego potrzebowałam, żeby poczuć się lepiej, a niepokój, który dręczył mnie w nocy, ustąpił miejsca przyjemnemu zadowoleniu. Na promie, kiedy razem z Gwen usiadłyśmy przy stoliku na górze, wyglądałam przez szybę i patrząc na wodę, zatopiłam się we wspomnieniach z poprzedniego wieczoru. Myślałam o Brysie, kiedy byłyśmy w kościele i kiedy robiłyśmy zakupy. Na jednej z wyprzedaży zobaczyłam latawiec i zastanawiałam się, czy poleciałby, gdybym przyczepiła do niego lampki choinkowe. Nie myślałam o Brysie jedynie wtedy, gdy poszłyśmy kupić większe biustonosze. Tylko tyle mogłam zrobić, żeby ukryć swoje zażenowanie, zwłaszcza gdy właścicielka sklepu, poważna brunetka o błyszczących czarnych oczach, prowadząc mnie do przymierzalni, spojrzała wymownie na mój brzuch.

Kiedy w końcu wróciłyśmy do domu, dopadło mnie zmęczenie. Chociaż było już ciemno, ucięłam sobie krótką drzemkę i obudziłam się tuż przed kolacją. Zjadłam ją i posprzątałam kuchnię, ale nadal czułam się jak zombie, więc wróciłam do łóżka. Zamknęłam oczy, zastanawiając się, jak Bryce spędził niedzielę i czy miłość odmieni naszą relację. Przede wszystkim jednak myślałam o tym, że znów chcę go pocałować, i tuż przed zaśnięciem uświadomiłam sobie, że już nie mogę się tego doczekać.

*

Po przebudzeniu wciąż byłam rozmarzona. Co więcej, to uczucie wypełniało każdą godzinę mojego życia przez kolejne półtora tygodnia, nawet kiedy rozmawiałam z Gwen o ciąży. Bryce kochał mnie, a ja jego i cały mój świat obracał się wokół tej jednej myśli, bez względu na to, co każde z nas akurat robiło.

Nasz codzienny rozkład zajęć pozostał bez zmian. Bryce był na to zbyt odpowiedzialny. Przychodził do mnie z Daisy i robił, co mógł, żebym skupiała się na nauce, ale czasem łapałam go za kolano i wybuchałam śmiechem, widząc jego zakłopotaną minę. Chociaż zamiast się uczyć, wolałam z nim flirtować, nadal posuwałam się do przodu z materiałem. Egzaminy pokazały, że moja dobra passa trwa nadal, mimo że Bryce wciąż nie był zadowolony z siebie w roli nauczyciela. Lekcje fotografii również się nie zmieniły, tyle że teraz Bryce uczył mnie fotografowania w pomieszczeniach, z użyciem lampy błyskowej, i pokazywał mi, jak robić zdjęcia nocą. Zwykle odbywało się u niego w domu, ponieważ był tam odpowiedni sprzęt. Do nocnych zdjęć rozgwieżdżonego nieba używaliśmy trójnogu i pilota, bo aparat musiał stać w całkowitym bezruchu. Te zdjęcia wymagały szczególnie długiego czasu naświetlania – czasem nawet trzydziestu sekund – i w pewną wyjątkowo bezchmurną noc, kiedy na niebie nie było księżyca, uchwyciliśmy fragment Drogi Mlecznej, który wyglądał jak świecąca chmura na niebie rozjarzonym przez świetliki.

Trzy, cztery razy w tygodniu nadal jadaliśmy wspólnie kolacje. Dwa razy u mojej ciotki i dwa z jego rodziną, przy czym często towarzyszyli nam dziadkowie Bryce'a. W poniedziałek po naszej randce jego ojciec wyjechał na dwa miesiące jako konsultant. Bryce nie wiedział dokładnie, dokąd pojechał ani co miał tam robić, wiadomo było tylko, że chodziło o współpracę z Departamentem Obrony. Nie interesował się tym – po prostu tęsknił za ojcem.

Jeśli chodzi o nas, tak naprawdę zmieniły się tylko godziny, kiedy robiliśmy przerwę w nauce lub odkładaliśmy aparat. Prowadziliśmy wtedy szczere rozmowy o naszych rodzinach i przyjaciołach, a nawet o ostatnich wydarzeniach na świecie, chociaż wtedy zwykle to Bryce mówił, a ja słuchałam. Bez dostępu do telewizji i gazet nie miałam pojęcia, co dzieje się na świecie – w Stanach, w Seattle czy nawet w Karolinie Północnej – i szczerze mówiąc, niewiele mnie to obchodziło. Ale lubiłam go słuchać, a gdy od czasu do czasu zadawał poważne pytanie na poważny temat, udawałam, że się nad tym zastanawiam, po czym mówiłam coś w stylu: „Trudno powiedzieć. A co ty o tym sądzisz?". Wtedy wyrażał swoją opinię na dany temat. Pewnie te rozmowy również miały mnie czegoś nauczyć, ale byłam tak zaaferowana swoimi uczuciami, że niewiele z nich pamiętałam. Nieraz dziwiłam się w duchu, co on właściwie we mnie widzi, i ogarniało mnie zwątpienie, ale on, jakby potrafił czytać mi w myślach, brał mnie wówczas za rękę i moje wątpliwości się ulotniły.

Często się całowaliśmy. Nigdy wtedy, gdy w pobliżu była moja ciotka albo jego rodzice, ale poza tym wykorzystywaliśmy każdą okazję. Gdy pisząc wypracowanie, robiłam sobie chwilę przerwy, żeby zebrać myśli, i widziałam, jak na mnie patrzy, nachylałam się, żeby go pocałować. Albo kiedy on obejrzał jakieś zdjęcie, pochylał się w moją stronę i mnie całował. Całowaliśmy się na werandzie, na zakończenie wieczoru lub rano, gdy tylko wchodził do domu ciotki Lindy. Na plaży i w miasteczku, niedaleko jego domu albo domu mojej ciotki, a to znaczyło, że czasami musieliśmy kryć się za wydmami albo za rogiem. Zdarzało się, że nawijał na palec kosmyk moich włosów, a kiedy indziej po prostu mnie przytulał. Ale zawsze powtarzał, jak bardzo mnie kocha, i za każdym razem, gdy to słyszałam, serce biło mi mocniej i miałam wrażenie, że wszystko w moim życiu jest idealne.

*

Na początku marca byłam umówiona na wizytę u doktora Wielkiej Łapy. Była to ostatnia wizyta przed porodem, bo na resztę ciąży miałam trafić pod opiekę Gwen. Zgodnie z harmonogramem ciąży zaczęłam miewać skurcze Braxtona-Hicksa, a kiedy oznajmiłam lekarzowi, że wcale mi się to nie podoba, wyjaśnił mi, że w ten sposób moje ciało przygotowuje się do porodu. Podczas USG ani razu nie spojrzałam na monitor, za to odetchnęłam z ulgą, gdy badająca mnie kobieta powiedziała, że dziecko (Sofia? Chloe?) ma się dobrze. Chociaż ze wszystkich sił starałam się nie myśleć o dziecku jako o należącej do mnie małej istotce, chciałam mieć pewność, że nic mu nie jest. Kobieta stwierdziła, że mama również ma się dobrze – wiedziałam, że mówi o mnie, ale mimo wszystko zabrzmiało to dziwnie – a gdy w końcu udałam się na rozmowę z lekarzem, powiedział mi o wszystkich rzeczach, których mogę doświadczyć w ostatnich tygodniach ciąży. Właściwie przestałam go słuchać, kiedy zaczął mówić o hemoroidach – słyszałam o nich już na spotkaniu nastoletnich matek w Portlandzie, ale od tamtego czasu zdążyłam już o nich zapomnieć – a kiedy skończył, byłam kompletnie przygnębiona. Potrzebowałam chwili, żeby uświadomić sobie, że o coś mnie pyta.

– Maggie? Słyszałaś?

– Przepraszam. Wciąż myślę o tych hemoroidach – odparłam.

– Pytałem, czy ćwiczysz.

– Dużo chodzę, kiedy robię zdjęcia.

– To dobrze – powiedział. – Musisz pamiętać, że ćwiczenia są dobre zarówno dla ciebie, jak i dla dziecka i dzięki nim szybciej dojdziesz do siebie po porodzie. Lekka joga, spacery i tym podobne.

– A jazda na rowerze?

Przytknął do podbródka jeden ze swoich wielkich palców.

– Jeśli nic cię nie boli i jest ci wygodnie, możesz jeździć przez kilka najbliższych tygodni. Później twój środek ciężkości zacznie się zmieniać, przez co trudniej ci będzie utrzymać równowagę, a upadek zaszkodziłby i tobie, i dziecku.

Innymi słowy, miałam być jeszcze grubsza i chociaż domyślałam się, że tak będzie, przygnębiało mnie to równie mocno jak perspektywa hemoroidów. Spodobały mi się słowa lekarza, że dzięki ćwiczeniom będę mogła szybciej odzyskać formę, więc następnym razem, gdy zobaczyłam Bryce'a, zapytałam, czy mogłabym towarzyszyć mu na rowerze podczas jego porannych przebieżek.

– Pewnie – odparł. – Fajnie będzie mieć towarzystwo.

Następnego ranka obudziłam się wcześniej niż zwykle, włożyłam kurtkę i pojechałam do domu Bryce'a. Akurat rozciągał się na dworze i od razu do mnie podbiegł. Obok niego truchtała Daisy. Kiedy pochylił się, żeby mnie pocałować, nagle uświadomiłam sobie, że nie umyłam zębów, ale i tak go pocałowałam – i chyba wcale mu to nie przeszkadzało.

– Gotowa?

Myślałam, że będzie łatwo, skoro on biegł, a ja jechałam na rowerze, ale się pomyliłam. Przez pierwsze trzy kilometry szło mi całkiem dobrze, później jednak zaczęły boleć mnie uda. Jakby tego było mało, Bryce ciągle mnie zagadywał, a ja, zamiast odpowiadać, tylko sapałam i dyszałam. I kiedy stwierdziłam, że nie dam rady ujechać ani kawałka dalej, zatrzymał się na wysypanej żwirem drodze prowadzącej do kanałów i oświadczył, że musi pobiec sprintem.

Siedząc na rowerze, z jedną stopą wspartą na ziemi, patrzyłam, jak się ode mnie oddala. Nawet Daisy miała problemy, żeby dotrzymać mu tempa, a jego sylwetka malała mi w oczach. W pewnej chwili zatrzymał się, odpoczął chwilę i puścił się biegiem w moją stronę. Biegał tak tam i z powrotem pięć razy i chociaż dyszał bardziej niż ja, a Daisy wywiesiła jęzor niemal do ziemi, biegł nadal, tym razem w stronę domu. Myślałam, że to już koniec, ale znowu się pomyliłam: Bryce zrobił jeszcze serię pompek i przysiadów, wskakiwał na stojący w ogrodzie stół piknikowy i zeskakiwał z niego, aż wreszcie zaczął podciągać się na rurze za domem. Patrzyłam na jego mięśnie, które wyraźnie rysowały się pod koszulką. Daisy, ciężko dysząc, leżała na ziemi. Kiedy po tym wszystkim spojrzałam na zegarek, okazało się, że Bryce trenował bez przerwy przez półtorej godziny. Chociaż było chłodno, twarz i koszulkę miał mokre od potu.

– Ćwiczysz tak co rano?

– Sześć dni w tygodniu – odparł. – Ale staram się urozmaicać treningi. Czasami biegam krócej, robię więcej sprintów i takie tam. Chcę być gotowy na West Point.

– Czyli za każdym razem, gdy przyjeżdżasz do mnie, jesteś już po treningu?

– W zasadzie tak.

– Imponujące – powiedziałam.

I wcale nie dlatego, że podobały mi się jego mięśnie. Naprawdę mi zaimponował i żałowałam, że nie mogę być taka jak on.

*

Pomimo tych porannych ćwiczeń wciąż przybywało mi kilogramów, a mój brzuch był coraz bardziej widoczny. Gwen powtarzała mi, że to normalne – zaczęła zaglądać do nas regularnie, żeby mierzyć mi ciśnienie i osłuchiwać brzuch – ale wcale nie poczułam się przez to lepiej. W połowie marca ważyłam dziesięć kilogramów więcej i chociaż nosiłam workowate bluzy, ukrywanie ciąży było już niemożliwe. Zaczęłam przypominać postać z książki Dr. Seussa: mała głowa, patykowate nogi i brzuch jak piłka, tyle że nie byłam tak słodka jak Cindy-Lou Who.

Ale Bryce'owi to nie przeszkadzało – nadal się całowaliśmy, wciąż trzymał mnie za rękę i powtarzał, że jestem piękna. W kolejnych miesiącach nie potrafiłam już jednak zapomnieć, że jestem w ciąży. Musiałam uważać, jak siadam, żeby nie klapnąć ciężko, a wstawanie z kanapy wymagało planowania i koncentracji. Nadal co godzinę chodziłam do toalety, a raz na promie, kiedy kichnęłam, naprawdę się posikałam, co było totalnie żenujące, nie mówiąc o tym, że przez całą drogę powrotną do Ocracoke było mi mokro i czułam się obrzydliwie. Coraz częściej czułam ruchy dziecka, zwłaszcza kiedy leżałam – niesamowite, ale widziałam też, jak się rusza – i musiałam zacząć spać na plecach, co wcale nie było wygodne. Skurcze Braxtona-Hicksa stały się teraz znacznie bardziej regularne, ale Gwen, podobnie jak doktor Wielka Łapa, mówiła, że to dobrze. Ja natomiast wciąż uważałam, że to źle, bo skórę na brzuchu miałam napiętą i łapały mnie skurcze. Gwen ignorowała jednak moje skargi. Chyba jedynym, co nie dotknęło mnie podczas ciąży, były hemoroidy i nawrót ostrego trądziku. Nadal zdarzało mi się mieć pryszcza albo dwa, ale potrafiłam zamaskować je makijażem, a Bryce nigdy nie powiedział na ich temat ani słowa.

Chociaż egzaminy semestralne poszły mi całkiem dobrze, rodzice nie okazali zachwytu, za to ciotka Linda była wyraźnie zadowolona. Mniej więcej w tym samym czasie zauważyłam, że w kwestii mojej relacji z Bryce'em ciotka zachowuje swoją opinię dla siebie. Kiedy wspomniałam, że zamierzam zacząć rano ćwiczyć, powiedziała tylko: „Proszę, bądź ostrożna". Wieczorami, gdy Bryce zostawał na kolacji, rozmawiała z nim równie życzliwie jak zawsze. Kiedy mówiłam, że w soboty będę robiła zdjęcia, pytała tylko, o której wrócę, żeby wiedziała, na którą szykować obiad. Wieczorami, gdy zostawałyśmy same, rozmawiałyśmy o moich rodzicach, o Gwen, o mojej nauce albo o sklepie, aż w końcu ona sięgała po książkę, a ja przeglądałam podręczniki na temat fotografii. A jednak nie mogłam pozbyć się uczucia, że coś między nami wyrosło, coś, co oddaliło nas od siebie.

Wcześniej mi to nie przeszkadzało. Fakt, że rzadko rozmawiałyśmy o Brysie, sprawiał, że nasz związek wydawał się jeszcze bardziej tajemniczy i niedozwolony, a co za tym szło – ekscytujący. I chociaż ciotka Linda go nie pochwalała, przynajmniej akceptowała to, że jej bratanica zakochała się w młodym mężczyźnie, który zyskał jej aprobatę. Wieczorami, kiedy przychodziła pora, żeby Bryce wracał do domu, często wstawała z kanapy i szła do kuchni, by dać nam odrobinę prywatności, wystarczająco, żebyśmy mogli pocałować się na do widzenia. Myślę, że intuicyjnie wiedziała, że nie zrobimy niczego głupiego. Nie poszliśmy nawet oficjalnie na drugą randkę, bo i po co, skoro spędzaliśmy ze sobą praktycznie każdy dzień. Żadnemu z nas nie przyszło do głowy wymykać się nocą na potajemne spotkanie albo wybrać się gdzieś bez wiedzy ciotki Lindy. Teraz, kiedy w moim ciele zachodziły znaczące zmiany, seks był ostatnią rzeczą, o której myślałam.

Z czasem jednak fakt, że oddaliłyśmy się od siebie, zaczął mi przeszkadzać. Ciotka Linda była pierwszą osobą, która stała całkowicie po mojej stronie. Akceptowała mnie taką, jaka byłam, z moimi wadami i zaletami, i chciałam wierzyć, że mogę porozmawiać z nią o wszystkim. Sytuacja osiągnęła punkt krytyczny pod koniec marca, kiedy obie siedziałyśmy w salonie. Po kolacji Bryce poszedł do domu i zbliżała się pora, gdy ciotka kładła się spać. Zakłopotana, odchrząknęłam, a ona podniosła wzrok znad książki.

– Cieszę się, że pozwoliłaś mi tu zamieszkać – powiedziałam. – Nawet nie potrafię wyrazić, jak bardzo jestem ci wdzięczna.

Zmarszczyła czoło.

– Dlaczego mi to mówisz?

– Sama nie wiem. Chyba ostatnio byłam tak zajęta i tak rzadko byłyśmy same, że nie miałam kiedy powiedzieć ci, jak bardzo doceniam to, co dla mnie zrobiłaś.

Odłożyła książkę i jej twarz złagodniała.

– Nie ma za co. Jesteśmy rodziną i przede wszystkim dlatego zgodziłam się pomóc. Ale kiedy tu przyjechałaś, uświadomiłam sobie, że cieszy mnie twoja obecność. Nigdy nie miałam własnych dzieci i poniekąd jesteś dla mnie jak córka. Wiem, że nie powinnam tak mówić, ale w moim wieku dobrze jest poudawać od czasu do czasu.

Położyłam dłoń na swoim wielkim brzuchu i pomyślałam o wszystkim, przez co przeszła z mojego powodu.

– Na początku kiepski był ze mnie gość.

– Nieprawda.

– Byłam humorzastą bałaganiarą.

– Byłaś przestraszona – odparła. – Wiedziałam o tym. Szczerze mówiąc, ja również się bałam.

To mnie zaskoczyło.

– Czego? – spytałam.

– Martwiłam się, że to nie kogoś takiego jak ja potrzebujesz. Obawiałam się, że jeśli tak się okaże, będziesz musiała wrócić do Seattle. Podobnie jak twoi rodzice, chciałam dla ciebie jak najlepiej.

W zamyśleniu bawiłam się włosami.

– Nadal nie mam pojęcia, co powiem przyjaciołom, kiedy wrócę. Z tego, co wiem, niektórzy ludzie domyślają się prawdy i już o mnie mówią albo zaczną rozsiewać plotki, że byłam na odwyku.

Jej twarz pozostała spokojna.

– Wiele dziewcząt, z którymi pracowałam w klasztorze, miało podobne obawy. Prawda jest taka, że faktycznie może tak się zdarzyć. Choć z drugiej strony, możesz się zdziwić. Ludzie zwykle skupiają się na własnym życiu, nie cudzym. Kiedy tylko wrócisz i zaczniesz robić normalne rzeczy z przyjaciółmi, zapomną, że przez jakiś czas cię nie było.

– Tak myślisz?

– Co roku, kiedy kończy się szkoła, dzieciaki rozjeżdżają się w różne miejsca i chociaż nadal widują się z niektórymi przyjaciółmi, innych nie widzą przez całe wakacje. Ale kiedy znowu się spotykają, jest tak, jakby nigdy się nie rozstawali.

Choć miała rację, wiedziałam też, że istnieją ludzie, którzy uwielbiają soczyste ploteczki i czują się lepiej, kiedy mogą kogoś upokorzyć. Odwróciłam się w stronę okna i wpatrzona w ciemność, kolejny raz zaczęłam się zastanawiać, dlaczego ciotka nie chce rozmawiać o moich uczuciach do Bryce'a i ich konsekwencjach. W końcu postanowiłam wszystko jej powiedzieć.

– Kocham Bryce'a – wyznałam głosem niewiele głośniejszym od szeptu.

– Wiem. Widzę, jak na niego patrzysz.

– On mnie też.

– Wiem. Widzę, jak na ciebie patrzy.

– Myślisz, że jestem za młoda na miłość?

– Nie mnie to oceniać. A ty sama uważasz, że jesteś za młoda?

Pewnie powinnam była spodziewać się takiej odpowiedzi.

– Część mnie wie, że go kocham, ale jest jeszcze głos, który szepcze mi w głowie, że nie mogę tego wiedzieć, bo jeszcze nigdy nikogo nie kochałam.

– Każdy inaczej przeżywa pierwszą miłość. Ale myślę, że ludzie wiedzą, kiedy przychodzi.

– Byłaś kiedyś zakochana? – spytałam, a gdy pokiwała głową, byłam prawie pewna, że ma na myśli Gwen. Nie dodała jednak nic więcej, a ja nie dopytywałam. – Skąd mam wiedzieć, że to miłość?

Po raz pierwszy się roześmiała. Nie do mnie, raczej do siebie.

– Poeci, muzycy i pisarze, a nawet naukowcy próbują odpowiedzieć na to pytanie, odkąd na świecie pojawili się Adam i Ewa. Nie zapominaj też, że przez długi czas byłam zakonnicą. Ale jeśli chcesz poznać moje zdanie... a wiedz, że skłaniam się ku bardziej praktycznej, a mniej romantycznej stronie... myślę, że wszystko sprowadza się do przeszłości, teraźniejszości i przyszłości.

– Chyba nie bardzo wiem, o czym mówisz – odparłam, przechylając głowę.

– Zastanów się, co przyciągnęło cię do kogoś w przeszłości, jak ta osoba cię wtedy traktowała i jak dobrze się dogadywaliście. Te same pytania dotyczą teraźniejszości, ale dochodzi do tego pożądanie. Pragnienie, by dotknąć tej osoby, przytulić ją i pocałować. Jeśli odpowiadając na te pytania, czujesz, że nigdy nie chciałabyś być z nikim innym, to prawdopodobnie jest miłość.

– Rodzice będą wściekli, kiedy się dowiedzą.

– Powiesz im o tym?

Już chciałam odpowiedzieć, ale kiedy zobaczyłam uniesione brwi ciotki, słowa uwięzły mi w gardle. Czy naprawdę im powiem? Aż do teraz zakładałam, że to zrobię, ale nawet jeśli tak, co to oznaczałoby dla Bryce'a i dla mnie? W rzeczywistości? Czy w ogóle bylibyśmy w stanie się widywać? Przypomniałam sobie słowa ciotki, która mówiła, że miłość sprowadza się do przeszłości, teraźniejszości i...

– Co przyszłość ma wspólnego z miłością? – spytałam.

Ledwie zadałam to pytanie, uświadomiłam sobie, że znam odpowiedź. Tymczasem ciotka odparła lekkim, niemal swobodnym tonem:

– Czy wyobrażasz sobie, że jesteś z tą osobą w przyszłości i razem z nią stawiasz czoło czekającym was wyzwaniom?

– Och. – Tylko na tyle było mnie stać.

Ciotka Linda w zamyśleniu skubała ucho.

– Słyszałaś kiedykolwiek o siostrze Teresie z Lisieux?

– Raczej nie.

– Była francuską zakonnicą żyjącą w dziewiętnastym wieku. Bardzo świątobliwą. Stanowiła dla mnie wzór do naśladowania, ale pewnie uznałabyś, że nie mam racji, mówiąc, że miłość sprowadza się do przyszłości. Powtarzała: „Ktoś, kto kocha, nie liczy". Nigdy nie będę tak mądra jak ona.

Ciotka Linda naprawdę była najlepsza. Ale mimo słów pocieszenia, które usłyszałam od niej tamtego wieczoru, wciąż się martwiłam i leżąc w łóżku, mocno przytulałam do siebie misia. Długo nie mogłam zasnąć.

*

Jako osoba, która do perfekcji opanowała sztukę odkładania wszystkiego na później – nauczyłam się tego w szkole, kiedy musiałam robić naprawdę nudne rzeczy – zdołałam przynajmniej na razie nie myśleć o rozmowie z ciotką. Kiedy nachodziły mnie myśli o wyjeździe z Ocracoke i rozstaniu z Bryce'em, przypominałam sobie tylko, że „ktoś, kto kocha, nie liczy", i zwykle to pomagało. Trzeba przyznać, że moja umiejętność unikania tego tematu mogła brać się stąd, że Bryce był niesamowicie przystojny i w jego obecności łatwo zapominałam o całym świecie.

Kiedy byliśmy razem, mój mózg niemal całkiem się wyłączał, prawdopodobnie dlatego, że wykorzystywaliśmy każdą okazję, żeby się całować. Jednak wieczorami, kiedy byłam sama w pokoju, słyszałam, jak zegar odlicza sekundy do dnia mojego wyjazdu, zwłaszcza gdy dziecko w moim brzuchu się ruszało. Ten dzień nieuchronnie się zbliżał, czy tego chciałam, czy nie.

Z początkiem kwietnia robiliśmy zdjęcia latarni, a ja patrzyłam, jak Bryce zmienia obiektywy pod tęczowym niebem. Daisy truchtała to tu, to tam, węsząc przy ziemi, i od czasu do czasu podchodziła do niego, jakby chciała sprawdzić, czy wszystko jest w porządku. Zrobiło się cieplej i Bryce miał na sobie koszulkę z krótkimi rękawami. Przyłapałam się na tym, że jak zahipnotyzowana wpatruję się w jego umięśnione ramiona. Byłam w trzydziestym piątym tygodniu ciąży i musiałam zaprzestać porannych wycieczek rowerowych z Bryce'em. Coraz bardziej wstydziłam się też pojawiać w miejscach publicznych. Nie chciałam, żeby mieszkańcy wyspy pomyśleli, że Bryce zrobił mi dziecko. W końcu Ocracoke było jego domem.

– Hej, Bryce? – odezwałam się w końcu.

– Tak?

– Wiesz, że będę musiała wrócić do Seattle, prawda? Kiedy już urodzę.

Podniósł wzrok znad aparatu i spojrzał na mnie, jakbym zamiast czapki wsadziła sobie na głowę lodowego rożka.

– Poważnie? Jesteś w ciąży i chcesz wyjechać?

– Mówię serio – rzuciłam.

Opuścił aparat.

– Tak. Wiem.

– Myślałeś o tym, co to dla nas oznacza?

– Tak. Ale mogę zadać ci jedno pytanie? – Kiedy kiwnęłam głową, spytał: – Kochasz mnie?

– Oczywiście, że tak.

– No to coś wymyślimy.

– Będę pięć tysięcy kilometrów stąd. Nie będziemy mogli się widywać.

– Możemy rozmawiać przez telefon…

– Rozmowy międzymiastowe są drogie. Zresztą nawet jeśli znajdę sposób, żeby za nie płacić, nie wiem, jak często rodzice pozwolą mi dzwonić. A ty będziesz zajęty.

– No to będziemy do siebie pisać, okej? – Pierwszy raz usłyszałam niepokój w jego głosie. – Przed nami były inne pary, które tworzyły związki na odległość, na przykład moi rodzice. Tata miesiącami przebywał za granicą, dwa razy nie było go prawie przez rok. Zresztą teraz też ciągle podróżuje.

Ale oni się pobrali i mieli razem dzieci.

– Ty wyjedziesz do college'u, a mnie czekają jeszcze dwa lata liceum.

– No i?

Możesz poznać kogoś lepszego. Będzie mądrzejsza, ładniejsza i połączy was więcej niż nas. Słyszałam w głowie ten głos, ale milczałam. Bryce podszedł do mnie, dotknął mojego policzka, przez chwilę wodził po nim palcami, po czym nachylił się, żeby mnie pocałować. Dotyk jego warg był lekki jak samo powietrze. Bryce objął mnie i przez chwilę staliśmy w milczeniu, aż w końcu usłyszałam jego westchnienie.

– Nie chcę cię stracić – wyszeptał.

Zamknęłam oczy i chociaż pragnęłam mu wierzyć, nadal nie byłam pewna, czy to możliwe.

*

Przez następne dni oboje próbowaliśmy udawać, że ta rozmowa nigdy nie miała miejsca. I po raz pierwszy zdarzały się chwile, gdy czuliśmy się niezręcznie w swojej obecności.

Przyłapywałam go na tym, że wpatruje się w dal, a gdy pytałam, o czym myśli, kręcił głową i zmuszał się do uśmiechu; albo ja krzyżowałam ramiona i wzdychałam, uświadamiając sobie, że on dokładnie wie, o czym myślę.

Chociaż nie rozmawialiśmy na ten temat, nasza potrzeba bliskości stała się jeszcze wyraźniejsza. Częściej sięgał po moją rękę, a ja tuliłam się do niego, gdy nachodziły mnie czarne myśli związane z przyszłością. Kiedy się całowaliśmy, obejmował mnie jeszcze mocniej, jakby czepiał się złudnej nadziei.

Byłam już w tak zaawansowanej ciąży, że większość czasu spędzaliśmy w domu. Skończyły się przejażdżki rowerowe, a zamiast robić zdjęcia, przeglądałam te, które zgromadziłam w albumie. Nie wchodziłam też do ciemni, choć pewnie nic mi tam nie groziło.

Podobnie jak w marcu, teraz również dużo się uczyłam, głównie dlatego, żeby nie myśleć o tym, co nieuniknione. Napisałam analizę *Romea i Julii*. Było to ostatnie duże wypracowanie w tym roku szkolnym i nie napisałabym go, gdyby nie Bryce. Czytając sztukę, momentami zastanawiałam się, czy w ogóle napisano ją po angielsku, i Bryce musiał tłumaczyć mi praktycznie każde zdanie. Tymczasem obrabiając zdjęcia, kierowałam się instynktem i nieustannie zaskakiwałam Bryce'a i jego mamę.

Daisy najwyraźniej wyczuwała napięcie między mną a Bryce'em, bo często trącała nosem moją rękę, podczas gdy on trzymał mnie za drugą. W pewien czwartek po kolacji odprowadziłam go na werandę, kiedy ciotka Linda przypomniała sobie nagle, że musi sprawdzić coś w kuchni. Daisy wyszła za nami i siedząc przy mnie, patrzyła, jak się całujemy. Bryce wsunął mi język do ust, a zaraz potem zetknęliśmy się czołami i przez chwilę siedzieliśmy objęci.

– Co robisz w sobotę? – zapytał w końcu.

Sądziłam, że chce mnie zaprosić na kolejną randkę.

– Masz na myśli sobotni wieczór?

– Nie. – Pokręcił głową. – W ciągu dnia. Muszę zawieźć Daisy do Goldsboro. Wiem, że starasz się nie pokazywać, ale miałem nadzieję, że pojedziesz ze mną. Nie chcę wracać sam, a mama musi zostać z bliźniakami. Inaczej mogliby przez przypadek wysadzić dom.

Chociaż wiedziałam, że tak będzie, na myśl o tym, że Daisy wyjedzie, poczułam ściskanie w gardle. Odruchowo wyciągnęłam rękę i podrapałam ją za uszami.

– No tak… Jasne.

– Musisz chyba zapytać ciotkę? To dzień przed Wielkanocą.

– Na pewno pozwoli mi jechać. Porozmawiam z nią później i jeśli coś się zmieni, dam ci znać.

Zacisnął usta i pokiwał głową. Spojrzałam na Daisy, czując, że łzy napływają mi do oczu.

– Będę za nią tęskniła.

Daisy zaskomlała na dźwięk mojego głosu. Kiedy spojrzałam na Bryce'a, zobaczyłam, że w jego oczach również lśnią łzy.

*

W sobotę wypłynęliśmy wczesnym promem z Ocracoke i ruszyliśmy w długą drogę z wybrzeża do Goldsboro, godzinę jazdy za New Bern. Daisy siedziała między nami w szoferce i oboje ją głaskaliśmy. Zadowolona z uwagi, jaką jej poświęcaliśmy, praktycznie się nie ruszała.

W końcu wjechaliśmy na parking przy Walmarcie i Bryce zauważył ludzi, z którymi mieliśmy się spotkać. Stali obok pick-upa z plastikową budą na pace. Bryce powoli do nich podjechał. Daisy usiadła, chcąc zobaczyć, co się dzieje, i wyglądała przez przednią szybę, podekscytowana nową przygodą, choć nie miała pojęcia, o co tak naprawdę chodzi.

Ponieważ na parkingu przed sklepem panował duży ruch, jak to w sobotę, Bryce wziął ją na smycz, zanim otworzył drzwi. Gdy wysiadł, Daisy wyskoczyła za nim i niemal natychmiast zaczęła węszyć z nosem przy ziemi. Ja również wysiadłam – co przychodziło mi z coraz większym trudem – i dołączyłam do Bryce'a.

– Potrzymasz ją przez chwilę? – spytał, podając mi smycz. – Muszę wziąć dokumenty z samochodu.

– Jasne.

Pochyliłam się i jeszcze raz pogłaskałam Daisy. Stojący przy pick-upie ludzie ruszyli w naszą stronę. Oboje wydawali się dużo bardziej odprężeni ode mnie. Kobieta, z długimi rudymi włosami związanymi w kucyk, mogła mieć czterdzieści kilka lat. Mężczyzna, który wyglądał na starszego o jakieś dziesięć lat, miał na sobie koszulkę polo i bawełniane spodnie. Sądząc po ich zachowaniu, dobrze znali Bryce'a.

Bryce uścisnął im dłonie i podał teczkę z dokumentami. Przedstawili mi się jako Jess i Toby. Zauważyłam, że zerknęli na

mój brzuch, poczułam się bardziej zażenowana niż zwykle i odruchowo skrzyżowałam ręce na piersi. Byli na tyle mili, żeby się
nie gapić, i po minucie swobodnej pogawędki o tym, jak minęła
nam podróż i co słychać, Bryce zaczął opowiadać im o szko-
leniu Daisy. Wiedziałam jednak, że zastanawiają się, czy to on
jest ojcem dziecka. Zamiast przysłuchiwać się ich rozmowie,
skupiłam się na Daisy. Kiedy polizała mnie po palcach, zdałam
sobie sprawę, że nigdy więcej jej nie zobaczę, i poczułam pod
powiekami palące łzy.

Jess i Toby najwyraźniej mieli świadomość, że przedłużanie
tej chwili pożegnania sprawi, że Bryce'owi będzie jeszcze trudniej rozstać się z psem. Zakończyli rozmowę, a Bryce przykucnął przed Daisy. Ujął w dłonie jej pysk i przez chwilę patrzyli
sobie w oczy.

– Jesteś najlepszym pieskiem, jakiego miałem w życiu –
powiedział lekko łamiącym się głosem. – Wiem, że będę z ciebie dumny i że twój nowy właściciel pokocha cię tak bardzo
jak ja.

Daisy zdawała się chłonąć każde jego słowo, a gdy pocałował ją w czubek łba, zamknęła oczy. Podał smycz Toby'emu,
odwrócił się i z posępną miną, bez słowa, ruszył w stronę samochodu. Ja także ostatni raz pocałowałam Daisy i poszłam za
nim. Gdy obejrzałam się za siebie, zobaczyłam, że Daisy siedzi
cierpliwie i patrzy na Bryce'a. Przechyliła łeb, jakby zastanawiała się, dokąd idzie jej pan. Ten widok niemal złamał mi serce.
Bryce w milczeniu otworzył drzwi od strony pasażera i pomógł
mi wsiąść.

Zaraz potem usiadł za kierownicą. W lusterku bocznym widziałam Daisy. Patrzyła za nami, kiedy Bryce uruchomił silnik i pick-up powoli jechał przez parking, mijając po drodze kolejne samochody. Bryce spoglądał przed siebie, kierując się w stronę wyjazdu.

Stał tam znak stopu, ale na drodze nie było ruchu, więc opuściliśmy parking i ruszyliśmy w podróż powrotną do Ocracoke. Ostatni raz obejrzałam się przez ramię. Daisy nadal siedziała z łbem przechylonym na bok, patrząc, jak nasz samochód maleje w oddali. Zastanawiałam się, czy jest zdezorientowana, przestraszona czy może smutna, ale była za daleko, żebym mogła to stwierdzić. Zobaczyłam, jak Toby szarpnął w końcu za smycz i Daisy ruszyła powoli na tył jego pick-upa. Kiedy opuścił klapę, wskoczyła na pakę. Chwilę później minęliśmy kolejny budynek i straciłam z oczu zarówno ją, jak i jej nowych właścicieli. Na zawsze.

Bryce nadal milczał. Wiedziałam, że cierpi, i miałam świadomość, jak bardzo będzie tęsknił za psem, którego wychowywał od szczeniaka. Otarłam łzy, nie wiedząc, co powiedzieć. Słowa nic nie znaczyły, kiedy rana była świeża.

Przed nami znajdował się wjazd na autostradę, ale Bryce zaczął zwalniać. Przez chwilę myślałam, że zawróci na parking, żeby naprawdę pożegnać się z Daisy. Ale nie zrobił tego. Skręcił w stronę stacji benzynowej, zaparkował na skraju i wyłączył silnik.

Z trudem przełknął ślinę i ukrył twarz w dłoniach. Szloch wstrząsnął jego ramionami i gdy usłyszałam, że płacze, sama też nie mogłam już dłużej powstrzymywać łez. Szlochałam i szlochałam, i chociaż byliśmy razem, każde z nas było samotne w swoim smutku i tęsknocie za Daisy.

*

Po powrocie do Ocracoke Bryce podrzucił mnie do ciotki. Wiedziałam, że chce zostać sam, zresztą ja też byłam zmęczona i musiałam się zdrzemnąć. Kiedy się obudziłam, ciotka Linda zrobiła grillowane kanapki z serem i zupę pomidorową. Siedząc przy stole, odruchowo sięgałam ręką pod krzesło, szukając dłonią Daisy.

– Chcesz pójść jutro do kościoła? – spytała ciotka. – Wprawdzie jest Wielkanoc, ale jeśli wolisz zostać w domu, zrozumiem.

– Nic mi nie będzie.

– Wiem, że nic ci nie będzie. Pytałam z innego powodu.

Chodziło jej o to, że mój brzuch tak bardzo rzucał się w oczy.

– Chciałabym jechać jutro, ale myślę, że później już chyba sobie odpuszczę.

– Dobrze, skarbie. Od przyszłej niedzieli Gwen będzie w pobliżu, gdybyś czegoś potrzebowała.

– Ona też nie będzie chodziła do kościoła? – spytałam.

– Raczej nie. Lepiej, żeby tu była, tak na wszelki wypadek.

Chciała powiedzieć: „Na wypadek gdybyś zaczęła rodzić". Sięgając po kanapkę, uświadomiłam sobie, że mój czas tutaj dobiega końca szybciej, niż tego chciałam.

*

W poniedziałek, dwa dni później, obudziłam się z myślą, że został mi jeszcze miesiąc. Pożegnanie z Daisy sprawiło, że nasze rozstanie nabrało teraz bardziej realnych kształtów, zarówno dla mnie, jak i dla Bryce'a. Tego dnia podczas zajęć był przygnębiony, a później, zamiast fotografowania, zaproponował, żebyśmy zaczęli naukę jazdy. Wspomniał, że rozmawiał z moją ciotką i swoją mamą i obie wyraziły zgodę.

Kiedy robiliśmy zdjęcia, zawsze towarzyszyła nam Daisy i wiedziałam, że Bryce chce zrobić coś, co nie będzie mu o tym przypominało. Zgodziłam się i pojechaliśmy na drogę na drugim końcu wyspy. Tam się przesiedliśmy. Dopiero gdy usiadłam za kierownicą, dotarło do mnie, że pick-up ma manualną, a nie automatyczną skrzynię biegów. Nie pytaj, dlaczego nie zauważyłam tego wcześniej. Pewnie dlatego, że Bryce prowadził z taką lekkością.

– Chyba nie dam rady – rzuciłam.

– Dobrze jest uczyć się na manualnej skrzyni biegów, na wypadek gdybyś kiedyś trafiła na samochód bez automatu.

– To niemożliwe.

– Skąd wiesz?

– Bo większość ludzi jest na tyle mądra, żeby mieć samochody, które same zmieniają biegi.

– Możemy zaczynać? Jeśli skończyłaś marudzić?

Tego dnia wreszcie zabrzmiał jak dawny Bryce i poczułam, że się odprężam. Nie miałam świadomości, jak bardzo jestem spięta. Słuchałam, gdy tłumaczył mi, jak używać sprzęgła.

Wyobrażałam sobie, że to będzie proste, ale się myliłam. Puszczanie sprzęgła i jednoczesne wciskanie pedału gazu okazało się dużo trudniejsze, niż mnie zapewniał, i przez pierwszą godzinę posuwaliśmy się krótkimi szarpnięciami, a silnik co chwilę gasł. Moje starania doprowadziły do tego, że Bryce musiał zapiąć pasy.

Kiedy samochód zaczął się w końcu toczyć, Bryce kazał mi przyspieszyć i wrzucić drugi, a zaraz potem trzeci bieg. Chwilę później musieliśmy zacząć wszystko od początku.

W połowie tygodnia samochód właściwie już nie gasł, a w czwartek szło mi na tyle dobrze, że Bryce pozwolił, żebym wyjechała na ulice miasteczka. Okazało się to dużo mniej niebezpieczne, niż można by sądzić, bo tu także nie było praktycznie żadnego ruchu. Wciąż jeszcze miałam problemy z wchodzeniem w zakręty, dlatego większość dnia ćwiczyliśmy jazdę po łuku. W piątek radziłam sobie już całkiem nieźle – pod warunkiem że uważałam na zakrętach – i na koniec lekcji Bryce objął mnie i powiedział mi znów, że mnie kocha.

Kiedy tak tulił mnie do siebie, nie mogłam przestać myśleć o tym, że dziecko przyjdzie na świat za dwadzieścia siedem dni.

*

W sobotę nie widziałam Bryce'a. Po piątkowej lekcji jazdy uprzedził mnie, że w weekend wybiera się z dziadkiem na ryby, ponieważ ojca nadal nie ma w domu. Poszłam więc do sklepu, gdzie układałam alfabetycznie książki i porządkowałam kasety wideo według kategorii. Następnie porozmawiałam z Gwen o skurczach Braxtona-Hicksa, które po krótkiej przerwie ostatnio się nasiliły. Zapewniła mnie, że to normalne, i opowiedziała mi o tym, czego powinnam się spodziewać, kiedy zacznę rodzić.

Wieczorem grałam w remika z ciotką i Gwen. Myślałam, że jestem w tym dobra, ale okazało się, że byłe zakonnice to stare wygi, i kiedy w końcu odłożyłyśmy karty, zaczęłam się zastanawiać, co tak naprawdę dzieje się w klasztorach po zgaszeniu świateł. Wyobraziłam sobie atmosferę rodem z kasyna i obwieszone złotem zakonnice siedzące w okularach przeciwsłonecznych przy obitych filcem stołach.

W niedzielę było inaczej. Zjawiła się Gwen, przyniosła ciśnieniomierz i słuchawki i zadała mi te same pytania, które zwykle zadawał doktor Wielka Łapa. Jednak gdy tylko wyszła, poczułam się dziwnie. Nie poszłam do kościoła, ale poza uczeniem się do egzaminów nie bardzo miałam co robić, zwłaszcza że napisałam już wszystkie prace semestralne. Bryce nie zostawił mi aparatu, więc robienie zdjęć też odpadało. Wysiadły mi baterie w walkmanie – ciotka obiecała, że kupi mi nowe – czyli nawet nie mogłam posłuchać muzyki. Pomyślałam, żeby trochę się przejść, ale wolałam nie ruszać się z domu. Był środek dnia, mieszkańcy wyszli pewnie na spacer, a moja ciąża była tak widoczna, że równie dobrze mogłabym nieść neonowe strzałki wskazujące na mój brzuch, żeby wszyscy wiedzieli, po co w ogóle przyjechałam do Ocracoke.

W końcu zadzwoniłam do rodziców. Z powodu różnicy czasu musiałam czekać prawie do południa i chociaż nie wiem, czego właściwie się spodziewałam, po rozmowie z nimi wcale nie poczułam się lepiej. Nie pytali ani o Bryce'a ani o zdjęcia, a gdy wspomniałam, jak daleko jestem z materiałem, mama oznajmiła, że Morgan dostała kolejne stypendium, tym razem od Rycerzy Kolumba*. Kiedy do telefonu podeszła moja siostra, wydawała się zmęczona, a przez to cichsza niż zwykle. Pierwszy raz od dawna miałam wrażenie, że naprawdę ze sobą rozmawiamy, więc nie mogąc się powstrzymać, opowiedziałam jej trochę o Brysie i swojej nowo odkrytej miłości do fotografii. Najwyraźniej była zaskoczona, a gdy w końcu spytała, kiedy wracam do domu, niemal nogi się pode mną ugięły. Jak mogła nie wiedzieć o Brysie, o tym, że robię zdjęcia i że dziecko ma się urodzić dziewiątego maja? Po tym, jak się rozłączyłam, zaczęłam się zastanawiać, czy moi rodzice i siostra w ogóle o mnie rozmawiają.

Ponieważ nie miałam nic lepszego do roboty, posprzątałam dom. Nie tylko kuchnię i swój pokój, ale też wszystko. Wypucowałam łazienkę, wytarłam kurze i odkurzyłam podłogi. Zabrałam się nawet do szorowania piekarnika, ale zaczęły boleć mnie plecy, więc nie spisałam się najlepiej. Dom był jednak mały i uwinęłam się szybko. Ponieważ do powrotu ciotki Lindy zostało jeszcze kilka godzin, postanowiłam wyjść posiedzieć na werandzie.

Dzień był piękny i w powietrzu czuło się już wiosnę. Niebo było bezchmurne, a woda mieniła się jak taca, na której

---

*Zakon Rycerzy Kolumba – największa na świecie katolicka organizacja charytatywna.

ktoś rozsypał niebieskie brylanty, ja jednak nie zwracałam na to uwagi. Myślałam wyłącznie o tym, że zmarnowałam dzień, a w Ocracoke nie zostało mi ich już wiele.

*

Lekcje z Bryce'em polegały głównie na przygotowywaniu mnie do testów, które miały się odbyć w przyszłym tygodniu, ostatnich przed egzaminami końcowymi. Zaczęłam mieć pewne problemy z koncentracją, więc nasze zajęcia trwały teraz nieco krócej, a ponieważ przejrzeliśmy już wszystkie zdjęcia, czytaliśmy książki o fotografii, jedną po drugiej. Z czasem uświadomiłam sobie, że chociaż niemal każdy może nauczyć się kadrować i komponować zdjęcia, to robienie prawdziwych fotografii jest sztuką. Dobry fotograf potrafi tchnąć w zdjęcie duszę, wyrazić nim swoją wrażliwość i punkt widzenia. Dwie osoby fotografujące tę samą rzecz w tym samym czasie mogą zrobić dwa kompletnie różne zdjęcia. Zaczęłam rozumieć, że pierwszym krokiem do bycia świetnym fotografem jest poznanie samego siebie.

Mimo tego weekendu, kiedy Bryce pojechał na ryby, a może właśnie z jego powodu, czas, który spędzaliśmy razem, nie był już taki sam. Owszem, całowaliśmy się, Bryce powtarzał mi, że mnie kocha, i trzymał mnie za rękę, kiedy siedzieliśmy na kanapie, ale nie był taki… otwarty jak dawniej, jeśli wiesz, o co mi chodzi. Czasami miałam wrażenie, że myśli o czymś innym, o czym nie chce ze mną rozmawiać. Bywały nawet chwile, że wyglądał, jakby zapomniał, że jestem tuż obok. Nie zdarzało się to często i za każdym razem przepraszał, że jest taki rozkojarzony, ale nigdy nie wyjaśnił, co było tego przyczyną. A jednak po kolacji, kiedy żegnaliśmy się na werandzie, przytulał mnie, jakby nie chciał wypuścić mnie z objęć.

Chociaż niechętnie opuszczałam dom, w piątek po południu wybraliśmy się na spacer po plaży. Oprócz nas nie było tam żywej duszy, więc idąc brzegiem, trzymaliśmy się za ręce. Fale rozlewały się po piasku, pelikany szybowały tuż nad wodą; mimo że wzięliśmy ze sobą aparat, nie zrobiliśmy do tej pory żadnych zdjęć. To mi uświadomiło, że nie mamy ani jednego zdjęcia razem. W pobliżu nie było jednak nikogo, kto mógłby nam je zrobić, dlatego nic nie powiedziałam i w końcu zawróciliśmy w stronę pick-upa.

– Co zaplanujemy na weekend? – spytałam.

Zrobił kilka kroków, zanim odpowiedział.

– Nie będzie mnie. Znów płynę na ryby z dziadkiem.

Poczułam na ramionach nagły ciężar. Czy już teraz oddalał się ode mnie, żeby było mu łatwiej, kiedy naprawdę będziemy musieli się rozstać? Jeśli tak, to dlaczego nadal powtarzał mi, że mnie kocha? Dlaczego tak długo mnie przytulał? Byłam tak zdezorientowana, że wykrztusiłam tylko:

– Aha.

Słysząc rozczarowanie w moim głosie, zatrzymał mnie.

– Przepraszam. Po prostu muszę popłynąć.

Patrzyłam na niego.

– Jest coś, o czym mi nie mówisz?

– Nie – odparł. – Nie ma nic takiego.

Po raz pierwszy, odkąd byliśmy razem, nie wierzyłam mu.

*

W sobotę, znudzona, próbowałam uczyć się do testów. Uznałam, że im lepiej mi pójdą, tym większą będę miała ochronę, w razie gdybym zawaliła egzaminy końcowe. Ale ponieważ przeczytałam wszystkie lektury, napisałam wszystkie prace i uczyłam się przez cały tydzień, czułam, że mam już dość. Wiedziałam, że nie będę miała żadnych problemów, i w końcu wyszłam na werandę.

Dziwnie się czułam, mając pewność, że jestem przygotowana do egzaminów. To uświadomiło mi również, dlaczego Bryce miał dużo bardziej rozległą wiedzę. Nie chodziło tylko o to, że był inteligentny. Ucząc się w domu, człowiek nie marnuje czasu. W mojej szkole były przerwy, na początku każdej lekcji nauczyciele tracili kilka minut, czekając, aż się uspokoimy, były wiadomości nadawane przez radiowęzeł, zapisy do klubów, ćwiczenia przeciwpożarowe i dłuższe przerwy na lunch, zbliżone do spotkań towarzyskich. W klasach nauczyciele często musieli przerabiać materiał wolniej ze względu na uczniów, którzy mieli jeszcze większe problemy z nauką niż ja, a wszystko to składało się na godziny zmarnowanego czasu.

Mimo to wciąż wolałam chodzić do szkoły. Lubiłam spotykać się z przyjaciółmi i prawdę mówiąc, myśl o tym, że miałabym siedzieć w domu z mamą, przyprawiała mnie o dreszcze.

Poza tym kompetencje społeczne również były ważne i chociaż Bryce wydawał się zupełnie normalny, niektórzy ludzie – na przykład ja – korzystali na obcowaniu z innymi. A przynajmniej chciałam w to wierzyć.

O tym właśnie myślałam, gdy siedząc na werandzie, czekałam, aż ciotka wróci ze sklepu. Moje myśli poszybowały ku Bryce'owi i próbowałam wyobrazić sobie, co robi na łodzi. Czy pomaga wyciągać sieci, czy może służy do tego jakaś maszyna? A może wcale nie mieli sieci? Czy to on patroszy ryby? Może robią to na przystani albo zajmuje się tym ktoś inny? Trudno było mi to sobie wyobrazić, głównie dlatego, że nigdy nie łowiłam ryb, nie byłam na łodzi i nie miałam pojęcia, jakie ryby łowią.

Mniej więcej właśnie wtedy usłyszałam chrzęst żwiru na podjeździe. Ciotka była jeszcze w sklepie, więc nie miałam pojęcia, kto to może być. Ku swojemu zaskoczeniu zobaczyłam rodzinnego vana państwa Trickettów i usłyszałam hydrauliczny świst opuszczanego podestu. Chwyciłam się poręczy i powoli zeszłam po schodkach. Chwilę później zobaczyłam matkę Bryce'a jadącą w moją stronę.

– Pani Trickett? – odezwałam się.

– Cześć, Maggie. Przyjechałam nie w porę?

– Nie, nie, skądże – odparłam pospiesznie. – Bryce łowi ryby z dziadkiem.

– Tak, wiem.

– Nic mu nie jest? Chyba nie wypadł z łodzi ani nic takiego? – Zmarszczyłam brwi, czując, że ogarnia mnie niepokój.

– Wątpię, żeby wypadł za burtę. Myślę, że koło piątej powinien być w domu.

– Mam kłopoty?

– Nie bądź niemądra – zganiła mnie i zatrzymała wózek u podnóża schodków. – Byłam w sklepie u twojej ciotki i powiedziała mi, że mogę do ciebie zajrzeć. Chciałam z tobą porozmawiać.

Źle się czułam, stojąc tak nad nią, więc usiadłam na schodach. Z bliska wyglądała ładnie jak zawsze, słońce rozświetlało jej oczy, zmieniając je w dwa szmaragdy.

– Co mogę dla pani zrobić?

– Cóż... po pierwsze, chciałam powiedzieć, że jestem zachwycona twoimi zdjęciami. Masz wyczucie i instynkt. To niesamowite, jak daleko zaszłaś w tak krótkim czasie. Ja potrzebowałam lat, żeby dotrzeć tam, gdzie ty już jesteś.

– Dziękuję. Miałam dobrych nauczycieli. – Położyła ręce na kolanach i wyczułam jej niepokój. Wiedziałam, że nie przyjechała rozmawiać o fotografiach. Odchrząknęłam i spytałam: – Kiedy pan Trickett wraca do domu?

– Myślę, że niedługo. Nie znam dokładnej daty, ale dobrze będzie mieć go z powrotem. Niełatwo jest samej wychowywać trójkę chłopców.

– Na pewno. Chociaż ma pani fantastycznych synów. Świetnie ich państwo wychowali.

Odwróciła wzrok i teraz to ona odchrząknęła.

– Opowiadałam ci o tym, jak było z Bryce'em po moim wypadku?

– Nie.

– To był bardzo ciężki okres, ale na szczęście przełożeni pozwolili mojemu mężowi pracować w domu przez pierwsze pół roku, żeby mógł zająć się mną i dziećmi, zanim przystosujemy dom do moich potrzeb. W końcu jednak musiał wrócić do pracy. Ja wciąż byłam obolała i nie poruszałam się tak sprawnie jak teraz. Richard i Robert mieli po cztery lata i dawali mi popalić. Rozsadzała ich energia, byli niejadkami, a do tego bałaganili. Pod nieobecność ojca to Bryce był panem domu, chociaż miał dopiero dziewięć lat. Oprócz tego, że zajmował się braćmi, opiekował się również mną. Czytał im, bawił się z nimi, gotował dla nich, kąpał ich i kładł spać. Troszczył się o wszystko. A przeze mnie musiał też robić rzeczy, których nie powinno robić żadne dziecko: pomagał mi w łazience, a nawet mnie ubierał. Nie skarżył się, ale i tak czuję się z tym podle, ponieważ był zmuszony dorosnąć szybciej niż dzieci w jego wieku. – Westchnęła, a na jej twarzy pojawił się wyraz żalu. – Od tamtej pory nigdy nie był już dzieckiem. Nie wiem, czy to dobrze, czy źle.

Chciałam coś powiedzieć, ale nic mądrego nie przychodziło mi do głowy. W końcu wyrzuciłam z siebie:

– Bryce jest jednym z najbardziej niezwykłych ludzi, jakich w życiu spotkałam.

Odwróciła się w stronę wody, ale miałam wrażenie, że wcale jej nie widzi.

– Zawsze żył w przekonaniu, że jego bracia są... lepsi od niego. I chociaż są wspaniali, nie są nim. Poznałaś ich. Są mądrzy, ale to wciąż dzieci. Bryce w ich wieku był już dorosły. Zanim jeszcze skończył sześć lat, oświadczył, że pójdzie do West Point. Chociaż byliśmy rodziną o wojskowych tradycjach i mój mąż jest absolwentem West Point, nie mieliśmy wpływu na jego decyzję. Gdyby to od nas zależało, posłalibyśmy go na Harvard. Tam też się dostał. Mówił ci?

Nadal próbując przetrawić to, co właśnie usłyszałam, pokręciłam głową.

– Powiedział, że nie chce, żebyśmy musieli za cokolwiek płacić. Postawił sobie za punkt honoru, że będzie studiował bez naszej pomocy finansowej.

– To do niego podobne – przyznałam.

– Pozwól, że cię o coś zapytam. – W końcu spojrzała na mnie. – Wiesz, dlaczego przez ostatnie dwa weekendy Bryce jeździ z dziadkiem na ryby?

– Chyba dlatego, że dziadek potrzebuje jego pomocy. Bo pan Trickett jeszcze nie wrócił.

Uśmiechnęła się smutno.

– Mój tata nie potrzebuje pomocy Bryce'a. Zwykle nie potrzebuje nawet pomocy Portera. Mój mąż pomaga mu głównie ze sprzętem i przy naprawach silnika, ale na wodzie tata nie potrzebuje nikogo oprócz człowieka, który pracuje dla niego od dziesięcioleci. Tata przez ponad sześćdziesiąt lat był rybakiem. Porter wypływa z nimi, bo lubi się czymś zająć i spędzać czas na świeżym powietrzu. I dlatego, że świetnie dogaduje się z moim ojcem. Nie wiem, dlaczego Bryce z nim wypłynął, ale tata wspomniał, że poruszył pewne kwestie, które go zaniepokoiły.

– Jakie kwestie?

Wpatrywała się we mnie.

– Na przykład to, że zastanawia się, czy na pewno chce pójść do West Point.

Zamrugałam gwałtownie.

– Ale... to... nie ma sensu – wykrztusiłam.

– Mój tata też tak uważa. Ja zresztą również. Nie mówiłam jeszcze o tym mężowi, ale wątpię, żeby wiedział, co z tym zrobić.

– Oczywiście, że Bryce pójdzie do West Point – powiedziałam z przekonaniem. – Rozmawialiśmy o tym wiele razy. Zresztą wystarczy zobaczyć, jak ciężko trenuje.

– To kolejna sprawa – powiedziała. – Bryce przestał trenować.

To mnie zaskoczyło.

– Bo zdecydował się pójść na Harvard?

– Nie wiem. Jeśli tak, pewnie niedługo będzie musiał wypełnić dokumenty. Z tego, co mi wiadomo, termin mógł już upłynąć. – Popatrzyła w niebo, a potem znów na mnie. – Ale tata mówi, że Bryce wypytuje o rybołówstwo, o to, ile kosztuje łódź, o koszty napraw i takie tam. Zadaje mu mnóstwo pytań o różne szczegóły.

Mogłam tylko pokręcić głową.

– To na pewno nic takiego. Nic mi o tym nie mówił. Zresztą sama pani wie, jak bardzo Bryce interesuje się wszystkim.

– Jak on się ostatnio zachowuje?

– Odkąd oddał Daisy, jest jakby trochę nieobecny. Myślałam, że to dlatego, że za nią tęskni. – Nie wspomniałam o chwilach, kiedy nie chciał wypuścić mnie z objęć; wydawało mi się to zbyt osobiste.

Znów spojrzała na wodę, która tego dnia była tak niebieska, że od patrzenia na nią aż bolały oczy.

– Nie sądzę, żeby to miało związek z Daisy – odparła. Zanim zdążyłam się zastanowić, co właściwie miała na myśli, położyła dłonie na kołach wózka, najwyraźniej zamierzając odjechać. – Chciałam tylko zapytać, czy wspominał ci o czymkolwiek, więc dziękuję, że ze mną porozmawiałaś. Lepiej już wrócę. Richard i Robert robili jakiś eksperyment i Bóg jeden wie, co się mogło wydarzyć.

– Tak, oczywiście – rzuciłam.

Obróciła wózek, ale jeszcze się zatrzymała i popatrzyła na mnie.

– Na kiedy masz termin?

– Na dziewiątego maja.

– Przyjdziesz się pożegnać?

– Może. Staram się nie rzucać w oczy. Ale chcę podziękować wam wszystkim za to, że byliście dla mnie tacy mili i serdeczni.

Pokiwała głową, jakby spodziewała się takiej odpowiedzi, ale jej twarz wciąż wyrażała niepokój.

– Chce pani, żebym z nim porozmawiała?! – zawołałam za nią, kiedy ruszyła w stronę vana.

Machnęła ręką i obejrzała się przez ramię.

– Coś mi mówi, że on sam będzie chciał z tobą porozmawiać.

*

Nadal siedziałam na schodach, kiedy godzinę później ciotka Linda wróciła ze sklepu. Patrzyłam, jak podjeżdża pod dom. Zanim wysiadła, przyglądała mi się przez chwilę.

– Wszystko w porządku? – spytała, stając przede mną.

Pokręciłam głową, a ona pomogła mi wstać. Zaprowadziła mnie do kuchni i usiadła naprzeciwko mnie przy stole. Po chwili ujęła moją dłoń.

– Powiesz mi, co się stało?

Wzięłam głęboki oddech i zrelacjonowałam jej rozmowę z mamą Bryce'a. Gdy skończyłam, popatrzyła na mnie łagodnie.

– Już w sklepie widziałam, że martwi się o niego.

– Co mam mu powiedzieć? Powinnam z nim porozmawiać? Przekonać go, że musi iść do West Point? Albo przynajmniej poradzić, żeby porozmawiał z rodzicami o tym, co zamierza?

– A domyślasz się, o co chodzi?

Pokręciłam głową.

– Nie wiem, co się z nim dzieje.

– Myślę, że wiesz.

Chciała powiedzieć: „Chodzi o ciebie".

– Ale on wie, że wyjeżdżam – zauważyłam. – Wiedział o tym od samego początku. Rozmawialiśmy o tym wiele razy.

Ciotka przez chwilę się zastanawiała.

– Może nie spodobało mu się to, co usłyszał – odezwała się w końcu łagodnym, cichym głosem.

*

Tej nocy źle spałam i w niedzielę rano, zaraz po przebudzeniu, zaczęłam żałować, że nie pojechałam na mszę i nie spędzę dwunastu godzin poza domem. Może dzięki temu zajęłabym głowę czymś innym. Kiedy Gwen wpadła zobaczyć, jak sobie radzę, prawie nie mogłam się skupić, a gdy wyszła, poczułam się jeszcze gorzej. Snułam się po domu, nie mogąc uwolnić się od natrętnych myśli i kolejnych pytań. Nawet pojawiające się od czasu do czasu skurcze Braxtona-Hicksa nie odwracały mojej uwagi, bo zdążyłam się do nich przyzwyczaić. Niepokój sprawiał, że czułam się zmęczona.

Był dwudziesty pierwszy kwietnia. Za osiemnaście dni miałam urodzić dziecko.

*

W poniedziałek rano Bryce niewiele mówił o weekendzie. Kiedy tonem swobodnej rozmowy zapytałam go, jak spędził czas z dziadkiem, odparł, że musieli wypłynąć dalej od brzegu, niż planowali, ale sezon na tuńczyka żółtopłetwego trwa w najlepsze, więc połowy się udały. Nie wspomniał ani słowem o tym, dlaczego zniknął na ostatnie dwa weekendy, ani o planach na studia i swoich wahaniach, a ja nie ciągnęłam go za język.

Poza tym wszystko wyglądało tak jak zawsze. Zajęcia, dyskusje o fotografowaniu. Teraz znałam już aparat jak własną kieszeń i mogłam zmieniać ustawienia z zamkniętymi oczami. Pamiętałam techniczne aspekty każdego zdjęcia w albumie i rozumiałam błędy, które popełniłam przy ich robieniu. Kiedy ciotka wróciła do domu, zapytała Bryce'a, czy znajdzie kilka minut, żeby pomóc jej zamontować nowe półki na książki w sklepie. Zgodził się chętnie, ale ja zostałam w domu.

– I jak było? – spytałam, kiedy wróciła sama.

– Jest taki jak jego ojciec. Prawdziwa złota rączka – odparła z zachwytem.

– A jak się zachowywał?

– Żadnych dziwnych pytań czy komentarzy, jeśli o to pytasz.

– Przy mnie też zachowywał się tak jak zawsze.

– To chyba dobrze, prawda?

– Chyba tak.

– Zapomniałam powiedzieć ci wcześniej, ale rozmawiałam dziś o szkole z twoim dyrektorem i rodzicami.

– Po co?

Wyjaśniła mi i choć nie miałam nic przeciwko temu, musiała wyczytać coś z mojej twarzy.

– Wszystko w porządku? – zapytała.

– Sama nie wiem.

Mimo że Bryce zachowywał się, jakby wszystko było w jak najlepszym porządku, on chyba też czuł się niepewnie.

*

Reszta tygodnia wyglądała tak samo, z tą tylko różnicą, że Bryce został u nas na kolacji we wtorek i w środę. W czwartek, po tym, jak napisałam trzy testy egzaminacyjne, a ciotka wróciła do sklepu, zaprosił mnie na kolejną randkę – i kolejną wspólną kolację – w piątkowy wieczór, ale szybko odmówiłam.

– Naprawdę nie chcę się pokazywać – powiedziałam.

– W takim razie może przygotuję kolację tutaj? Później obejrzymy film.

– Nie mamy telewizora.

– Przyniosę swój. I odtwarzacz wideo. Moglibyśmy obejrzeć *Dirty Dancing* albo coś w tym stylu.

– *Dirty Dancing*?

– Moja mama uwielbia ten film, a ja jeszcze go nie widziałem.

– Jak mogłeś nie oglądać *Dirty Dancing*?

– Gdybyś nie zauważyła, to w Ocracoke nie ma kin.

– Wszedł na ekrany, kiedy byłam dzieckiem.

– Byłem wtedy zajęty.

Roześmiałam się.

– Muszę zapytać ciotkę, czy nie ma nic przeciwko temu.

– Jasne.

Ledwie to powiedział, przypomniałam sobie wizytę jego mamy w poprzedni weekend.

– A musimy jeść tę kolację wczesnym wieczorem? W sobotę znowu wybierasz się na ryby?

– W ten weekend będę w domu. Jest coś, co chciałbym ci pokazać.

– Następny cmentarz?

– Nie. Ale myślę, że ci się spodoba.

*

W piątek rano, po tym, jak zdałam egzaminy, ciotka Linda nie tylko zgodziła się na moją drugą randkę z Bryce'em, ale też dodała, że chętnie spędzi wieczór u Gwen.

– To żadna randka, skoro siedziałabym tu z wami. O której mam się wynieść?

– O piątej? – rzucił Bryce. – Żebym miał czas przygotować kolację?

– W porządku – powiedziała. – Ale prawdopodobnie wrócę do domu przed dziewiątą.

Potem, gdy już wyszła do sklepu, wspomniał, że jego ojciec wraca do domu w przyszłym tygodniu.

– Nie wiem dokładnie kiedy, ale mama się cieszy.

– A ty nie?

– Oczywiście, że tak. Życie jest prostsze, kiedy on jest w domu. Bliźniacy są grzeczniejsi.

– Wydaje się, że twoja mama ma wszystko pod kontrolą.

– To prawda. Ale nie chce zawsze być tą złą.

– Nie wyobrażam sobie, żeby mogła być tą złą.

– Nie daj się zwieść – ostrzegł mnie. – Kiedy trzeba, jest naprawdę twarda.

*

Bryce wyszedł wczesnym popołudniem, żeby załatwić jakieś sprawy. Kiedy obudziłam się z popołudniowej drzemki, przez pewien czas gapiłam się w lustro. Nawet dżinsy z elastycznym pasem – te większe – zaczynały być obcisłe, a workowate bluzy, które dostałam na Gwiazdkę od mamy, napinały się na brzuchu.

Skoro nie mogłam oszałamiać strojem, postanowiłam zaszaleć z makijażem i wykorzystać swoje umiejętności robienia perfekcyjnej kreski eyelinerem. Oprócz Photoshopa robienie kreski było jedyną rzeczą, do której miałam naturalny talent. Kiedy wyszłam z pokoju, nawet ciotka Linda przyjrzała mi się uważniej.

– Przesadziłam? – spytałam.

– Nie znam się na makijażu – odparła. – Sama się nie maluję, ale uważam, że wyglądasz ślicznie.

– Mam dość bycia w ciąży – jęknęłam.

– W trzydziestym ósmym tygodniu wszystkie kobiety mają dość bycia w ciąży – powiedziała. – Niektóre dziewczyny, z którymi pracowałam, robiły ćwiczenia, żeby przyspieszyć poród.

– I to pomagało?

— Trudno powiedzieć. Jedna biedaczka urodziła dwa tygodnie po terminie, a godzinami ćwiczyła, płacząc ze złości. Jej na pewno nie pomogło.

— Dlaczego lekarz nie wywołał porodu?

— Lekarz, z którym wtedy pracowałyśmy, był bardzo konserwatywny. Wolał, żeby wszystko przebiegało naturalnie. Chyba że życiu którejś z dziewcząt zagrażało niebezpieczeństwo.

— Niebezpieczeństwo?

— Tak. Na przykład stan przedrzucawkowy bywa bardzo niebezpieczny. Ciśnienie krwi gwałtownie wtedy wzrasta. Ale są też inne problemy.

Starałam się nie myśleć o takich rzeczach i celowo omijałam bardziej przerażające rozdziały w książkach, które kupiła mi mama.

— Ale u mnie wszystko będzie dobrze?

— Oczywiście — zapewniła mnie i ścisnęła za ramię. — Jesteś młoda i zdrowa. Zresztą Gwen opiekuje się tobą i mówi, że świetnie sobie radzisz.

Chociaż pokiwałam głową, nie mogłam nie zauważyć, że tamte dziewczyny też były młode i zdrowe.

*

Bryce wrócił szybko, niosąc torbę z zakupami. Na chwilę zajrzał do ciotki Lindy, zanim wyszła, po czym wrócił do samochodu i przytaszczył telewizor oraz odtwarzacz wideo. Przez chwilę podłączał wszystko w salonie, a kiedy się upewnił, że działa, zaczął się krzątać w kuchni.

Ponieważ bolały mnie stopy i czułam, że znowu zbliża się skurcz, usiadłam przy kuchennym stole. Kiedy skurcz minął i mogłam znowu normalnie oddychać, spytałam:

– Potrzebujesz mojej pomocy?

Zapytałam wyłącznie z grzeczności i Bryce najwyraźniej to wyczuł.

– Myślę, że mogłabyś wyjść i narąbać drewna na opał.

– Bardzo śmieszne.

– Niczym się nie przejmuj. Nad wszystkim panuję. To nie takie trudne.

– Co robisz?

– Strogonowa i sałatkę. Wspominałaś, że to jedno z twoich ulubionych dań, i Linda dała mi przepis.

Ponieważ był u nas tak wiele razy, nie musiałam mu mówić, gdzie szukać noży czy deski do krojenia. Patrzyłam, jak rwie sałatę i kroi ogórki i pomidory na sałatkę oraz cebulę, pieczarki i mięso na danie główne. Zagotował wodę na kluski, oprószył mięso mąką i przyprawami, podsmażył na maśle i oliwie. Na tej samej patelni zrumienił cebulę i pieczarki, dorzucił mięso i zalał wszystko bulionem. Wiedziałam, że na koniec doda śmietanę; często obserwowałam, jak ciotka tak robi.

Rozmawialiśmy o ciąży i o tym, jak się czuję. Kiedy znowu zapytałam go o wyprawy na ryby, ani słowem nie wspomniał o tym, co zaniepokoiło jego matkę. Natomiast z niemal nabożną czcią opowiadał, jak bladym świtem wypływali z dziadkiem na morze.

– Dziadek po prostu wie, gdzie biorą ryby – powiedział. – Razem z nami wyruszyły z przystani cztery inne łodzie i popłynęły w różnych kierunkach. Za każdym razem mieliśmy największy połów.

– Ma doświadczenie.

– Inni też – zapewnił. – Niektórzy łowią prawie tak długo jak on.

– Wydaje się ciekawym człowiekiem. Chociaż nadal nie rozumiem, co do mnie mówi.

– Wspominałem ci, że Richard i Robert uczą się tego dialektu? To trochę trudne, bo nie ma żadnego podręcznika. Każą mamie nagrywać całe zdania i uczą się ich na pamięć.

– Ale ty nie?

– Ja jestem zbyt zajęty uczeniem dziewczyny z Seattle. To czasochłonne zajęcie.

– Masz na myśli tę cudowną, piękną dziewczynę?

– Skąd wiedziałaś? – rzucił z uśmiechem.

Kiedy kolacja była gotowa, nakryłam do stołu i postawiłam na nim miskę z sałatką. Bryce przywiózł też lemoniadę w proszku, którą zrobiłam w dzbanku.

Kolacja była pyszna i zanotowałam w pamięci, żeby przed wyjazdem wziąć od ciotki przepis. Rozmawialiśmy głównie o dzieciństwie, wymieniając się wspomnieniami. Pomimo wielkiego brzucha – a może właśnie z jego powodu – nie mogłam za dużo zjeść, ale Bryce wziął sobie dokładkę i dopiero po wpół do siódmej przenieśliśmy się do pokoju.

Na filmie tuliłam się do Bryce'a, a on obejmował mnie ramieniem. Chyba podobał mu się film, mnie zresztą też, chociaż widziałam go już pięć albo sześć razy. Oprócz *Pretty Woman* był jednym z moich ulubionych. W kulminacyjnym momencie, kiedy Johnny w tańcu podnosi Baby na oczach jej rodziców, jak zawsze się wzruszyłam. Gdy na ekranie pojawiły się napisy końcowe, Bryce spojrzał na mnie ze zdumieniem.

– Poważnie? Płaczesz?

– Jestem w ciąży i mam burzę hormonów. Oczywiście, że płaczę.

– Ale przecież zatańczyli jak należy. Nikomu nic się nie stało i nikt niczego nie schrzanił.

Wiedziałam, że się ze mną droczy. Wstałam, żeby wziąć pudełko chusteczek, i wydmuchałam nos. To tyle w kwestii bycia olśniewającą; no ale wiedziałam, że z takim brzuchem daleko mi do tego. Tymczasem Bryce wydawał się niezmiernie zadowolony z siebie i kiedy wróciłam na kanapę, znowu otoczył mnie ramieniem.

– Chyba nie wrócę do szkoły – powiedziałam.

– Już nigdy?

Przewróciłam oczami.

– Po powrocie do domu. Ciotka Linda rozmawiała z rodzicami i dyrektorem i będę mogła napisać egzaminy końcowe w domu. Wrócę do szkoły jesienią.

– Tego chcesz?

– Dziwnie byłoby wracać tuż przed wakacjami.

– A jak twoje relacje z rodzicami? Nadal rozmawiasz z nimi raz w tygodniu?

– Tak. I zazwyczaj są to krótkie rozmowy.

– Mówią ci, że za tobą tęsknią?

– Czasami. Nie zawsze. – Wierciłam się przez chwilę, moszcząc się w jego ramionach. – Nie są zbyt wylewni.

– Wobec Morgan są.

– Niezupełnie. Są z niej dumni i chwalą się jej osiągnięciami, ale to coś innego. Zresztą w głębi duszy wiem, że kochają nas obie. Dla nich wysłanie mnie tutaj było dowodem na to, jak bardzo mnie kochają.

– Nawet jeśli było ci ciężko?

– Im też nie było łatwo. Myślę, że w tej sytuacji większości rodziców byłoby ciężko.

– A twoje przyjaciółki? Masz od nich jakieś wieści?

– Morgan mówiła, że widziała Jodie na balu. Chyba przyszła z jakimś chłopakiem z ostatniej klasy, ale nie wiem z kim.

– Nie za wcześnie na bal?

– Moja szkoła organizuje bal w kwietniu. Nie pytaj dlaczego. Nigdy się nad tym nie zastanawiałam.

– Chciałabyś pójść na bal?

– Nie myślałam o tym – odparłam. – Pewnie bym poszła, gdyby ktoś mnie zaprosił. Wszystko zależy od tego, kto by to był. Zresztą nie wiem, czy rodzice by mnie puścili.

– Denerwujesz się, jak to będzie, kiedy wrócisz do domu?

– Trochę – wyznałam. – Wiem tylko, że będę miała szlaban do osiemnastki.

– A college? Nie zmieniłaś zdania? Myślę, że świetnie dałabyś sobie radę.

– Może gdybym miała korepetytora na pełny etat.

– Czyli, jeśli dobrze rozumiem, sytuacja wygląda tak: możliwe, że będziesz miała szlaban do osiemnastki, że przyjaciółki o tobie zapomniały, a rodzice nie mówią ci, że za tobą tęsknią. Mam rację?

Uśmiechnęłam się, wiedząc, że dramatyzuję, chociaż w moich słowach było więcej niż ziarno prawdy.

– Przepraszam, że taki ze mnie smutas.

– Wcale nie – odparł.

Podniosłam głowę, a gdy się pocałowaliśmy, poczułam we włosach jego palce. Chciałam mu powiedzieć, że będę za nim tęskniła, ale wiedziałam, że jeśli się odezwę, znowu zacznę płakać.

– To był idealny wieczór – szepnęłam tylko.

Pocałował mnie jeszcze raz i utkwił we mnie wzrok.

– Z tobą każdy wieczór jest idealny.

*

Kiedy Bryce przyszedł następnego dnia – była ostatnia sobota kwietnia – wydawał się taki jak zawsze. Jego mama zamówiła nową książkę o fotografii ze sklepu w Raleigh i przeglądaliśmy ją przez kilka godzin. Po lunchu, na który zjedliśmy to, co zostało z kolacji, poszliśmy na spacer po plaży. Idąc po piasku, zastanawiałam się, czy to jest miejsce, które chciał mi pokazać i o którym wspominał w czwartek. Ale nic nie mówił, uznałam więc, że po prostu chciał na chwilę wyciągnąć mnie z domu. Dziwnie było myśleć, że ledwie tydzień temu jego mama przyjechała ze mną porozmawiać.

– Jak tam treningi? – zagadnęłam w końcu.

– Przez ostatnie dwa tygodnie niewiele ćwiczyłem.

– Dlaczego?

– Potrzebowałem przerwy.

Nie była to konkretna odpowiedź... choć z drugiej strony, może była, a jego mama niepotrzebnie dopatrywała się drugiego dna.

– Hm... – zaczęłam. – Trenowałeś ciężko tyle czasu. W czasie naszych następnych zajęć będziesz biegał w kółko po pokoju.

– Zobaczymy.

Kolejna wymijająca odpowiedź. Bryce mówił czasem zagadkami, zupełnie jak moja ciotka. Zanim zdążyłam wtrącić cokolwiek więcej, zmienił temat.

– Nadal nosisz ten wisiorek ode mnie?

– Codziennie. Uwielbiam go.

– Kiedy dałem go do grawerowania, zastanawiałem się, czy nie dodać swojego imienia, żebyś pamiętała, kto ci go kupił.

– Nie zapomnę. Podoba mi się to, co napisałeś.

– To był pomysł mojego taty.

– Pewnie cieszysz się, że go zobaczysz, co?

– Tak – przyznał. – Muszę z nim o czymś porozmawiać.

– O czym?

Zamiast odpowiedzieć, ścisnął moją dłoń i nagle ogarnął mnie strach na myśl, że chociaż z pozoru wydaje się taki jak zawsze, nie mam pojęcia, co tak naprawdę chodzi mu po głowie.

*

W niedzielę rano Gwen przyszła mnie zbadać i oznajmiła, że „już prawie czas". Nie musiała tego mówić, wystarczyło, że spojrzałam w lustro.

– Jak skurcze Braxtona-Hicksa?

– Denerwujące – odparłam.

Zignorowała to.

– Myślę, że możesz powoli zacząć myśleć o spakowaniu torby do szpitala.

– Mam jeszcze czas, nie sądzisz?

– Pod koniec nie sposób przewidzieć. Niektóre kobiety zaczynają rodzić wcześniej, a inne rodzą po terminie.

– Ile odebrałaś porodów? Chyba nigdy cię o to nie pytałam.

– Nie pamiętam dokładnie. Może sto?

Otworzyłam oczy ze zdumienia.

– Pomogłaś przyjść na świat setce dzieci?

– Coś koło tego. W tej chwili na wyspie są jeszcze dwie ciężarne. Im pewnie też pomogę.

– Jesteś zła, że wolałam jechać do szpitala?

– Ani trochę.

– Chciałam ci podziękować. Za to, że zostajesz w niedziele i zaglądasz do mnie.

– Nie powinnaś być sama. Jesteś taka młoda.

Pokiwałam głową, chociaż przez chwilę zastanawiałam się, czy jeszcze kiedyś poczuję się młoda.

*

Niedługo potem zjawił się Bryce. W spodniach khaki, koszulce polo i mokasynach wydawał się starszy i poważniejszy.

– Czemu się tak wystroiłeś? – spytałam.

– Jest coś, co chciałbym ci pokazać. Mówiłem ci o tym.

– Nie następny cmentarz?

– Właśnie. I nie martw się. Po drodze zajrzałem w to miejsce i nikogo tam nie ma. – Wziął mnie za rękę i pocałował w dłoń. – Gotowa?

Nagle zrozumiałam, że zaplanował coś ważnego, i odruchowo zrobiłam krok w tył.

– Muszę się najpierw uczesać.

Szczotkowałam już włosy, ale poszłam do swojego pokoju, żałując, że nie mogę cofnąć ostatnich kilku minut i zacząć od nowa. Podczas gdy Nowy Bryce bywał nieobecny, dzisiejsza wersja była zupełnie obca i myślałam tylko o tym, żeby wrócił Stary Bryce. Chciałam zobaczyć go w dżinsach i oliwkowej kurtce, z albumem zdjęć pod pachą. Chciałam, żeby usiadł ze mną przy stole i pomógł mi rozwiązywać równania albo przepytał z hiszpańskich słówek. Chciałam, żeby przytulił mnie tak jak wtedy na plaży, w ten wieczór z latawcem, kiedy wszystko wydawało się w jak najlepszym porządku.

Ale czekał na mnie Nowy Bryce, wystrojony i całujący moją rękę. Gdy schodziliśmy po schodach, poczułam kolejny skurcz.

Musiałam chwycić się poręczy i Bryce spojrzał na mnie z niepokojem.

– To już niedługo, prawda?

– Mniej więcej jedenaście dni – odparłam, krzywiąc się z bólu.

Kiedy skurcz minął i byłam pewna, że jest już dobrze, kaczym chodem ruszyłam w dół. Bryce chwycił leżący na pace stołek, żebym mogła wejść do szoferki. Tak samo zrobił tamtego wieczoru na plaży.

Podróż trwała zaledwie kilka minut i dopiero gdy wyłączył silnik na końcu drogi gruntowej, uświadomiłam sobie, gdzie właściwie jesteśmy. Przez przednią szybę zobaczyłam małą chatę. W przeciwieństwie do domu mojej ciotki, tutaj dom najbliższych sąsiadów prawie całkiem przesłaniały drzewa i nie było stąd widać wody. Sam dom był mniejszy od tego, w którym mieszkałam z ciotką Lindą; pale, na których go wzniesiono, były niższe, a całość wydawała się zniszczona. Deski wyblakły, farba odłaziła płatami, weranda z przodu przegniła, a na krytym gontem dachu zauważyłam kępki mchu. Gdy ujrzałam tabliczkę z napisem DO WYNAJĘCIA, przeraziłam się i oddech uwiązł mi w gardle, bo kawałki układanki wskoczyły na swoje miejsca.

Oszołomiona, nie usłyszałam nawet, że Bryce wysiadł z samochodu. Ocknęłam się dopiero, gdy otworzył drzwi od strony pasażera. Stołek stał już na swoim miejscu. Gdy Bryce podał mi rękę i pomógł wysiąść, mój mózg zaczął powtarzać gorączkowo jedno słowo: NIE...

– Wiem, że to, co zaraz powiem, z początku może wydawać się szalone, ale przez ostatnie tygodnie wiele o tym myślałem. Proszę, zaufaj mi, że to jedyne sensowne rozwiązanie.

Zamknęłam oczy.

– Proszę – szepnęłam. – Nie.

On jednak ciągnął, jakby mnie nie słyszał. A może wcale nie wypowiedziałam tych słów na głos, tylko je pomyślałam. Bo odnosiłam wrażenie, że to wszystko nie dzieje się naprawdę. To musiał być sen...

– Odkąd zobaczyłem cię po raz pierwszy, wiedziałem, jaka jesteś wyjątkowa. – Jego głos wydawał się bliski, a zarazem dziwnie odległy. – Im więcej czasu spędzaliśmy razem, tym bardziej byłem pewny, że nigdy nie spotkam nikogo takiego jak ty. Jesteś piękna, mądra i dobra, masz poczucie humoru i wszystko to sprawia, że kocham cię tak, jak nigdy nikogo nie pokocham.

Otworzyłam usta, żeby się odezwać, ale nie byłam w stanie wykrztusić ani słowa. Bryce tymczasem mówił dalej, coraz szybciej i szybciej.

– Wiem, że spodziewasz się dziecka i że po porodzie masz stąd wyjechać, ale sama przyznajesz, że powrót do domu nie będzie dla ciebie prosty. Twoje relacje z rodzicami nie są najlepsze, nie wiesz, co będzie z przyjaciółkami, a zasługujesz na coś więcej. Oboje zasługujemy na więcej. Dlatego cię tu zabrałem. Dlatego jeździłem z dziadkiem na ryby.

Nie, nie, nie, nie...

– Możemy tu zamieszkać – ciągnął. – Ty i ja. Nie muszę jechać do West Point, a ty nie musisz wracać do Seattle. Możesz uczyć się w domu, tak jak ja. Jestem pewien, że zorganizujemy wszystko tak, żebyś w przyszłym roku skończyła szkołę, nawet jeśli postanowisz zatrzymać dziecko. Potem może pójdę do college'u albo oboje pójdziemy. Poradzimy sobie, tak jak poradzili sobie moi rodzice.

– Zatrzymać dziecko? Mam dopiero szesnaście lat… – wychrypiałam w końcu.

– W Karolinie Północnej, jeśli tutaj urodzisz dziecko, możemy złożyć wniosek do sądu i pozwolą ci zostać. Jeśli zamieszkamy tu razem, staniesz się niezależna i będziesz mogła decydować sama o sobie. To trochę skomplikowane, ale wiem, że sobie poradzimy.

– Proszę, przestań – wyszeptałam, wiedząc, że w głębi duszy spodziewałam się tego od momentu, kiedy pocałował mnie w rękę.

Nagle dotarło do niego, jak bardzo mnie to przytłacza.

– Wiem, że to wszystko spada na ciebie tak nagle, ale nie chcę cię stracić. – Nabrał powietrza. – Chodzi o to, że znalazłem sposób, żebyśmy mogli być razem. Mam w banku dość pieniędzy, żeby przez rok wystarczyło nam na czynsz, i wiem, że pracując u dziadka, mogę zarobić wystarczająco dużo, by opłacić rachunki i żebyś ty nie musiała pracować. Będę cię uczył i niczego nie pragnę tak bardzo, jak być ojcem twojego dziecka. Obiecuję, że będę ją kochał, jakby była moją córką. Jeśli się zgodzisz, adoptuję ją. – Wziął mnie za rękę i uklęknął na jedno kolano. – Kocham cię, Maggie. Czy ty mnie kochasz?

Chociaż wiedziałam, co zaraz nastąpi, nie mogłam go okłamać.

– Tak, kocham cię – powiedziałam.

Spojrzał na mnie błagalnie.

– Wyjdziesz za mnie?

*

Kilka godzin później siedziałam na kanapie i kompletnie oszołomiona, czekałam, aż ciotka Linda wróci ze sklepu. Chyba nawet mój pęcherz popadł w odrętwienie. Ciotka musiała zauważyć, że coś jest nie tak, bo natychmiast usiadła obok mnie. Kiedy spytała, co się stało, opowiedziałam jej wszystko, ale dopiero gdy skończyłam, zadała oczywiste pytanie.

– Co odpowiedziałaś?

– Nie mogłam wykrztusić słowa. Kręciło mi się w głowie, jakbym zeszła z karuzeli. Nie odzywałam się, więc Bryce powiedział, że nie muszę odpowiadać od razu. Ale prosił, żebym to przemyślała.

– Bałam się, że tak się stanie.

– Wiedziałaś?

– Znam Bryce'a. Nie tak dobrze jak ty, ale wystarczająco, żeby nie być zaskoczona. Myślę, że tego właśnie obawiała się jego mama.

Z pewnością tak właśnie było i dziwiłam się, dlaczego ja niczego nie przeczuwałam.

– Kocham go, ale nie mogę za niego wyjść. Nie jestem gotowa na bycie mamą i żoną... nie jestem nawet gotowa, żeby dorosnąć. Przyjechałam tu, chcąc zostawić to wszystko za sobą, żebym mogła wrócić do normalnego życia, nawet jeśli jest ono trochę nudne. Bryce ma rację... moje stosunki z rodzicami i siostrą mogłyby być lepsze, ale to wciąż moja rodzina.

Gdy mówiłam te słowa, łzy napłynęły mi do oczu i rozpłakałam się. Nie mogłam nic na to poradzić. Nienawidziłam siebie za to, chociaż wiedziałam, że to, co mówię, jest prawdą.

Ciotka Linda wzięła mnie za rękę i uścisnęła.

– Jesteś mądrzejsza i bardziej dojrzała, niż myślisz.

– Co mam zrobić?

– Będziesz musiała z nim porozmawiać.

– I co mam mu powiedzieć?

– Prawdę. Zasługuje na nią.

– Znienawidzi mnie.

– Wątpię – odparła cicho. – A co z nim? Myślisz, że naprawdę to przemyślał? Że jest gotowy być mężem i ojcem? Mieszkać w Ocracoke, zarabiać na życie łowieniem ryb i dorywczymi pracami? Zrezygnować z West Point?

– Powiedział, że tego właśnie chce.

– A ty, czego chcesz dla niego?

– Chcę... – zaczęłam i urwałam.

Czego właściwie chciałam? Żeby był szczęśliwy? Odniósł sukces? Spełniał swoje marzenia? Żeby stał się dorosłą wersją chłopaka, którego pokochałam? Żeby został ze mną na zawsze?

– Nie chcę mu przeszkadzać – powiedziałam w końcu.

Jej uśmiech nie zdołał ukryć smutku malującego się na jej twarzy.

– A myślisz, że tak właśnie by było?

*

Stres i szok, jaki przeżyłam wcześniej, sprawiły, że nie mogłam zasnąć i całą noc męczyły mnie skurcze. Niemal za każdym razem, gdy przysypiałam, czułam kolejny skurcz i żeby go przetrwać, mocno ściskałam Maga. W poniedziałek rano obudziłam się zmęczona, a skurcze wcale nie ustały.

Bryce nie przyszedł o ustalonej godzinie, a ja nie byłam w nastroju do nauki. Większość poranka przesiedziałam na werandzie, rozmyślając o nim. Odbywałam w myślach dziesiątki wyimaginowanych rozmów, ale żadna z nich nie była miła, chociaż – jak sobie mówiłam – od początku wiedziałam, że jeśli się zakocham, pożegnanie będzie tym trudniejsze i boleśniejsze. Po prostu nie spodziewałam się czegoś takiego.

Wiedziałam jednak, że Bryce przyjdzie. W miarę jak poranne słońce ogrzewało powietrze, niemal wyczuwałam jego obecność. Wyobrażałam sobie, że leży na łóżku, z rękami splecionymi pod głową i wzrokiem wbitym w sufit. Co chwilę zerka na zegar i zastanawia się, czy potrzebuję jeszcze więcej czasu, zanim dam mu odpowiedź. Wiedziałam, że chce, żebym powiedziała „Tak", ale jak on to sobie wyobrażał? Spodziewał się, że oboje pójdziemy do jego mamy i powiemy jej o wszystkim, a ona się ucieszy? Że będzie stał obok mnie, kiedy zadzwonię do moich rodziców? Czy nie wiedział, że się temu sprzeciwią? A jeśli jego rodzice przestaną z nim rozmawiać? Nie mówiąc już o tym, że miałam zaledwie szesnaście lat i nie byłam gotowa na życie, jakie mi proponował.

Ciotka Linda miała chyba rację, że nie przemyślał konsekwencji. Patrzył na wszystko przez pryzmat dwojga zakochanych nastolatków, jakby cała ta sytuacja nie dotyczyła nikogo poza nami. I chociaż brzmiało to romantycznie, rzeczywistość wyglądała inaczej. Poza tym nie wziął pod uwagę moich uczuć.

Chyba to martwiło mnie najbardziej. Znałam Bryce'a na tyle dobrze, by wiedzieć, że z jego strony nie była to pochopna decyzja, i myślałam wyłącznie o tym, że – podobnie jak ja – podejrzewał, że związek na odległość nie przetrwa. Mogliśmy pisać i dzwonić, choć rozmowy telefoniczne były drogie, ale kiedy byśmy się znów zobaczyli? O ile wątpiłam, czy rodzice pozwolą mi chodzić na randki, o tyle bez cienia wątpliwości wiedziałam, że nie puściliby mnie na Wschodnie Wybrzeże, żebym mogła spotkać się z Bryce'em. Przynajmniej dopóki nie skończę szkoły. Zresztą nawet wtedy, gdybym wciąż mieszkała z nimi pod jednym dachem, mogliby się nie zgodzić. A to oznaczało dwa lata, może dłużej. A on? Czy mógłby przylatywać do Seattle na wakacje? A może w West Point po zakończeniu semestru nadal trwają obowiązkowe zajęcia? Coś mi mówiło, że tak właśnie jest. Zresztą nawet jeśli się myliłam, Bryce był jednym z tych chłopaków, którzy na pewno ochoczo zgłosiliby się na staż do Pentagonu czy gdzieś indziej. No i wiedząc, jak blisko jest z rodziną, byłam przekonana, że zechce spędzić z nimi trochę czasu.

Czy można kochać kogoś i być z tą osobą, w ogóle się z nią nie widując?

Zrozumiałam, że dla Bryce'a odpowiedź brzmi „Nie". Coś w nim pragnęło się ze mną widywać, tulić mnie i dotykać. Całować. Wiedział, że jeśli wrócę do Seattle, a on wyjedzie do West Point, nie tylko wszystkie te rzeczy staną się niemożliwe, ale też zostaniemy pozbawieni tych prozaicznych chwil, które doprowadziły do tego, że zakochaliśmy się w sobie. Nie będziemy uczyć się przy stole, spacerować po plaży, robić popołudniami zdjęć i wywoływać ich wieczorami w ciemni. Skończą się lunche, kolacje i oglądanie filmów na kanapie. On będzie miał swoje życie, a ja swoje, dorośniemy i zmienimy się, a dzieląca nas odległość przyniesie nieuniknione skutki. On pozna kogoś albo ja kogoś poznam i w końcu nasz związek się rozpadnie, a jedyne, co nam pozostanie, to wspomnienia z Ocracoke.

Dla Bryce'a istniały tylko dwa wyjścia – albo mogliśmy być razem, albo nie. Nie było żadnych odcieni szarości, bo wszystkie one prowadziły nieuchronnie do tej samej konkluzji. Musiałam przyznać, że prawdopodobnie ma rację. Ale ponieważ go kochałam, zrozumiałam nagle – chociaż ta decyzja miała złamać mi serce – co muszę zrobić.

*

Jestem prawie pewna, że uświadomienie sobie tego wywołało kolejny skurcz, silniejszy od dotychczasowych. Miałam wrażenie, że trwał całą wieczność; minął chwilę przed pojawieniem się Bryce'a. Tego dnia miał na sobie dżinsy i T-shirt i chociaż się uśmiechał, dostrzegłam na jego twarzy niepewność. Ponieważ dzień był ładny, wyszliśmy na zewnątrz i usiedliśmy w tym samym miejscu, gdzie siedziałam, gdy przyjechała jego mama.

– Nie mogę za ciebie wyjść – powiedziałam bez zbędnych wstępów i patrzyłam, jak spuszcza wzrok. Splótł palce, a ja poczułam, że coś ściska mnie w żołądku. – Nie dlatego, że cię nie kocham, bo kocham cię. Chodzi o mnie i o to, kim jestem. I o to, kim ty jesteś.

Podniósł wzrok.

– Jestem za młoda na bycie matką i żoną. A ty jesteś za młody, żeby być mężem i ojcem, zwłaszcza że to nie twoje dziecko. Ale na pewno sam o tym wiesz. A to znaczy, że kierowały tobą niewłaściwe powody.

– O czym ty mówisz?

– Nie chcesz mnie stracić – odparłam. – To nie to samo co chęć bycia ze mną.

– To dokładnie to samo – zaprotestował.

– Nie. Pragnienie bycia z kimś jest pozytywne. Łączy się z miłością, szacunkiem i pożądaniem. Obawa, że się kogoś straci, łączy się ze strachem.

– Ale ja cię kocham. I szanuję...

Wzięłam go za rękę.

– Wiem – przerwałam mu. – I uważam, że jesteś najbardziej niesamowitym, inteligentnym, dobrym i przystojnym chłopakiem, jakiego kiedykolwiek poznałam. Przeraża mnie myśl, że spotkałam miłość swojego życia, mając szesnaście lat. Może właśnie popełniam mój największy życiowy błąd, ale nie jestem dla ciebie odpowiednia, Bryce. Tak naprawdę wcale mnie nie znasz.

– Oczywiście, że cię znam.

– Zakochałeś się w szesnastoletniej ciężarnej samotnej wersji mnie, która utknęła w Ocracoke i która przypadkiem jest tutaj jedyną dziewczyną zbliżoną do ciebie wiekiem. Sama właściwie nie wiem, kim jestem, i praktycznie nie pamiętam, kim byłam, zanim tu przyjechałam. A to znaczy, że nie mam pojęcia, kim stanę się później, kiedy nie będę już w ciąży. Ty też tego nie wiesz,

– To głupie.

Starałam się panować nad głosem.

– Wiesz, o czym myślę, odkąd cię poznałam? Próbuję wyobrazić sobie, kim będziesz, gdy dorośniesz. Bo patrzę na ciebie i widzę kogoś, kto mógłby być prezydentem, jeśli tylko tak postanowi. Latać helikopterami, zarabiać miliony, być następnym Rambo, astronautą albo kim tylko zechcesz, bo masz przed sobą nieograniczone możliwości. Jest w tobie potencjał, o którym inni mogą tylko marzyć, a wszystko dlatego, że jesteś sobą. Nie mogłabym cię prosić, żebyś dla mnie zrezygnował z tego wszystkiego.

– Mówiłem przecież, że mógłbym pójść do college'u za rok…

– Wiem. I wiem też, że podejmując tę decyzję, jak zawsze wziąłeś mnie pod uwagę. Ale to zbyt wiele. Nie mogłabym żyć ze świadomością, że moja obecność w twoim życiu ogranicza cię i coś ci odbiera.

– Może więc zaczekajmy kilka lat? Dopóki nie skończę studiów?

Uniosłam brew.

– Długie zaręczyny?

– To nie muszą być zaręczyny. Możemy być parą.

– Jak? Nie będziemy mogli się spotykać.

Kiedy zamknął oczy, wiedziałam, że wcześniej miałam rację. Było w nim coś, co nie tylko mnie pragnęło, ale też potrzebowało.

– Może mógłbym pójść na studia w stanie Waszyngton – mruknął.

Czułam, że chwyta się każdej nadziei, przez co wszystko stawało się jeszcze trudniejsze. Ale nie miałam wyboru.

– I zrezygnować z marzeń? Wiem, jak bardzo pragnąłeś pójść do West Point, i chcę, żebyś to zrobił. Serce by mi pękło, gdybym wiedziała, że dla mnie porzuciłeś choćby jedno ze swoich marzeń. Pamiętaj tylko, że kochałam cię na tyle mocno, żeby nigdy cię ich nie pozbawiać.

– To co zamierzasz zrobić? Wyjedziesz stąd, jakby to wszystko między nami nigdy się nie wydarzyło?

Smutek pęczniał we mnie jak balon.

– Możemy udawać, że to był piękny sen, którego nigdy nie zapomnimy. Bo kochaliśmy się tak bardzo, że pozwoliliśmy sobie nawzajem dorosnąć.

– To za mało. Nie wyobrażam sobie, że miałbym cię już nigdy nie zobaczyć.

– Więc nic nie mówmy. Dajmy sobie kilka lat. W tym czasie oboje podejmiemy decyzje, które będą dla nas najlepsze. Pójdziemy na studia, zdobędziemy pracę, dowiemy się, kim

jesteśmy. Wtedy, jeśli oboje będziemy chcieli spróbować, od-
najdziemy się i zobaczymy, co się wydarzy.

– Ile czasu będziesz potrzebowała?

Z trudem przełknęłam ślinę i poczułam, że łzy cisną mi się
do oczu.

– Moja mama poznała tatę, kiedy miała dwadzieścia cztery lata.

– Chcesz czekać ponad siedem lat? To szaleństwo. – W jego
oczach zobaczyłam coś jakby strach.

– Może. Ale jeśli wtedy nam się uda, będziemy już pewni,
że to jest to.

– Będziemy rozmawiać? Czy tylko pisać listy?

Wiedziałam, że to będzie dla mnie zbyt trudne. Gdybym regularnie dostawała od niego listy, nigdy nie przestałabym o nim
myśleć, tak jak on nie przestałby myśleć o mnie.

– Może raz do roku w święta wyślemy sobie kartkę?

– Będziesz umawiała się z innymi?

– Nie mam nikogo na oku, jeśli to masz na myśli.

– Ale nie zaprzeczasz.

Rozpłakałam się.

– Nie chcę się z tobą kłócić. Od początku wiedziałam, że
rozstanie będzie trudne, i to jest wszystko, co przychodzi mi do
głowy. Jeśli jesteśmy sobie pisani, nie możemy kochać się tylko
jako nastolatki. Musimy pokochać się jako dorośli ludzie. Nie
rozumiesz?

– Nie próbuję się kłócić. Ale to tak długo… – Głos mu się
załamał.

– Dla mnie też. I przykro mi, że to mówię. Ale nie jestem dla ciebie wystarczająco dobra, Bryce. Przynajmniej teraz. Proszę, daj mi szansę to naprawić, dobrze?

Nie odpowiedział, tylko delikatnym ruchem otarł łzy z mojej twarzy.

– Ocracoke – wyszeptał w końcu.

– Słucham?

– W dniu twoich dwudziestych czwartych urodzin. Ustalmy, że spotkamy się na plaży. W miejscu, gdzie byliśmy na randce, dobrze?

Pokiwałam głową, zastanawiając się, czy to w ogóle będzie możliwe, a kiedy mnie pocałował, wydawało mi się, że czuję smak jego smutku. Pomógł mi wstać i otoczył mnie ramionami. Wdychałam jego zapach, czysty i świeży. Pachniał jak wyspa, na której się spotkaliśmy.

– Nie mogę przestać myśleć, że mam coraz mniej czasu, żeby cię przytulać. Zobaczymy się jutro?

– Chciałabym – szepnęłam, czując jego bliskość.

Wiedziałam, że kolejne pożegnanie będzie jeszcze trudniejsze, i zastanawiałam się, jak sobie z tym poradzę.

Nie miałam wtedy pojęcia, że kolejnego pożegnania już nie będzie.

WESOŁYCH ŚWIĄT

Manhattan
Grudzień 2019

Siedząc przy stoliku, na którym zostały resztki jedzenia, Maggie wyczuwała napiętą uwagę Marka. Chociaż kolację dostarczono im z półgodzinnym opóźnieniem, skończyli jeść mniej więcej w chwili, gdy mówiła mu, jak pojechała z Bryce'em oddać Daisy. Czy może raczej Mark skończył jeść. Maggie ledwie coś skubnęła. Teraz dochodziła dwudziesta trzecia i od Bożego Narodzenia dzieliła ich tylko godzina. Co dziwne, Maggie nie była zmęczona ani nie czuła się nieswojo. Powrót do przeszłości ożywił ją w sposób, jakiego się nie spodziewała.

– Jak to nie było kolejnego pożegnania?

– Skurcze, które miałam w poniedziałek, wcale nie były skurczami Braxtona-Hicksa. To były skurcze porodowe.

– I nie wiedziałaś o tym?

– Z początku nie. Przemknęło mi to przez głowę, gdy po wyjściu Bryce'a dostałam kolejnego skurczu. Był jakiś dziwny, ale przecież tak mocno przeżyłam tę rozmowę z Bryce'em, a termin miałam dopiero w przyszłym tygodniu. Odpychałam od siebie tę myśl, dopóki ciotka nie wróciła do domu. Wtedy skurcze były już coraz częstsze.

– I co się stało?

– Kiedy tylko powiedziałam jej, że skurcze są coraz częstsze i bardziej bolesne, od razu zadzwoniła do Gwen. Było kwadrans po trzeciej, może wpół do czwartej. Gwen rzuciła na mnie okiem i zdecydowała, że powinnam od razu jechać do szpitala, bo nie wytrzymam do porannego promu. Ciotka spakowała do torby kilka rzeczy... mnie zależało wyłącznie na misiu... zadzwoniła do moich rodziców i lekarza i wyszłyśmy z domu. Dzięki Bogu, na promie nie było tłumów i bez problemu znalazłyśmy miejsce. Skurcze pojawiały się w odstępach dziesięciu, piętnastu minut. Zwykle kobieta trafia do szpitala, gdy występują co pięć minut, ale podróż promem i dojazd do szpitala zajmowały trzy i pół godziny. Niezwykle długie trzy i pół godziny. Kiedy prom dobijał do brzegu, miałam skurcze co cztery, pięć minut. Ściskałam Maga tak mocno, że bałam się, że wycisnę z niego wypełnienie.

– Ale dałaś radę.

– Tak. Przede wszystkim pamiętam, że ciotka i Gwen były niesamowicie spokojne. Bez względu na to, jak idiotyczne dźwięki wydawałam przy każdym kolejnym skurczu, one rozmawiały, jakby nic się nie działo. Myślę, że odwoziły do szpitala mnóstwo rodzących kobiet.

– Bardzo cię bolało?

– Czułam się, jakbym za chwilę miała urodzić małego dinozaura.

Roześmiał się.

– I?

– Dotarłyśmy do szpitala i przyjęto mnie na oddział położniczy. Zbadał mnie lekarz, a potem ciotka i Gwen były ze mną przez kolejne sześć godzin. Gwen mówiła, żebym skupiała się na oddychaniu, a ciotka przynosiła kostki lodu, czyli robiły to, co zwykle robi się w takiej sytuacji. Gdzieś koło pierwszej w nocy byłam gotowa do porodu. Pamiętam, że pielęgniarki przygotowały salę, przyszedł lekarz. Parłam krótko, ze trzy, cztery razy, i było po sprawie.

– Nie brzmi tak źle.

– Zapomniałeś o małym dinozaurze. Każdy skurcz był koszmarnie bolesny.

Tak było, choć nie pamiętała już samego odczucia. W skąpym świetle Mark siedział jak skamieniały.

– Gwen miała rację. Dobrze, że popłynęłyście popołudniowym promem.

– Jestem pewna, że sama odebrałaby poród, zwłaszcza że nie było żadnych komplikacji. Ale czułam się bezpieczniej, rodząc w szpitalu, a nie we własnym łóżku.

Przez chwilę spoglądał na choinkę, po czym popatrzył na Maggie. Pomyślała, że to przerażające, jak czasami Mark przypomina jej ją samą.

– Co stało się później?

– Było mnóstwo zamieszania. Lekarz upewnił się, że nic mi nie jest, i sprawdził łożysko, a pediatra zbadał dziecko. Ocenił je w skali Apgar i zaraz potem pielęgniarka zabrała je na salę dla noworodków. I tak nagle było już po wszystkim. Nawet teraz wydaje mi się to nierealne, bardziej jak sen niż rzeczywistość. Kiedy lekarz i pielęgniarki wyszli, przytuliłam Maga i długo, długo płakałam. Pamiętam, że ciotka i Gwen siedziały przy moim łóżku i próbowały mnie pocieszać.

– To musiało być bardzo poruszające.

– Było – przyznała. – Ale od początku wiedziałam, że tak będzie. Kiedy przestałam płakać, był już środek nocy. Moja ciotka i Gwen były na nogach od dwudziestu czterech godzin, a ja czułam się jeszcze bardziej zmęczona od nich. W końcu wszystkie zasnęłyśmy. Pielęgniarki przyniosły dodatkowe krzesło dla ciotki… Gwen siedziała na drugim… więc nie wiem, czy w ogóle odpoczęły. Ja zasnęłam momentalnie. Rano przyszedł do mnie lekarz, by sprawdzić, jak się czuję, ale pamiętam to jak przez mgłę. Zaraz po jego wyjściu znowu zasnęłam i spałam do jedenastej. Pamiętam, że dziwnie się czułam, gdy obudziłam się w szpitalnym łóżku, zupełnie sama, bo na sali nie było ani ciotki, ani Gwen. Byłam głodna jak wilk, ale śniadanie leżało na tacy przy łóżku. Zjadłam zimne, jednak w tamtej chwili nie miało to dla mnie znaczenia.

– Gdzie były twoja ciotka i Gwen?

– W szpitalnej kafejce. – Kiedy przechylił lekko głowę, Maggie zmieniła temat. – Mamy jeszcze na zapleczu trochę likieru?

– Tak. Przynieść ci kielyszek?

– Gdybyś był taki miły.

Patrzyła, jak Mark wstaje od stołu i idzie na zaplecze. Kiedy zniknął jej z oczu, wróciła myślami do chwili, gdy ciotka Linda weszła na salę, i poczuła, że przeszłość na powrót staje się rzeczywista.

*

Szpital ogólny Carteret, Morehead City
1996

Ciotka Linda podeszła do łóżka i przysunęła sobie krzesło. Wyciągnęła rękę i odgarnęła mi włosy z twarzy.

– Jak się czujesz? Długo spałaś.

– Chyba potrzebowałam snu – odparłam. – Był tu wcześniej lekarz?

– Tak – potwierdziła. – Powiedział, że spisałaś się na medal. Jutro rano powinni cię wypisać.

– Mam tu spędzić jeszcze jedną noc?

– Muszą mieć cię na oku przez co najmniej dwadzieścia cztery godziny.

Wpadające przez okno promienie słońca okalały jej głowę świetlistą aureolą.

– Jak dziecko?

– Idealnie. Mają tu świetny personel, więc noc była spokojna. W tej chwili twoje maleństwo jest chyba jedynym dzieckiem na oddziale.

Wyobraziłam to sobie i następne słowa wypowiedziałam niemal odruchowo.

– Czy mogłabyś coś dla mnie zrobić?

– Oczywiście.

– Zaniesiesz tam mojego misia? I powiesz pielęgniarkom, że chcę go dać maleństwu? Jeśli mogą, niech powiedzą o tym rodzicom.

Ciotka wiedziała, ile znaczył dla mnie ten miś.

– Jesteś pewna? – spytała.

– Myślę, że dziecko potrzebuje go teraz bardziej niż ja.

Uśmiechnęła się łagodnie.

– Uważam, że to cudowny i bardzo hojny dar.

Podałam jej Maga i patrzyłam, jak go przytuliła, zanim sięgnęła po moją dłoń.

– Teraz, kiedy nie śpisz, możemy porozmawiać o adopcji? – Gdy pokiwałam głową, ciągnęła: – Wiesz, że będziesz musiała oficjalnie zrzec się dziecka, a to oznacza wypełnienie dokumentów. Przejrzałam je, podobnie jak Gwen, i tak jak mówiłam twoim rodzicom, od lat współpracujemy z kobietą zajmującą się adopcjami. Możesz mi zaufać, że wszystko jest w porządku, albo jeśli chcesz, umówię cię na spotkanie z adwokatem.

– Ufam ci – powiedziałam.

I rzeczywiście tak było. Myślę, że nikomu nie ufałam bardziej niż ciotce Lindzie.

– Musisz pamiętać, że to adopcja zamknięta. Pamiętasz, co to znaczy, prawda?

– Że nie będę wiedziała, kim są rodzice adopcyjni. A oni nie będą wiedzieli, kim jest biologiczna matka.

– Właśnie. Muszę się upewnić, że nadal tego chcesz.

– Tak, chcę – potwierdziłam. Myśl o tym, że cokolwiek wiem, doprowadziłaby mnie do szaleństwa. – Już tu są?

– Słyszałam, że przyjechali rano, więc niedługo zajmiemy się formalnościami. Ale jest coś jeszcze, o czym powinnaś wiedzieć.

– O co chodzi?

Wzięła głęboki oddech.

– Jest tu twoja mama. Jutro lecisz do domu. Lekarz nie był zachwycony tym pomysłem, bo istnieje ryzyko zakrzepów, ale twoja mama się uparła.

Zamrugałam gwałtownie.

– Jakim cudem znalazła się tutaj tak szybko?

– Złapała samolot zaraz po moim wczorajszym telefonie. Późno w nocy dotarła do New Bern, jeszcze zanim urodziłaś. Rano przyszła do szpitala, żeby się z tobą zobaczyć, ale spałaś. Nic nie jadła, więc Gwen poszła z nią do kawiarni.

Byłam tak przejęta myślami o mamie, że niemal przeoczyłam coś, co jeszcze powiedziała ciotka Linda.

– Chwileczkę. Powiedziałaś, że jutro lecę do domu?

– Tak.

– To znaczy, że nie wrócę do Ocracoke?

– Obawiam się, że nie.

– A co z resztą moich rzeczy? I zdjęciem, które Bryce podarował mi na Gwiazdkę?

– Wszystko wyślę ci pocztą. Tym się nie przejmuj.

Ale...

– A co z Bryce'em? Nawet nie zdążyłam się z nim pożegnać. Ani z nim, ani z jego rodziną.

– Wiem – mruknęła. – Ale nie sądzę, żebyś mogła coś z tym zrobić. Twoja mama wszystko już załatwiła. Dlatego od razu przyszłam ci powiedzieć. Żebyś nie była zaskoczona.

Poczułam pod powiekami łzy. Różniły się jednak od tych z poprzedniego wieczoru, wypełniał je inny rodzaj strachu i bólu.

– Chcę go jeszcze zobaczyć! – jęknęłam. – Nie mogę tak po prostu wyjechać.

– Wiem – odparła ze współczuciem.

– Pokłóciliśmy się – ciągnęłam. Czułam, że broda mi drży. – To znaczy tak jakby się pokłóciliśmy. Powiedziałam mu, że nie mogę za niego wyjść.

– Wiem – szepnęła.

– Nie rozumiesz! Muszę go zobaczyć! Nie możesz spróbować porozmawiać z moją mamą?

– Rozmawiałam z nią. Rodzice chcą, żebyś wróciła do domu.

– Ale ja nie chcę wyjeżdżać. – Przerażała mnie myśl, że znowu miałabym zamieszkać z rodzicami, a nie z ciotką.

– Oni cię kochają – zapewniła mnie, ściskając moją rękę. – Tak jak ja.

Ale mnie jest lepiej z tobą niż z nimi. Chciałam jej to powiedzieć, ale poczułam, że coś dławi mnie w gardle, i po prostu się rozpłakałam. Tak jak się tego spodziewałam, kochana, słodka ciotka Linda długo tuliła mnie do siebie, nawet wtedy, gdy na salę weszła moja mama.

*

Manhattan
2019

— Wszystko w porządku? Wyglądasz na zmartwioną.

Maggie patrzyła, jak Mark stawia przed nią kieliszek likieru.

— Wspominałam następny poranek w szpitalu — powiedziała.

Sięgnęła po kieliszek, a on wrócił na swoje miejsce. Z przerażeniem wysłuchał jej relacji o tym, co się stało.

— I to wszystko? Nigdy więcej nie wróciłaś do Ocracoke?

— Nie mogłam.

— Czy Bryce'owi udało się dotrzeć do szpitala? Zdążył na prom?

— Pewnie był przekonany, że wrócę na wyspę. Zresztą nawet gdyby dowiedział się o wszystkim i dotarł do szpitala, nie wiem, jak wyglądałoby nasze spotkanie, skoro była tam moja mama. Kiedy ciotka Linda i Gwen opuściły szpital, byłam zrozpaczona. Mama nie mogła zrozumieć, dlaczego wciąż płaczę. Sądziła pewnie, że rozmyśliłam się w sprawie oddania dziecka do adopcji, i chociaż podpisałam już dokumenty, bała się, że zmienię zdanie. Wciąż powtarzała, że postąpiłam słusznie.

— Twoja ciotka i Gwen wyjechały?

– Musiały zdążyć na popołudniowy prom do Ocracoke. Po tym, jak się z nimi pożegnałam, byłam emocjonalnym wrakiem. W końcu moja mama miała już dość. Bez przerwy chodziła na dół po kawę, a kiedy zjadłam kolację, wróciła do hotelu.

– I zostawiła cię samą? Chociaż byłaś w rozsypce?

– Wolałam to, niż żeby ze mną siedziała. Chyba obie miałyśmy w tej kwestii podobne zdanie. Zresztą w końcu zasnęłam, a następne, co naprawdę pamiętam, to jak pielęgniarka pcha wózek, na którym siedzę, i mama podjeżdża pod szpital wynajętym samochodem. W drodze i na lotnisku prawie ze sobą nie rozmawiałyśmy, a gdy wsiadłam do samolotu, gapiłam się w okno i czułam taki sam strach jak wtedy, gdy leciałam z Seattle do Karoliny Północnej. Nie chciałam wyjeżdżać. Przetwarzałam w głowie wszystko to, co się wydarzyło. Nawet kiedy już znalazłam się w domu, nie mogłam przestać myśleć o Brysie i Ocracoke. Tylko Sandy była w stanie poprawić mi humor. Wiedziała, że jest mi źle, i nie odstępowała mnie na krok. Przychodziła do mojego pokoju albo snuła się za mną po domu, ale za każdym razem, gdy na nią patrzyłam, przypominała mi się Daisy.

– I nie wróciłaś do szkoły?

– Nie – odparła. – To była akurat dobra decyzja. Teraz, kiedy o tym myślę, wiem, że cierpiałam na depresję. Cały czas spałam, straciłam apetyt i czułam się obco we własnym domu. Nie dałabym sobie rady w szkole. Miałam problemy z koncentracją, więc zawaliłam egzaminy. Ale ponieważ do tej pory szło mi tak dobrze, końcowe oceny okazały się całkiem w porządku.

Jedynym plusem mojej depresji było to, że jeszcze przed wakacjami wróciłam do wagi sprzed ciąży. Po jakimś czasie poczułam się wreszcie gotowa na spotkanie z Madison i Jodie i powoli zaczęłam wracać do dawnego życia.

– Rozmawiałaś z Bryce'em albo napisałaś do niego?

– Nie. On też nie dzwonił ani nie pisał. Chciałam to zrobić, każdego dnia. Ale mieliśmy nasz plan i ilekroć myślałam o tym, żeby się z nim skontaktować, upominałam się, że lepiej mu będzie beze mnie. Że powinien skupić się na sobie, a ja na sobie. Na szczęście ciotka pisała do mnie regularnie i od czasu do czasu wspominała o Brysie. Poinformowała mnie, że zdobył odznakę Eagle Scout i zgodnie z planem wyjechał do college'u, a kilka miesięcy później napisała, że mama Bryce'a zajrzała do sklepu, by pochwalić się, że Bryce świetnie sobie radzi.

– A ty, jak sobie radziłaś?

– Chociaż odnowiłam kontakty z przyjaciółkami, nadal czułam się dziwnie wyobcowana. Pamiętam, że kiedy dostałam prawo jazdy, czasami pożyczałam samochód i w niedziele po mszy jechałam na wyprzedaże garażowe. Byłam chyba jedyną nastolatką w Seattle, która szukała na wyprzedażach prawdziwych perełek.

– I znalazłaś coś?

– Tak. Znalazłam leicę trzydzieści pięć milimetrów, starszą niż ta, której używał Bryce, ale wciąż działającą bez zarzutu. Wróciłam do domu i błagałam tatę, żeby mi ją kupił. Obiecałam, że oddam mu pieniądze. Ku mojemu zdziwieniu zgodził się. Chyba rozumiał lepiej niż mama, jak bardzo jestem zagubiona i wyobcowana. Mogłam się więc skupić na fotografowaniu. Kiedy zaczęła się szkoła, dołączyłam do zespołu szkolnej gazetki jako fotografka, dzięki czemu nawet w szkole robiłam zdjęcia. Madison i Jodie uważały, że to głupie, ale kompletnie mnie to nie obchodziło. Godzinami przesiadywałam w bibliotece publicznej, przerzucając książki i magazyny o fotografii, tak jak bywało to w Ocracoke. Tata myślał chyba, że mi przejdzie, ale przynajmniej oglądał moje zdjęcia. Natomiast mama wciąż usiłowała zrobić ze mnie drugą Morgan.

– I jak jej poszło?

– Nie poszło. W porównaniu ze stopniami, które dostawałam, mieszkając w Ocracoke, moje oceny z ostatnich dwóch lat liceum były koszmarne. Chociaż Bryce pokazał mi, jak się uczyć, nie potrafiłam zmusić się do ciężkiej pracy. Był to jeden z powodów, przez które wylądowałam w dwuletnim college'u przygotowującym do studiów.

– A jaki był inny powód?

– W dwuletniej szkole były zajęcia, które mnie interesowały. Nie chciałam iść do zwykłego college'u, żeby przez pierwsze dwa lata zdobywać wiedzę ogólną, ucząc się tego samego co w liceum. Tamta szkoła oferowała zajęcia z Photoshopa oraz z fotografii wnętrz i fotografii sportowej, a także kilka godzin z projektowania stron internetowych. Nigdy nie zapomniałam słów Bryce'a o tym, że internet zmieni świat, pomyślałam więc, że jest to coś, czego warto się nauczyć. Po skończeniu tej szkoły od razu zaczęłam pracować.

– Przez cały czas, kiedy byłaś w Seattle, mieszkałaś z rodzicami?

Maggie pokiwała głową.

– Nie zarabiałam kokosów, więc nie miałam wyboru. Ale nie było źle, choćby dlatego, że niewiele czasu spędzałam w domu. Byłam albo w pracowni, albo w laboratorium, albo na sesjach, a i im rzadziej widywałam się z mamą, tym lepiej się z nią dogadywałam. Nawet jeśli nadal dawała mi do zrozumienia, że jej zdaniem marnuję sobie życie.

– A twoje relacje z Morgan?

– Ku mojemu zdumieniu naprawdę interesowało ją, co działo się ze mną, kiedy byłam w Ocracoke. Po tym, jak kazałam jej przysiąc, że nie piśnie ani słówka rodzicom, opowiedziałam jej całą historię i pod koniec wakacji byłyśmy sobie bliskie jak nigdy dotąd. Ale kiedy wyjechała do Spokane, znów oddaliłyśmy się od siebie, głównie dlatego, że rzadko bywała w domu. Po pierwszym roku zapisała się na zajęcia letnie, a w kolejnych latach pracowała na obozach muzycznych. No i stopniowo coraz bardziej wsiąkała w życie studenckie, tak że siłą rzeczy miałyśmy ze sobą coraz mniej wspólnego. Nie rozumiała, dlaczego nie chcę pójść do normalnego college'u i co takiego widzę w fotografii. Patrzyła na mnie jak na kogoś, kto rzucił szkołę, żeby zostać gwiazdą rocka.

Mark uniósł brew.

– Czy ktoś kiedykolwiek się domyślił? Dlaczego naprawdę wyjechałaś do Ocracoke?

– Nie, choć trudno w to uwierzyć. Madison i Jodie niczego nie podejrzewały. Oczywiście, że miały pytania, ale odpowiadałam ogólnikowo i niebawem wszystko było tak jak kiedyś. Ludzie widywali nas razem i nikogo nie interesowały szczegóły mojego wyjazdu. Tak jak przewidziała ciotka Linda, byli zajęci swoimi sprawami. Jesienią, kiedy zaczął się rok szkolny, wracałam do liceum z duszą na ramieniu, ale wszystko zostało po staremu. Ludzie traktowali mnie tak jak dawniej i nie docierały do mnie żadne plotki na mój temat. Przez cały rok snułam się po korytarzach i nawet kiedy robiłam zdjęcia do księgi pamiątkowej, czułam, że niewiele łączy mnie z rówieśnikami.

– A w ostatniej klasie?

– Było dziwnie – powiedziała w zamyśleniu Maggie. – Nikt nigdy nawet nie napomykał o moim pobycie w Ocracoke, więc zaczęło to przypominać sen. Ciotka Linda i Bryce wydawali się równie realni jak zawsze, ale bywały momenty, że nie miałam pewności, czy w ogóle urodziłam dziecko. Z upływem lat było mi coraz łatwiej. Raz, jakieś dziesięć lat temu, gość, z którym umówiłam się na kawę, zapytał mnie, czy mam dzieci, a ja odpowiedziałam, że nie. Nie dlatego, że chciałam go okłamać, ale dlatego, że w tamtej chwili naprawdę zapomniałam. Oczywiście chwilę później zorientowałam się, ale nie było sensu prostować. Nie miałam zamiaru tłumaczyć się z tamtego rozdziału swojego życia.

– A co z Bryce'em? Wysyłałaś mu kartki na święta? Nic o nim nie mówisz.

Maggie nie odpowiedziała od razu. Zakręciła gęstym likierem w kieliszku i dopiero potem spojrzała na Marka.

– Tak. W pierwsze święta po powrocie do domu wysłałam mu kartkę. Właściwie wysłałam ją do ciotki z prośbą, żeby mu ją przekazała, bo nie pamiętałam jego adresu. To ona wrzuciła ją do ich skrzynki pocztowej. Jakaś część mnie zastanawiała się, czy Bryce o mnie zapomniał, chociaż obiecywał, że tak się nie stanie.

– Napisałaś coś… osobistego? – spytał łagodnie Mark.

– To była bardziej wiadomość. Napisałam o tym, co się wydarzyło, odkąd widzieliśmy się ostatni raz. Opowiedziałam mu o porodzie i przeprosiłam, że wyjechałam bez pożegnania. Napisałam, że wróciłam do szkoły i że kupiłam aparat fotograficzny. Ale ponieważ nie byłam pewna, co do mnie czuje, dopiero na koniec dodałam, że wciąż o nim myślę i że czas, który spędziliśmy razem, wiele dla mnie znaczył. I że go kocham. Pamiętam, że pisząc te słowa, byłam przerażona, co sobie pomyśli. A jeśli nie przyśle mi kartki? Jeśli zapomniał o mnie i poznał kogoś innego? Jeśli z czasem zaczął żałować naszych wspólnie spędzonych chwil? A jeśli był na mnie zły? Nie miałam pojęcia, co myśli ani jak odpowie.

– I?

– On też przysłał mi kartkę. Dostałam ją dzień po tym, jak wysłałam swoją, czyli nie mógł przeczytać, co napisałam. Pisał, że podoba mu się w West Point, że dobrze radzi sobie na zajęciach i nawiązał nowe przyjaźnie. Wspominał, że w Święto Dziękczynienia widział się z rodzicami i że jego bracia już zaczęli się zastanawiać nad wyborem uczelni. I tak jak ja, w ostatnim akapicie napisał, że tęskni za mną i że mnie kocha. Przypomniał mi też o naszej umowie, że spotkamy się w Ocracoke w moje dwudzieste czwarte urodziny.

Mark się uśmiechnął.

– To do niego podobne – powiedział.

Maggie upiła łyk likieru, nadal rozkoszując się jego smakiem. Zanotowała w pamięci, żeby schować go do lodówki, dzięki czemu będzie dobry także po świętach.

– Potrzeba było jeszcze kilku kartek świątecznych, abym uwierzyła, że traktuje nasz plan poważnie. Że nas traktuje poważnie. Co roku obawiałam się, że nie przyśle kartki albo napisze, że z nami koniec. Ale się myliłam. Każdego roku na święta dostawałam kartkę, w której zapewniał mnie, że odlicza lata do naszego kolejnego spotkania.

– Nigdy nie spotykał się z nikim innym?

– Chyba nie. Zresztą ja też rzadko chodziłam na randki. W ostatniej klasie liceum i przez dwa lata college'u czasami dawałam się gdzieś zaprosić, ale nie interesowały mnie głębsze relacje. Nikt nie był w stanie dorównać Bryce'owi.

– Ukończył West Point?

– Tak. W dwutysięcznym roku. Później, podobnie jak jego tata, zaczął pracować dla wywiadu wojskowego w Waszyngtonie. Czasami myślę, że powinniśmy byli spotkać się po tym, jak skończył West Point, zamiast czekać do moich dwudziestych czwartych urodzin. Teraz wszystko wydaje się dziełem przypadku – powiedziała z melancholijnym spojrzeniem. – Może sprawy potoczyłyby się inaczej.

– Co się stało?

– Oboje zrobiliśmy to, czego chciałam, i dorośliśmy. On miał swoją pracę, a ja swoją. Fotografia była całym moim światem, nie tylko dlatego, że mnie pasjonowała, ale też dlatego, że chciałam stać się godna Bryce'a, a nie być tylko kimś, kogo kochał. Tymczasem on podejmował ważne życiowe decyzje. Pamiętasz kampanię reklamową amerykańskiej armii? I tę piosenkę: *Bądź każdym, kim chcesz… w armii?*

– Jak przez mgłę.

– Bryce nigdy nie porzucił marzenia o wstąpieniu do Zielonych Beretów, dlatego złożył podanie do SFAS. Napisała mi o tym ciotka Linda. Chyba usłyszała to od jego rodziców i uznała, że pewnie chciałabym wiedzieć.

– Co to jest SFAS?

– Special Forces Assessment and Selection. Szkolenie, które odbywa się w Fort Bragg w Karolinie Północnej. Krótko mówiąc, dostał świetne noty, odbył szkolenie i został przyjęty. Wszystko to wydarzyło się w dwa tysiące drugim roku. Rzecz jasna, siły specjalne były wtedy priorytetem i przyjmowano tylko najlepszych, więc nic dziwnego, że Bryce'owi się udało.

– Dlaczego priorytetem?

– Jedenasty września. Pewnie jesteś za młody, żeby pamiętać tamten katastrofalny dzień, który stał się punktem zwrotnym w historii Ameryki. W kartce z dwa tysiące drugiego roku Bryce pisał, że nie może powiedzieć mi, gdzie jest… już samo to wystarczyło, bym wiedziała, że w jakimś niebezpiecznym miejscu… ale że wszystko jest dobrze. Napisał też, że być może nie uda mu się dotrzeć do Ocracoke w październiku, w moje dwudzieste czwarte urodziny. Prosił, żebym nie wyciągała pochopnych wniosków, i obiecał, że znajdzie sposób, aby dać mi znać, czy wciąż jest na misji, a jeśli tak, ustalimy inne miejsce i czas spotkania.

Zamilkła, pogrążona we wspomnieniach.

– Dziwne – odezwała się po dłuższej chwili – ale nie poczułam się rozczarowana. Byłam raczej zdumiona, że po tylu latach oboje wciąż chcemy być razem. Nawet teraz wydaje mi się nieprawdopodobne, że nasz plan się powiódł. Byłam z nas dumna. No i nie mogłam się doczekać, aż znów go zobaczę, bez względu na to, gdzie i kiedy. Jednak i tym razem nie było dane nam się zobaczyć. Przeznaczenie miało wobec nas inne plany.

Mark milczał, czekając, aż Maggie podejmie opowieść. Tymczasem ona spojrzała na choinkę, jakby zmuszała się, by nie rozpamiętywać tego, co wydarzyło się później. Była to sztuka, którą doskonaliła latami. Patrzyła na lampki i cienie, śledząc uliczny ruch za witryną galerii. Kiedy upewniła się, że wspomnienie zostało zamknięte pod kluczem, sięgnęła do torby i wyjęła kopertę, którą włożyła tam wcześniej, tuż przed wyjściem z mieszkania. Bez słowa podała ją Markowi.

Nie patrzyła, jak w skupieniu odczytuje adres zwrotny i jak dociera do niego, że to list od jej ciotki Lindy. Nie patrzyła nawet, jak otwiera kopertę i zagląda do środka. Choć sama czytała ten list tylko jeden, jedyny raz, doskonale znała jego treść.

Kochana Maggie!

Jest późna noc, pada deszcz i chociaż od dawna powinnam już spać, siedzę przy stole i zastanawiam się, czy mam dość sił, żeby powiedzieć Ci to, co muszę. Z jednej strony uważam, że powinnam porozmawiać z Tobą osobiście, że może powinnam polecieć do Seattle i usiąść z Tobą w domu Twoich rodziców. Z drugiej, obawiam się, że wcześniej dowiedziałabyś się o wszystkim z innych źródeł. O niektórych rzeczach mówią już w telewizji, dlatego zdecydowałam się napisać ten list. Chcę, żebyś wiedziała, że godzinami modliłam się za Ciebie i za siebie.

Nie ma prostego sposobu, żeby Ci o tym powiedzieć. W tej sytuacji nic nie jest proste, tak jak nic nie jest w stanie złagodzić potwornego bólu, który czuję, odkąd dotarły do mnie wiadomości. Proszę, pamiętaj, że teraz, kiedy piszę do Ciebie, cierpię jeszcze bardziej i przez łzy prawie nie widzę kartki. Wiedz, że chciałabym móc Cię przytulić i że zawsze będę się za Ciebie modlić.

W ubiegłym tygodniu Bryce zginął w Afganistanie.

Nie znam szczegółów. Jego ojciec też niewiele wie, przypuszcza jednak, że doszło do wymiany ognia. Nie wiedzą, kiedy ani jak to się stało, bo informacje na ten temat są skąpe. Może z czasem dowiedzą się czegoś więcej, ale dla mnie szczegóły nie są istotne. Myślę, że dla Ciebie również. W czasach takich jak te nawet mnie trudno jest zrozumieć plan, jaki ma wobec nas Bóg, i chyba przechodzę swoisty kryzys wiary. W tej chwili jestem kompletnie zdruzgotana.

Tak mi przykro, Maggie. Wiem, jak bardzo go kochałaś.
Wiem, jak ciężko pracujesz i jak bardzo chciałaś znów go zo-
baczyć. Przyjmij moje najszczersze kondolencje. Mam nadzie-
ję, że Pan Bóg da Ci siłę, byś jakoś to przetrwała. Będę się
modliła, żebyś znalazła w końcu spokój, niezależnie od tego,
jak długo to potrwa. Jesteś na zawsze w moim sercu.
Bardzo mi przykro z powodu Twojej straty. Kocham Cię.

Ciotka Linda

*

Mark milczał oszołomiony. Tymczasem Maggie niewidzącym wzrokiem patrzyła na choinkę, próbując skierować myśli
na inną ścieżkę, jakąkolwiek, byle nie na tę, która wiodła do
wspomnień o tym, co stało się z Bryce'em. Już raz to przeżyła,
doświadczyła nieopisanej grozy, i przysięgła sobie, że więcej się
to nie powtórzy. Chociaż próbowała panować nad emocjami,
poczuła łzę spływającą po policzku i otarła ją pospiesznie, wiedząc, że po niej przyjdą następne.

– Wiem, że pewnie masz pytania – wyszeptała w końcu. –
Ale ja nie mam odpowiedzi. Nigdy nie próbowałam się dowiedzieć, co się właściwie stało. Tak jak pisała ciotka, szczegóły nie
miały dla mnie znaczenia. Wiedziałam tylko, że Bryce odszedł,
a wraz z nim odeszła jakaś część mnie. Coś we mnie pękło.
Oszalałam. Chciałam uciec od wszystkiego, co znałam, więc
rzuciłam pracę, zostawiłam rodzinę i przeprowadziłam się do
Nowego Jorku. Przestałam chodzić do kościoła, co wieczór wychodziłam z domu i przez długi czas umawiałam się z byle kim,

aż rana zaczęła się zasklepiać. Tylko robienie zdjęć utrzymywało mnie przy zdrowych zmysłach. Nawet kiedy przestałam panować nad własnym życiem, starałam się uczyć i doskonalić. Bo wiedziałam, że tego chciałby Bryce. No i było to coś, co nas łączyło.

– Ja… tak mi przykro, Maggie. – Mark starał się panować nad głosem. Z trudem przełknął ślinę. – Nie wiem, co powiedzieć.

– Tu nie ma nic do powiedzenia, poza tym, że był to najgorszy okres w moim życiu. – Próbowała uspokoić oddech, skupiając się na odgłosach ulicy. Kiedy znów się odezwała, głos miała przygaszony. – Do dnia otwarcia galerii myślałam o tym codziennie. Nie byłam zła ani smutna. Zastanawiałam się tylko: Dlaczego Bryce? Ze wszystkich ludzi na świecie dlaczego właśnie on?

– Nie wiem.

Prawie go nie usłyszała.

– Latami starałam się nie myśleć, co by się stało, gdyby został w wywiadzie albo gdybym ja po szkole przeprowadziła się do Waszyngtonu. Nie chciałam myśleć o tym, jak mogłoby wyglądać nasze życie, gdzie byśmy mieszkali, ile mielibyśmy dzieci i dokąd jeździlibyśmy na wakacje. Myślę, że był to jeden z powodów, dla których rzucałam się na każde zlecenie. Starałam się uciec od tych obsesyjnych myśli, ale powinnam była wiedzieć, że to się nie uda. Bo nie sposób uciec od siebie. To jedna z uniwersalnych prawd życiowych.

Mark wbił wzrok w stół.

– Przepraszam, że prosiłem cię, żebyś opowiadała dalej tę historię. Powinienem był cię posłuchać i pozwolić, żeby skończyła się na tamtym wieczorze, na pocałunku na plaży.

– Wiem – odparła. – Ja też zawsze chciałam, żeby tak się skończyła.

*

W miarę jak wskazówki zegara nieuchronnie odliczały czas do dnia Bożego Narodzenia, rozmowa płynnie przechodziła z tematu na temat. Maggie była wdzięczna Markowi, że nie wypytuje jej o Bryce'a. Najwyraźniej rozumiał, jak bardzo bolesny to dla niej temat. Opowiadając o tym, co działo się z nią po śmierci Bryce'a, dziwiła się, jak wiele decyzji, które podjęła w życiu, miało swoje źródło w Ocracoke.

Mówiła o tym, jak po przeprowadzce oddaliła się od rodziny; o tym, że rodzice nigdy nie wierzyli w jej miłość do Bryce'a i nie rozumieli, jak bardzo cierpiała, kiedy go straciła. Wyznała, że nie ufała mężczyźnie, którego poślubiła Morgan, bo nigdy nie zauważyła, żeby patrzył na jej siostrę tak, jak Bryce patrzył na nią. Opowiadała o żalu, jaki czuła do matki za jej ciągłe krytyczne uwagi, i o tym, jak często porównywała ją z ciotką Lindą. Mówiła też o przerażeniu, które ogarnęło ją na promie do Ocracoke, kiedy w końcu zebrała się na odwagę, żeby odwiedzić ciotkę. Gdy wracała na wyspę, dziadkowie Bryce'a już nie żyli, a jego rodzina przeniosła się gdzieś do Pensylwanii. Podczas pobytu na wyspie Maggie odwiedziła wszystkie miejsca, które kiedyś tak wiele dla niej znaczyły. Poszła na plażę, na cmentarz, do latarni morskiej i przez długi czas stała przed dawnym domem Bryce'a, zastanawiając się, czy nowi właściciele zmienili ciemnię w miejsce bardziej odpowiadające ich potrzebom. Kołysała się na falach wspomnień, jak gdyby cofnęła się w czasie. Bywały chwile, że zdawało się jej, że zaraz zobaczy Bryce'a, ale uświadamiała sobie, że to tylko iluzja, bo nic nie potoczyło się tak, jak powinno.

Kiedy była już po trzydziestce, pewnego razu, gdy przeholowała z winem, wygooglowała braci Bryce'a, żeby zobaczyć, co się z nimi dzieje. Obaj ukończyli MIT w wieku siedemnastu lat i pracowali w nowych technologiach – Richard w Dolinie Krzemowej, a Robert w Bostonie. Obaj byli żonaci i mieli dzieci. Jednak dla Maggie ci widoczni na zdjęciach dorośli mężczyźni mieli już na zawsze pozostać dwunastolatkami.

W miarę jak wskazówki zegara zbliżały się do północy, czuła, że ogarnia ją zmęczenie, niczym nadciągający gwałtownie front burzowy. Mark musiał wyczytać to z jej twarzy, bo delikatnie dotknął jej ramienia.

– Nie martw się – powiedział. – Nie będę cię zatrzymywać.

– Nawet gdybyś próbował, nic by to nie dało – odparła słabo. – Przychodzi moment, kiedy po prostu wysiadam.

– Wiesz, o czym myślałem? Odkąd zaczęłaś opowiadać mi tę historię?

– O czym?

Podrapał się w ucho.

– Kiedy myślę o swoim życiu... a przecież wcale nie jestem taki stary... widzę, że na każdym jego etapie zawsze stawałem się odrobinę starszą wersją siebie. Podstawówka zaprowadziła mnie do gimnazjum, a liceum do college'u. Z dziecięcej drużyny hokejowej trafiłem do juniorów, a stamtąd do reprezentacji liceum. Nie miałem w życiu jakichś spektakularnych zmian. Ale z tobą było inaczej. Byłaś zwykłą dziewczyną, która zaszła w ciążę, co kompletnie odmieniło całe twoje życie. Po powrocie do Seattle stałaś się kimś innym, kimś, kogo odrzuciłaś, kiedy przeniosłaś się do Nowego Jorku. Tam przeszłaś kolejną przemianę i zostałaś profesjonalistką w świecie sztuki. Raz za razem zmieniałaś się, stając się kimś zupełnie nowym.

– Nie zapomnij o rakowej wersji mnie.

– Mówię poważnie – odparł. – I mam nadzieję, że nie odbierasz tego negatywnie. Uważam twoją podróż za fascynującą i inspirującą.

– Nie jestem aż tak wyjątkowa. I wcale tego nie planowałam. Przez większość życia po prostu reagowałam na to, co mi się przytrafiało.

– To coś więcej. Masz odwagę, której mnie brakuje.

– To nie tyle odwaga, ile instynkt samozachowawczy. No i może po drodze nauczyłam się kilku rzeczy.

Pochylił się nad stolikiem.

– Powiedzieć ci coś?

Maggie z trudem pokiwała głową.

– To najbardziej pamiętne święta w moim życiu – wyznał. – Nie tylko dzisiejszy wieczór. Chodzi mi o cały ostatni tydzień. Oczywiście miałem też okazję poznać najbardziej niesamowitą historię, jaką w życiu słyszałem. To wspaniały prezent i dziękuję ci za niego.

Uśmiechnęła się.

– A skoro o prezentach mowa, mam coś dla ciebie. – Wyjęła z torby puszkę po cukierkach i przesunęła ją w jego stronę.

Mark spojrzał na puszkę.

– Zjadłem za dużo czosnku?

– Nie wygłupiaj się. Nie miałam czasu ani siły, żeby je zapakować.

Mark uniósł wieczko.

– Pendrive'y?

– Są na nich moje zdjęcia – wyjaśniła. – Te, które lubię najbardziej.

Otworzył szeroko oczy ze zdumienia.

– Nawet te, które są w galerii?

– Oczywiście. Nie są oficjalnie ponumerowane, ale jeśli masz jakieś ulubione, możesz je wywołać.

– Są wśród nich te z Mongolii?

– Niektóre.

– A *Godziny szczytu*?

– Również.

– Och… – szepnął i wyciągnął z pudełka jeden z pendrive'ów. – Dziękuję. – Włożył go z powrotem, wziął drugi i z pietyzmem odłożył. Kolejne dwa musnął palcami, jakby chciał się upewnić, że są prawdziwe. – Nie masz pojęcia, ile to dla mnie znaczy – oznajmił z powagą.

– Zanim pomyślisz, że to coś wyjątkowego, chcę, żebyś wiedział, że w przyszłym miesiącu zrobię to samo dla Luanne. I dla Trinity'ego.

– Na pewno będzie tak samo zachwycona. Wolę twoje zdjęcia niż którąkolwiek z rzeźb Trinity'ego.

– Jeśli kiedykolwiek zaproponuje ci którąś z nich, powinieneś ją wziąć. Będziesz mógł za nią kupić całkiem spory dom.

– Nó tak – przyznał, ale widać było, że wciąż myśli o prezencie. Spojrzał na fotografie wiszące na ścianach i z niedowierzaniem pokręcił głową. – Nie wiem, co powiedzieć, poza tym, że bardzo ci dziękuję.

– Wesołych świąt, Mark. I dziękuję za ten wyjątkowy tydzień. Nie wiem, co bym zrobiła, gdybyś tak chętnie nie spełniał każdej mojej zachcianki. Nie mogę się doczekać, kiedy poznam Abigail. Mówiłeś, że przylatuje dwudziestego ósmego?

– W sobotę. Dopilnuję, żeby przyszła do galerii, kiedy ty tutaj będziesz.

– Nie wiem, czy będę mogła dać ci wolne na cały czas jej pobytu w Nowym Jorku. Trudno mi coś obiecać.

– Ona to rozumie – zapewnił ją Mark. – Mamy plany na całą niedzielę i na Nowy Rok.

– Może zamkniemy galerię trzydziestego pierwszego? Trinity na pewno nie będzie miał nic przeciwko temu.

– Byłoby świetnie.

– Zajmę się tym. W końcu jestem szefową, która rozumie, jak ważne jest spędzanie czasu z ludźmi, których kochamy.

– To prawda. – Zamknął pudełko i podniósł na nią wzrok. – Gdybyś mogła dostać coś pod choinkę, co tylko byś chciała, co by to było? – zapytał nagle.

Zaskoczył ją tym pytaniem.

– Nie wiem – odparła w końcu. – Myślę, że chciałabym cofnąć czas. Przeprowadziłabym się do Waszyngtonu wtedy, gdy Bryce ukończył West Point. I błagałabym go, żeby nie wstępował do sił specjalnych.

– A gdybyś nie mogła cofnąć czasu? Gdyby chodziło o coś, co możesz mieć tu i teraz? Coś, co jest możliwe?

Zastanawiała się przez chwilę.

– Tak naprawdę nie jest to bożonarodzeniowe życzenie ani nawet postanowienie noworoczne. Ale są pewne… sprawy, które chciałabym zamknąć, póki mam jeszcze czas. Chcę powiedzieć rodzicom, że rozumiem, że cokolwiek robili, mieli na względzie moje dobro, i doceniam ich poświęcenie. W głębi duszy wiem, że rodzice zawsze kochali mnie i wspierali, i pragnę im za to podziękować. Morgan też.

– Morgan?

– Może nie jesteśmy do siebie podobne, ale to moja jedyna siostra. Jest też cudowną matką dla dziewczynek i chcę, by wiedziała, że pod wieloma względami była dla mnie źródłem inspiracji.

– Komuś jeszcze?

– Trinity'emu, za wszystko, co dla mnie zrobił. I Luanne za to samo. No i tobie. Ostatnio zrozumiałam jasno, z kim chcę spędzić czas, który mi pozostał.

– A gdybyś mogła wybrać się w ostatnią podróż? Do źródeł Amazonki albo coś w tym stylu?

– Myślę, że czasy, kiedy podróżowałam, mam już za sobą. Ale to nic. W tej kwestii niczego nie żałuję. Dość się napodróżowałam.

– A co powiesz na ostatnią ucztę w restauracji z gwiazdkami Michelina?

– Ostatnio wszystko, co jem, smakuje paskudnie, pamiętasz? Żyję na napojach i likierze jajecznym.

– Próbuję coś wymyślić…

– Nie potrzebuję niczego, Mark. W tej chwili wystarcza mi moje mieszkanie i galeria.

Wbił wzrok w podłogę.

– Żałuję, że nie ma przy tobie twojej ciotki Lindy.

– Ja też – przyznała. – Chociaż z drugiej strony, lepiej, że nie ogląda mnie w tym stanie i nie będzie musiała mnie wspierać w tych trudnych dniach, które mam przed sobą. Już raz to zrobiła, była przy mnie, kiedy potrzebowałam jej najbardziej.

W milczeniu pokiwał głową i zerknął na leżące na stoliku pudełko.

– Chyba teraz moja kolej, żeby dać ci prezent, ale kiedy już go zapakowałem, ogarnęły mnie wątpliwości, czy powinienem ci go dawać.

– Dlaczego?

– Nie wiem, jak go odbierzesz.

Uniosła brew.

– Teraz mnie zaintrygowałeś.

– Mimo wszystko nadal się waham.

– Co ci zależy?

– Mogę cię najpierw o coś zapytać? Chodzi o twoją opowieść. Nie o Bryce'a. Ale o coś, co pominęłaś.

– A co pominęłam?

– Czy po porodzie trzymałaś dziecko w ramionach?

Maggie nie odpowiedziała od razu. Wróciła myślami do gorączkowych kilku minut tuż po porodzie. Przypomniała sobie nagłą ulgę i zmęczenie, płacz noworodka, lekarzy i pielęgniarki, którzy pochylali się nad nią i dzieckiem i dokładnie wiedzieli, co mają robić. Niewyraźne, zamglone obrazy, nic więcej.

– Nie – odparła w końcu. – Lekarz zapytał, czy chcę, ale nie mogłam tego zrobić. Bałam się, że jeśli je przytulę, już nigdy nie wypuszczę go z objęć.

– Wiedziałaś już wtedy, że oddasz mu swojego misia?

– Nie jestem pewna – powiedziała, bez skutku próbując przypomnieć sobie, o czym wtedy myślała. – Wtedy wydawało mi się, że podjęłam tę decyzję pod wpływem impulsu, ale teraz zastanawiam się, czy od początku nie miałam takiego zamiaru.

– Rodzice dziecka nie mieli nic przeciwko temu?

– Nie wiem. Pamiętam, że podpisałam dokumenty, pożegnałam się z ciotką Lindą i Gwen i nagle w pokoju zostałyśmy tylko ja i moja mama. Później wszystko pamiętam jak przez mgłę. – Chociaż mówiła prawdę, rozmowa o dziecku obudziła w niej myśl, którą przez lata trzymała zamkniętą na dnie umysłu. – Pytałeś, co chciałabym pod choinkę – odezwała się po chwili. – Chyba chciałabym wiedzieć, czy to wszystko było tego warte. I czy podjęłam słuszną decyzję.

– Masz na myśli dziecko?

Pokiwała głową.

– Oddanie dziecka do adopcji jest straszne, nawet jeśli to właściwa decyzja. Nigdy nie wiesz, co z tego wyniknie.

Zastanawiasz się, czy rodzice adopcyjni wychowują dziecko jak należy i czy jest szczęśliwe. Myślisz o wielu drobnych rzeczach... co najbardziej lubi jeść, jakie ma hobby, czy jest podobne do ciebie i czy ma twój charakter. Są tysiące pytań i bez względu na to, jak bardzo próbujesz je zdusić, czasami wypływają na powierzchnię. Na przykład, gdy widzisz dziecko trzymające rodzica za rękę albo rodzinę siedzącą przy stoliku obok. Ja mogłam tylko snuć domysły i mieć nadzieję.

– Próbowałaś kiedykolwiek znaleźć odpowiedzi?

– Nie – odparła. – Kilka lat temu myślałam o tym, żeby wpisać się do jednego z rejestrów adopcyjnych, ale niedługo potem zachorowałam i zaczęłam mieć wątpliwości, czy cokolwiek by z tego wyszło, zważywszy na moje rokowania. Rak całkowicie przejmuje kontrolę nad życiem. Chociaż dobrze byłoby wiedzieć, jak to wszystko się potoczyło. I gdyby on chciał mnie poznać, na pewno bym się z nim spotkała.

– On?

– Wierz mi lub nie, ale to był chłopiec. – Zaśmiała się. – Niespodzianka. Kobieta robiąca USG się pomyliła.

– Pomijając instynkt macierzyński... byłaś taka pewna. – Przesunął prezent w jej stronę. – No dalej, otwórz go. Myślę, że potrzebujesz go bardziej niż ja.

Zaintrygowana, przez chwilę patrzyła na Marka, zanim w końcu dotknęła wstążki. Rozwiązała ją jednym szarpnięciem i papier się rozchylił. W środku było pudełko po butach. Otworzyła je i osłupiała, nie mogąc oderwać wzroku od jego zawartości. Oddech uwiązł jej w gardle, czas zwolnił, powietrze wokół niej zawirowało.

Futerko koloru kawy było sfilcowane i zmechacone, jedna z nóg została przyszyta nowym grubym szwem, ale stary wciąż tam był, podobnie jak guzik w miejscu oka. W słabym świetle imię, napisane flamastrem, było prawie niewidoczne, ale Maggie rozpoznała swoje dziecinne pismo i nagle zalała ją fala wspomnień: jak w dzieciństwie spała z nim w łóżeczku, jak tuliła go do piersi w swojej sypialni w Ocracoke i jak jęcząc z bólu, ściskała go w drodze do szpitala.

To był Mag – nie żadna replika ani zamiennik – i kiedy wyjęła go z pudełka, poczuła znajomy zapach, który, o dziwo, pozostał taki sam mimo upływu czasu. Nie mogła w to uwierzyć – to nie mógł być jej miś, wykluczone...

Wstrząśnięta, podniosła wzrok na Marka. Tysiące myśli kłębiły się jej w głowie, aż w końcu, powoli, dotarło do niej pełne znaczenie tego prezentu. Na początku roku Mark skończył dwadzieścia trzy lata, a to znaczyło, że urodził się w 1996 roku... Klasztor ciotki Lindy znajdował się gdzieś na Środkowym Zachodzie, gdzie dorastał Mark... Od początku wydawał się jej dziwnie znajomy... A teraz trzymała misia, którego dała w szpitalu swojemu dziecku...

To nie mogła być prawda.

A jednak była i kiedy Mark się uśmiechnął, poczuła, że jej usta również układają się w drżący uśmiech. Sięgnął ponad stolikiem, wziął ją za rękę i spojrzał na nią z czułością.

– Wesołych świąt, mamo.

MARK

Ocracoke
Początek marca 2020

Na promie do Ocracoke próbowałem wyobrazić sobie lęk, jaki czuła Maggie, kiedy wiele lat temu przypłynęła na wyspę. Nawet ja odczuwałem niepokój, że zmierzam ku nieznanemu. Maggie opisała podróż z Morehead City do Cedar Island, skąd wypływał prom, ale jej opis nie był w stanie oddać poczucia oddalenia i izolacji, które towarzyszyło mi, kiedy mijałem samotną farmę czy przyczepę kempingową. Krajobraz w niczym nie przypominał tego, który znałem z Indiany. Tutejszy świat, choć zasnuty mgłą, był bujny i zielony. Z sękatych gałęzi, powykrzywianych od wiejących bez ustanku nadbrzeżnych wiatrów, zwisały pasma hiszpańskiego mchu. Dzień był chłodny, niebo odcinało się bielą od horyzontu, a szare wody zatoki Pamlico zdawały się zazdrościć każdej przepływającej łodzi. Mimo że towarzyszyła mi Abigail, mogłem zrozumieć, co miała na myśli Maggie, mówiąc, że tu utknęła. Ocracoke, które z każdą chwilą rosło na horyzoncie, wydawało się mirażem, który lada moment rozpłynie się w powietrzu. Zanim podjąłem tę podróż, czytałem, że huragan Dorian, który we wrześniu uderzył w miasteczko, spowodował duże zniszczenia i był przyczyną katastrofalnej powodzi. Patrząc na zdjęcia w gazetach, zastanawiałem się, ile czasu zajmie odbudowa miasteczka. Oczywiście, pamiętałem o Maggie i cyklonie, jaki tu przeżyła, ale ostatnio większość moich myśli kręciła się wokół niej.

W dniu moich ósmych urodzin rodzice powiedzieli mi, że jestem adoptowany. Wyjaśnili, że z woli Boga staliśmy się rodziną, i chcieli, abym wiedział, że kochają mnie tak bardzo, że czasami miłość do mnie niemal rozsadza im serca. Byłem na tyle duży, żeby zrozumieć, czym jest adopcja, ale za młody, żeby wypytywać ich o szczegóły. Zresztą nie miały one dla mnie znaczenia. To oni byli moimi rodzicami, a ja byłem ich synem. W przeciwieństwie do innych dzieci, nie interesowali mnie moi biologiczni rodzice i tylko niekiedy przypominałem sobie, że zostałem adoptowany.

Jednak w wieku czternastu lat miałem wypadek. Wygłupialiśmy się z kolegą w stodole – jego rodzice mieli farmę – i skaleczyłem się kosą, której pewnie w ogóle nie powinienem był dotykać. Została przecięta tętnica, więc było mnóstwo krwi i do szpitala dotarłem blady jak ściana. Ranę zszyto i zrobiono mi transfuzję. To wtedy okazało się, że mam grupę krwi AB minus, inną niż rodzice. Na szczęście już następnego dnia rano wyszedłem ze szpitala i wkrótce wszystko wróciło do normy. Wtedy po raz pierwszy zacząłem się zastanawiać, kim są moi biologiczni rodzice. Ponieważ miałem rzadką grupę krwi, zadawałem sobie pytanie, czy ich grupa krwi również była rzadka i czy są jakieś problemy genetyczne, o których powinienem wiedzieć.

Minęły kolejne cztery lata, zanim zdecydowałem się porozmawiać z rodzicami o mojej adopcji. Bałem się, że zranię ich uczucia. Dopiero z czasem uświadomiłem sobie, że spodziewali się tej rozmowy, odkąd dawno temu powiedzieli mi prawdę. Wyjaśnili mi, że była to adopcja zamknięta, więc żeby dotrzeć do akt, potrzebna będzie zgoda sądu. Nie byli też pewni, czy coś dobrego z tego wyniknie. Mogłem, na przykład, uzyskać jedynie informacje zdrowotne, ale nic więcej, jeśli matka biologiczna postanowiła nie ujawniać danych o sobie. W niektórych stanach istnieją specjalne archiwa – ludzie, którzy adoptują, i ci, którzy oddają dziecko do adopcji, mogą się zgodzić na odtajnienie swoich danych – lecz nie natrafiłem na nic takiego w Karolinie Północnej ani nie wiedziałem, czy moja biologiczna matka próbowała mnie odnaleźć. Wprawdzie zakładałem, że to ślepy zaułek, ale rodzice przekazali mi wystarczająco dużo informacji, żebym mógł kontynuować poszukiwania.

W agencji dowiedzieli się, że dziewczyna była katoliczką i jej rodzina sprzeciwiała się aborcji; była zdrowa i przez całą ciążę pozostawała pod opieką lekarza; na okres ciąży przeszła na naukę zdalną i urodziła, mając szesnaście lat. Wiedzieli również, że była z Seattle. Ponieważ urodziłem się w Morehead City, proces adopcyjny był bardziej skomplikowany, niż sądziłem. Żeby mnie adoptować, rodzice musieli na kilka miesięcy przed porodem przeprowadzić się do Karoliny Północnej i uzyskać tu prawo stałego pobytu. Ta informacja nie była istotna do ustalenia tożsamości Maggie, ale świadczyła o tym, jak bardzo pragnęli mieć dziecko i jak bardzo byli zdolni do poświęceń, by stworzyć mi cudowny dom.

Nie powinni byli znać imienia Maggie, ale je poznali. Częściowo dzięki zbiegowi okoliczności, a częściowo dzięki samej Maggie. Tej nocy na oddziale położniczym, skąd trafiłem na oddział noworodków, panował wyjątkowy spokój. Kiedy rodzice przyjechali do szpitala, tylko dwie sale położnicze okazały się zajęte, a w jednej z nich była czarnoskóra rodzina z czwórką dzieci. Przy drzwiach drugiej sali widniało na karcie nazwisko M. Dawes. Rodzicom przekazano misia, z imieniem „Maggie" napisanym flamastrem na łapce, więc domyślili się, że tak ma na imię matka. Było to coś, czego nie zapomnieli, choć oboje twierdzili, że nigdy nie rozmawiali ze sobą na ten temat.

Moja pierwsza myśl była pewnie taka jak u większości ludzi w moim wieku: Google. Najpierw wpisałem „Maggie Dawes" i „Seattle" – i wyskoczyła mi biografia słynnej fotografki. Oczywiście wtedy nie mogłem być pewny, że to ona jest moją biologiczną matką, i postanowiłem przejrzeć jej stronę internetową. Nie było tam żadnej wzmianki o Karolinie Północnej, mężu czy dzieciach, jednak nie ulegało wątpliwości, że Maggie Dawes mieszka w Nowym Jorku. Na zdjęciu wyglądała zbyt młodo, żeby być moją matką, ale nie miałem pojęcia, kiedy je zrobiono. Jeśli nie wyszła za mąż i nie przyjęła nazwiska męża, nie mogłem jej skreślić.

Na stronie zamieszczono linki do kanału na YouTubie i skończyło się na tym, że obejrzałem kilka jej filmików. Później, już na studiach, również je oglądałem. Chociaż większości tego, co mówiła o fotografii, nie rozumiałem, było w niej coś urzekającego. W końcu odkryłem jeszcze jedną wskazówkę. Na ścianie pracowni w jej mieszkaniu wisiało zdjęcie latarni morskiej. W jednym z nagrań wspomniała nawet, że to właśnie ono rozbudziło jej zainteresowanie fotografią, kiedy była nastolatką. Wcisnąłem pauzę i wpisałem w wyszukiwarce: „Karolina Północna latarnie". Niespełna minutę później wiedziałem już, że to zdjęcie zostało zrobione w Ocracoke. Sprawdziłem też, że najbliższy szpital znajduje się w Morehead City.

Chociaż serce zabiło mi mocniej, rozumiałem, że nadal nie mogę mieć całkowitej pewności. Nabrałem jej dopiero trzy i pół roku później, kiedy Maggie nagrała swoje pierwsze rakowe wideo. Powiedziała wtedy, że ma trzydzieści sześć lat, a to znaczyło, że w roku 1996 miała lat szesnaście.

Czyli imię i wiek się zgadzały. Maggie pochodziła z Seattle, jako nastolatka była w Karolinie Północnej, a zatem mogła być w Ocracoke. Gdy przyjrzałem się jej dokładnie, zauważyłem między nami pewne podobieństwo, chociaż przyznaję, że mogła to być wyłącznie moja wyobraźnia.

Sęk w tym, że chociaż ja chciałem ją poznać, nie wiedziałem, czy ona chce poznać mnie. Wahałem się, co robić, i modliłem się o jakąś wskazówkę. Zacząłem obsesyjnie oglądać wszystkie jej nagrania, zwłaszcza te dotyczące choroby. Co dziwne, kiedy mówiła o niej przed kamerą, zdawała się emanować osobliwą charyzmą. Była szczera, odważna i przerażona, optymistyczna i pełna czarnego humoru, i jak wiele innych osób, nie potrafiłem oderwać się od tych nagrań. A im dłużej je oglądałem, tym bardziej byłem pewny, że chcę ją poznać. Miałem wrażenie, że stała się dla mnie kimś w rodzaju przyjaciółki. Z nagrań i z tego, co samemu udało mi się sprawdzić, wiedziałem, że remisja jest raczej mało prawdopodobna, a to znaczyło, że kończył nam się czas.

Byłem już wtedy po college'u i zacząłem pracę w kościele prowadzonym przez mojego ojca. Zdecydowałem, że chcę kontynuować naukę, więc musiałem podejść do egzaminu GRE* i złożyć podania na studia magisterskie. Miałem szczęście, bo przyjęto mnie na trzy świetne uczelnie, jednak ze względu na Abigail wybrałem Uniwersytet Chicagowski. Podobnie jak ona, miałem zapisać się we wrześniu 2019 roku, ale wizyta u rodziców zmusiła mnie do zmiany planów. Poprosili, żebym zaniósł coś na strych, a tam zobaczyłem pudło podpisane POKÓJ MARKA. Zaciekawiony, otworzyłem je. W środku znalazłem moje trofea sportowe, rękawicę baseballową, teczki ze starymi wypracowaniami, rękawice do hokeja i inne pamiątki, których mama nie miała serca wyrzucić. W pudle był także miś o imieniu Maggie, przytulanka, z którą spałem do dziewiątego czy dziesiątego roku życia.

Jej widok i imię Maggie uświadomiły mi, że najwyższy czas zdecydować, co naprawdę chcę zrobić.

---

* Graduate Record Examination – ustandaryzowany egzamin krajowy, wymagany przed przyjęciem do wielu uczelni w Stanach Zjednoczonych i Kanadzie.

Oczywiście mogłem nie robić nic. Mogłem też zaskoczyć ją w Nowym Jorku, pójść z nią na lunch i wrócić do Indiany. Pewnie wiele osób tak właśnie by zrobiło, ale uznałem, że zważywszy na to, przez co przechodziła, byłoby to wobec niej nie fair, zwłaszcza że wciąż nie wiedziałem, czy w ogóle ma ochotę spotkać się z synem, którego dawno temu oddała do adopcji. Z czasem zacząłem rozważać trzecią możliwość: mogłem polecieć do Nowego Jorku i spotkać się z nią, nie mówiąc jej, kim jestem.

W końcu, po wielu modlitwach, zdecydowałem się na opcję numer trzy. Odwiedziłem galerię na początku lutego, razem z grupą turystów. Tamtego dnia Maggie nie było w pracy, a Luanne, która próbowała odróżnić turystów od kupujących, prawie mnie nie zauważyła. Kiedy wróciłem tam następnego dnia, tłok w galerii był jeszcze większy, a Luanne wyglądała na zmęczoną i chyba ledwie panowała nad sytuacją. Maggie znowu nie było, ale powoli dotarło do mnie, że oprócz tego, że miałbym okazję ją poznać, mógłbym też pomóc jej w galerii. Im dłużej o tym myślałem, tym bardziej podobał mi się ten pomysł. Powiedziałem sobie, że jeśli wyczuję, że chciałaby dowiedzieć się, kim jestem, wyjawię jej prawdę.

Sytuacja była jednak skomplikowana. Gdybym zatrudnił się w galerii – a w tamtym czasie nie wiedziałem nawet, czy poszukują pracownika – musiałbym na rok odłożyć studia i chociaż liczyłem, że Abigail zaakceptuje moją decyzję, wątpiłem, że będzie zadowolona. Co więcej, musiałem wyjaśnić wszystko rodzicom. Nie chciałem, by pomyśleli, że szukam dla nich zastępstwa albo że nie doceniam wszystkiego, co dla mnie zrobili. Powinni wiedzieć, że zawsze będę uważał ich za swoich rodziców. Kiedy wróciłem do domu, powiedziałem im, co zamierzam. Pokazałem im też kilka nagrań Maggie o jej walce z rakiem i myślę, że to ich przekonało. Podobnie jak ja, zdawali sobie sprawę, że kończy nam się czas. Jeśli chodzi o Abigail, była bardziej wyrozumiała, niż się spodziewałem, zwłaszcza że to wszystko miało w jakiś sposób zaważyć na naszych planach. Spakowałem się i wróciłem do Nowego Jorku, nie mając pojęcia, jak długo tam zostanę, i zastanawiając się, czy coś w ogóle z tego wyjdzie. Dowiedziałem się jak najwięcej o pracach Trinity'ego i Maggie i w końcu zaniosłem do galerii swoje CV.

Siedzenie naprzeciw Maggie podczas rozmowy o pracę było najbardziej surrealistycznym momentem mojego życia.

*

Kiedy dostałem pracę w galerii, znalazłem mieszkanie i załatwiłem sprawę uczelni, ale przyznaję, że chwilami zastanawiałem się, czy nie popełniam błędu. W ciągu kilku pierwszych miesięcy rzadko widywałem Maggie, a gdy wpadaliśmy na siebie, nasze kontakty były raczej skąpe. Jesienią zaczęliśmy spędzać ze sobą więcej czasu, ale często towarzyszyła nam Luanne. O dziwo, chociaż chciałem pracować w galerii z powodów osobistych, odkryłem, że jestem w tym dobry, i zaczęło mi to sprawiać przyjemność. Jeśli chodzi o moich rodziców, to tata nazywał moją pracę „szlachetną służbą", a mama stwierdziła po prostu, że jest ze mnie dumna. Chyba spodziewali się, że nie wrócę do domu na święta, i dlatego tata zorganizował wycieczkę do Ziemi Świętej. Chociaż od dawna było to ich marzeniem, domyślałem się, że nie chcieli spędzać świąt w domu bez swojego jedynego dziecka. Często powtarzałem im, jak bardzo ich kocham, i mówiłem, że nie mogłem wymarzyć sobie lepszych rodziców.

*

Kiedy Maggie otworzyła swój prezent, zasypała mnie gradem pytań. Chciała wiedzieć, jak ją znalazłem, wypytywała o moje życie i o rodziców. Zapytała też, czy chcę poznać swojego biologicznego ojca. Sądziła, że może udzielić mi wystarczająco dużo informacji, abym mógł rozpocząć poszukiwania, Chociaż z początku rzadka grupa krwi wzbudziła moją ciekawość, uświadomiłem sobie, że wcale nie zależy mi na odnalezieniu J. Spotkanie i poznanie Maggie było dla mnie wystarczającym przeżyciem, wzruszyła mnie jednak jej propozycja.

W końcu poczuła się tak zmęczona, że odwiozłem ją taksówką do domu. Odprowadziłem ją do mieszkania, a po południu następnego dnia, w Boże Narodzenie, spotkaliśmy się znowu. Spędziliśmy czas w jej mieszkaniu i wreszcie miałem okazję zobaczyć fotografię latarni morskiej.

– To zdjęcie zmieniło życie nas obojga – powiedziała z zadumą, a ja mogłem tylko przyznać jej rację.

W ciągu dni i tygodni, które nastały po świętach, uświadomiłem sobie, że Maggie nie wie, jak być moją matką, tak jak ja nie wiedziałem, jak być jej synem, więc staliśmy się dla siebie bliskimi przyjaciółmi. Chociaż dając jej prezent, nazwałem ją „mamą", później zwracałem się do niej po imieniu, bo tak było zręczniej dla nas obojga. Maggie była podekscytowana spotkaniem z Abigail i po przyjeździe mojej dziewczyny dwukrotnie wybraliśmy się wszyscy troje na kolację. Świetnie się dogadywały, lecz kiedy Abigail objęła Maggie na pożegnanie, zauważyłem, że ta z każdym dniem staje się coraz bardziej krucha i drobna, jakby rak pożerał ją całą.

Tuż przed końcem roku Maggie wrzuciła do sieci wideo z najświeższymi wieściami o stanie swojego zdrowia i zadzwoniła do rodziców. Tak jak się tego spodziewała, mama prosiła ją, żeby przyjechała z powrotem do Seattle, ale Maggie pozostała niewzruszona.

Kiedy Luanne wróciła z Maui, Maggie powiedziała jej o diagnozie i o tym, kim naprawdę jestem. Luanne, która stwierdziła, że już wcześniej coś przeczuwała, oświadczyła, że ja i Maggie powinniśmy spędzić ze sobą jak najwięcej czasu, i wysłała mnie na urlop. Jako nowa menedżerka – Maggie i Trinity zgodnie uznali, że wybór jest oczywisty – to ona podejmowała decyzje i dzięki niej Maggie i ja mieliśmy czas, żeby dowiedzieć się o sobie nawzajem tego wszystkiego, czego jeszcze nie wiedzieliśmy.

Moi rodzice przylecieli do Nowego Jorku w trzecim tygodniu stycznia. Maggie nie była jeszcze wtedy przykuta do łóżka i siedząc na kanapie w salonie swojego mieszkania, oznajmiła, że chciałaby porozmawiać z nimi na osobności. Później zapytałem rodziców, o czym rozmawiali.

– Chciała nam podziękować, że cię adoptowaliśmy – odparła mama, z trudem panując nad emocjami. – Powiedziała, że to dla niej prawdziwe błogosławieństwo. – Moja mama, zahartowana wyznaniami, których wysłuchiwała w pracy, rzadko płakała, ale w tamtej chwili oczy jej się zaszkliły. – Chciała nam powiedzieć, że jesteśmy cudownymi rodzicami, a nasz syn jest niezwykłym człowiekiem.

Kiedy nachyliła się, żeby mnie objąć, wiedziałem, że najbardziej wzruszyło ją to, że nazwała mnie „ich" synem. Dla rodziców moja decyzja o przyjeździe do Nowego Jorku była trudniejsza, niż zdawałem sobie z tego sprawę, i zastanawiałem się, jak wiele stresu im przysporzyłem.

– Cieszę się, że mogłeś ją poznać – szepnęła mama, wciąż nie wypuszczając mnie z objęć.

– Ja też, mamo.

*

Po wizycie moich rodziców Maggie nie wróciła już do galerii i w ogóle przestała opuszczać mieszkanie. Pielęgniarka, która przychodziła do niej trzy razy dziennie, postanowiła zwiększyć jej dawkę środków przeciwbólowych. Czasami Maggie przesypiała dwadzieścia godzin bez przerwy. Wielokrotnie siedziałem wtedy przy niej i trzymałem ją za rękę. Schudła jeszcze bardziej, a jej nierówny chrapliwy oddech rozdzierał mi serce. W pierwszym tygodniu lutego nie wstawała już z łóżka, ale w tych rzadkich momentach, kiedy nie spała, znajdowała jeszcze siłę, żeby się uśmiechać. Zwykle wtedy mówiłem ja – dla niej był to zbyt wielki wysiłek – ale od czasu do czasu opowiadała mi o sobie coś, czego nie wiedziałem.

– Pamiętasz, jak mówiłam ci, że chciałabym, żeby historia moja i Bryce'a skończyła się inaczej?

– Oczywiście – potwierdziłem.

Spojrzała na mnie, a na jej twarzy pojawił się widmowy uśmiech.

– Dzięki tobie doczekałam takiego zakończenia.

*

Rodzice Maggie przyjechali w lutym i zatrzymali się w małym hotelu niedaleko jej mieszkania. Podobnie jak ja, oni również chcieli być blisko niej. Jej ojciec raczej milczał, jak gdyby zdawał się na żonę. Większość czasu spędzał w salonie przed telewizorem nastawionym na kanał ESPN. Jego żona siedziała w fotelu przy łóżku Maggie i załamywała ręce. Gdy tylko przychodziła pielęgniarka, wypytywała ją o zmiany w dawkowaniu środków przeciwbólowych i o opiekę nad córką. Kiedy Maggie nie spała, jej mama bez przerwy mówiła, że to, co się dzieje, jest niesprawiedliwe, i kazała jej się modlić. Upierała się, że onkolodzy w Seattle mogliby jej pomóc i że Maggie powinna była jej posłuchać. Znała kogoś, kto znał kogoś, kto znał jeszcze kogoś, kto miał czerniaka czwartego stopnia i sześć lat temu choroba przeszła w fazę remisji. Czasami lamentowała nad tym, że córka jest sama i nie wyszła za mąż. Maggie cierpliwie znosiła jej utyskiwania; w końcu słuchała ich przez całe życie. Kiedy podziękowała rodzicom i powiedziała im, że ich kocha, jej mama wydawała się kompletnie zaskoczona, że w ogóle to mówi. „Oczywiście, że mnie kochasz! Spójrz, co dla ciebie zrobiłam, mimo decyzji, które podjęłaś w życiu!", mogłem wyczytać z jej twarzy. Nietrudno było zrozumieć, dlaczego Maggie uważała, że jej rodzice są męczący.

Moja relacja z nimi była bardziej skomplikowana. Przez prawie ćwierć wieku udawali, że Maggie nigdy nie była w ciąży. Traktowali mnie z rezerwą, jak psa, który może ugryźć, i zachowywali fizyczny i emocjonalny dystans. Nie wypytywali mnie o moje życie, ale często przysłuchiwali się naszym rozmowom, bo kiedy tylko Maggie się budziła, jej mama natychmiast zjawiała się przy łóżku. Gdy Maggie mówiła, że chciałaby zostać ze mną sama, pani Dawes wychodziła z pokoju naburmuszona, na co Maggie przewracała tylko oczami.

Morgan, która ze względu na dzieci nie mogła swobodnie podróżować, przyleciała do Nowego Jorku na dwa weekendy. Podczas drugiej wizyty, w lutym, ona i Maggie rozmawiały przez dwadzieścia minut. Potem Maggie streściła mi ich rozmowę i mimo ciągłego bólu uśmiechnęła się kpiąco.

– Powiedziała, że zawsze zazdrościła mi wolności i tego, że w moim życiu ciągle coś się działo. – Roześmiała się słabo. – Dasz wiarę?

– Jak najbardziej.

– Podobno często żałowała, że nie może zamienić się ze mną miejscami.

– Cieszę się, że miałyście okazję porozmawiać. – Uścisnąłem jej kruchą dłoń.

– Wiesz, co w tym wszystkim jest najbardziej szalone?

Pytająco uniosłem brew.

– Powiedziała, że w dzieciństwie było jej trudno, bo rodzice zawsze faworyzowali mnie!

Roześmiałem się.

– Chyba sama w to nie wierzy, co?

– Myślę, że jednak wierzy.

– Jak to?

– Bo jest bardziej podobna do mamy, niż jej się wydaje – odparła Maggie.

*

Również znajomi i przyjaciele odwiedzali Maggie w ostatnich tygodniach jej życia. Luanne i Trinity przychodzili regularnie; obojgu dała taki sam prezent, jaki podarowała mnie. Zajrzało do niej czterech redaktorów, a także jej zaprzyjaźniony drukarz i ktoś z pracowni fotograficznej. Podczas tych wizyt usłyszałem jeszcze więcej opowieści o jej przygodach. Odwiedził ją jej pierwszy nowojorski szef i dwóch byłych asystentów, a także jej księgowa, a nawet właściciel mieszkania. Obserwowałem te wizyty z bólem serca. Widziałem smutek tych ludzi, kiedy wchodzili do pokoju. Gdy zbliżali się do łóżka, wyczuwałem ich lęk, że powiedzą albo zrobią coś nie tak. Maggie wiedziała, jak sprawić, by czuli się mile widziani, i starała się przekazać im, jak wiele dla niej znaczą. Przedstawiała mnie wszystkim jako syna.

Podczas tych nielicznych godzin, kiedy nie było mnie u niej, przygotowała prezent dla mnie i Abigail. Abigail przyleciała jeszcze raz w połowie lutego i gdy usiedliśmy oboje przy łóżku Maggie, to poinformowała nas, że opłaciła dla nas ponadtrzytygodniowe safari w Botswanie, Zimbabwe i Kenii. Oboje byliśmy zdania, że to za dużo, ale zbyła nasze protesty machnięciem ręki.

– Przynajmniej tyle mogę zrobić.

Objęliśmy ją i ucałowaliśmy, a ona uścisnęła rękę Abigail. Kiedy spytaliśmy ją, czego możemy się spodziewać, uraczyła nas opowieściami o egzotycznych zwierzętach i obozach w głuszy, a gdy mówiła, momentami przypominała dawną Maggie.

W ciągu tego miesiąca zdarzały się jednak chwile, gdy nie byłem w stanie znieść ogromu jej cierpienia i czułem, że muszę wyjść i oczyścić umysł. Chociaż cieszyłem się, że mogłem ją poznać, jakaś część mnie pragnęła więcej. Chciałem pokazać jej moje rodzinne miasteczko w Indianie i zatańczyć z nią na ślubie z Abigail. Chciałem mieć zdjęcie, na którym będzie trzymała w ramionach mojego syna albo córkę, i chciałem zobaczyć w jej oczach błysk radości. Nie znałem jej długo, ale miałem wrażenie, że znam ją tak dobrze jak rodziców czy Abigail. Chciałem spędzić z nią więcej czasu, więcej lat, i kiedy spała, czasami załamywałem się i nie mogłem powstrzymać łez.

Maggie musiała wyczuwać mój smutek. Raz, kiedy się obudziła, uśmiechnęła się do mnie łagodnie.

– Jest ci ciężko – odezwała się schrypniętym głosem.

– To najtrudniejsza rzecz, z którą przyszło mi się zmierzyć – wyznałem. – Nie chcę cię stracić.

– Pamiętasz, co powiedziałam Bryce'owi? Obawa, że się kogoś straci, łączy się ze strachem.

Wiedziałem, że ma rację, ale nie chciałem jej okłamywać.

– Boję się – powiedziałem.

– Wiem. – Wzięła mnie za rękę; jej dłoń była pokryta sińcami. – Ale nigdy nie zapominaj, że miłość jest silniejsza niż strach. Miłość mnie ocaliła i wiem, że ciebie też ocali.

To były jej ostatnie słowa.

*

Maggie odeszła wieczorem tego dnia, pod koniec lutego. Ze względu na swoich rodziców zawczasu ustaliła, że ceremonia odbędzie się w pobliskim kościele katolickim, a ciało zostanie skremowane. Przed śmiercią tylko raz spotkała się z księdzem i zgodnie z jej życzeniem, nabożeństwo żałobne trwało krótko. Wygłosiłem krótką mowę, choć nogi uginały się pode mną i bałem się, że zaraz upadnę. Jeśli chodzi o muzykę, Maggie wybrała *(I've Had) The Time of My Life* z filmu *Dirty Dancing*. Jej rodzice nie rozumieli tego wyboru, ale ja tak, i słuchając tej piosenki, próbowałem wyobrazić sobie Bryce'a i Maggie siedzących razem na kanapie w jeden z jej ostatnich wieczorów w Ocracoke.

Wiedziałem, jak wyglądał Bryce, i wiedziałem, jak wyglądała nastoletnia Maggie. Zanim odeszła, podarowała mi dwa zdjęcia, zrobione tak dawno temu. Na jednym był Bryce, trzymający sklejkę i szykujący się do zabicia okna, a na drugim Maggie, całująca w nos Daisy. Chciała, żebym je miał, bo uważała, że bardziej niż ktokolwiek inny docenię to, jak bardzo były dla niej ważne.

O dziwo, dla mnie były niemal tak samo ważne.

*

Abigail i ja przypłynęliśmy do Ocracoke porannym promem i zasięgnąwszy informacji, wynajęliśmy melex i odwiedziliśmy kilka miejsc, które Maggie opisywała w swojej opowieści. Widzieliśmy latarnię morską oraz brytyjski cmentarz, minęliśmy przystań, gdzie cumowały kutry rybackie, i miejscową szkołę, do której ani Maggie, ani Bryce nie chodzili. Dzięki mieszkańcom udało nam się nawet znaleźć sklep, w którym Linda i Gwen piekły kiedyś swoje słynne bułeczki, a teraz sprzedawano tam pamiątki i bibeloty. Nie wiedziałem, gdzie mieszkała Linda ani gdzie mieszkał Bryce, ale przejeżdżaliśmy wszystkimi ulicami, więc z pewnością co najmniej raz minęliśmy ich domy.

Zjedliśmy lunch w Howard's Pub i w końcu poszliśmy na plażę. Trzymałem w ramionach urnę z częścią prochów Maggie, a w kieszeni miałem list, który do mnie napisała. Reszta prochów była w innej urnie, u jej rodziców w Seattle. Zanim zmarła, zapytała mnie, czy wyświadczę jej przysługę. Nie mogłem odmówić.

Kiedy Abigail i ja szliśmy plażą, myślałem o Maggie i Brysie, którzy często tędy spacerowali. Jej opis był dokładny. Tak jak mówiła, był to skrawek plaży – dziki, wyludniony i nieskażony nowoczesnością. Abigail wzięła mnie za rękę i chwilę później zatrzymaliśmy się. Chociaż nie mogłem być pewny, chciałem wybrać miejsce, w którym Bryce i Maggie byli na pierwszej randce, miejsce, które w jakiś sposób do mnie przemawiało.

Podałem urnę Abigail i wyjąłem z kieszeni list. Nie miałem pojęcia, kiedy Maggie go napisała – po jej śmierci znalazłem go na stoliku przy jej łóżku. Na kopercie zapisała wskazówki: prosiła, żebym przeczytał go, kiedy będę w Ocracoke.

Otworzyłem kopertę i wyjąłem list. Nie był długi, a pismo było niewyraźne, miejscami trudne do odczytania – zapewne z powodu leków, które brała, i jej osłabienia. Z koperty wypadło coś jeszcze, co w porę zdążyłem złapać – kolejny podarunek. Wziąłem głęboki oddech i zacząłem czytać.

Kochany Marku!

Przede wszystkim pragnę Ci podziękować za to, że mnie odnalazłeś i sprawiłeś, że moje życzenie się spełniło.

Chcę, żebyś wiedział, że jesteś dla mnie kimś wyjątkowym, że jestem z Ciebie bardzo dumna i że bardzo Cię kocham. Mówiłam Ci to wszystko już wcześniej, ale musisz wiedzieć, że dałeś mi jeden z najpiękniejszych prezentów, jakie dostałam w całym moim życiu. Proszę, podziękuj ode mnie Abigail i swoim rodzicom, że podarowali Ci czas, który był nam potrzebny, żebyśmy się poznali i pokochali. Są równie wyjątkowi jak Ty.

Te prochy to wszystko, co pozostało z mojego serca. Przynajmniej symbolicznie. Z powodów, których nie muszę Ci tłumaczyć, pragnę, by zostały rozsypane w Ocracoke. W końcu właśnie tu zostawiłam swoje serce. Wierzyłam też, że Ocracoke jest magicznym miejscem, gdzie niemożliwe czasami staje się możliwe.

Jest coś jeszcze, co chciałabym Ci powiedzieć, chociaż wiem, że z początku zabrzmi to jak szaleństwo. (A może jestem szalona; rak i lekarstwa sieją zamęt w mojej głowie). Jednak wierzę w to, co powiem – obojętnie, jak bardzo naciągane może się to wydawać – bo to jedyna rzecz, która w tej chwili wydaje mi się prawdziwa.

Przypominasz mi Bryce'a bardziej, niż możesz to sobie wyobrazić. Masz jego charakter i delikatność, empatię i urok. Jesteś nawet trochę do niego podobny i – może dlatego, że obaj byliście sportowcami – poruszasz się z taką samą płynną gracją. Podobnie jak Bryce, jesteś nad wiek dojrzały i w miarę jak poznawałam Cię coraz lepiej, podobieństwa wydawały mi się coraz bardziej oczywiste.

Wierzę, że w jakiś sposób poprzez mnie Bryce stał się częścią Ciebie. Kiedy trzymał mnie w ramionach, jakaś część jego wniknęła w Ciebie, a gdy wspólnie spędzaliśmy dni w Ocracoke, przejąłeś od niego to, co było w nim najlepsze i najbardziej wyjątkowe. Jesteś dzieckiem nas obojga. Wiem, że takie rzeczy się nie zdarzają, ale chcę wierzyć, że nasza miłość przyczyniła się do stworzenia tego cudownego młodego mężczyzny, którego miałam okazję poznać i pokochać. Moim zdaniem nie ma innego wyjaśnienia.

Dziękuję, że odnalazłeś mnie, mój synu. Kocham Cię.

Maggie

*

Skończyłem czytać list, włożyłem go z powrotem do koperty i spojrzałem na dołączony do niego wisiorek. Maggie pokazała mi go wcześniej i wiedziałem, że z tyłu na muszli wygrawerowane są słowa: *Ocracoke Wspomnienia*. Wisiorek wydał mi się dziwnie ciężki, jakby zaklęto w nim cały ich związek, ich wieczną miłość, której dane było trwać tylko kilka krótkich miesięcy.

Wreszcie schowałem wisiorek i list do kieszeni i delikatnie wyjąłem urnę z rąk Abigail. Morze poruszało się w tym samym kierunku co wiatr. Stanąłem na mokrym piasku, który lekko zapadł się pod moim ciężarem, i pomyślałem o dniu, kiedy Maggie pierwszy raz spotkała Bryce'a na promie. Fale chlupotały rytmicznie, a ocean ciągnął się aż po horyzont. Jego przestwór wydawał się niepojęty, nawet gdy wyobraziłem sobie rozświetlony latawiec, szybujący na nocnym niebie. Słońce chyliło się ku zachodowi i wiedziałem, że niebawem zapadnie zmrok. W oddali na piasku stał zaparkowany samotny pick-up. Pelikan szybował tuż nad falami. Zamknąłem oczy i zobaczyłem Maggie stojącą w ciemni obok Bryce'a albo uczącą się przy wysłużonym kuchennym stole. Wyobraziłem sobie pocałunek, gdy wszystko w życiu Maggie, choć przez chwilę, wydawało się idealne.

Teraz Bryce i Maggie nie żyli, a ja poczułem, że ogarnia mnie przytłaczający smutek. Odkręciłem wieczko, zdjąłem je i przechyliłem urnę, tak żeby wiatr porwał prochy Maggie. Stałem nieruchomo, przypominając sobie fragmenty *Dziadka do orzechów*, jazdę na łyżwach i ubieranie choinki, i ocierałem nieproszone łzy, które cisnęły mi się do oczu. Przypomniałem sobie minę Maggie, kiedy wyjęła z pudełka misia, i wiedziałem, że już zawsze będę wierzył, że miłość jest silniejsza niż strach.

Wziąłem głęboki oddech, odwróciłem się i powoli podszedłem do Abigail. Pocałowałem ją delikatnie, ująłem jej dłoń i oboje w milczeniu ruszyliśmy z powrotem.

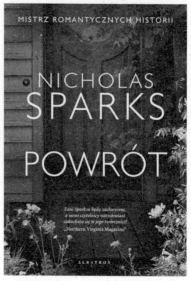